Dr. med. ECKART von HIRSCHHAUSEN

Wohin geht die Liebe, wenn sie durch den Magen durch ist?

Rowohlt Taschenbuch Verlag

2. Auflage November 2012

ORIGINALAUSGABE

Veröffentlicht im Rowohlt Taschenbuch Verlag,
Reinbek bei Hamburg, September 2012
Copyright © 2012 by Rowohlt Verlag GmbH,
Reinbek bei Hamburg
Texte und Ideen: Dr. Eckart von Hirschhausen
Artdirection: Änni Perner
Umschlaggestaltung: Änni Perner
(Fotos: Frank Eidel und fotolia)
Satz Palatino PostScript, InDesign
Druck und Bindung GGP Media GmbH, Pößneck
Printed in Germany
ISBN 978 3 499 62620 3

Inhalt

Vorwort · 9

1. DIE LIEBE KOMMT SELTEN ALLEIN

Die Bedingungen der bedingungslosen Liebe · · · · · · 17

Lied und Schatten · 23

Wonach suchen wir eigentlich? · · · · · · · · · · · · · · · · · 31

Sextipps, die wirklich funktionieren · · · · · · · · · · · · · 37

Liebesbeweis- und Streitkarten · · · · · · · · · · · · · · · · · 44

Die hohe Kunst des Streitens · · · · · · · · · · · · · · · · · · 47

Streit, den man nicht gehabt hat,
hat man nicht gehabt · 56

Die 10 goldenen Regeln des Heiratsmarkts · · · · · · · · 62

Das Spannende am Ausspannen · · · · · · · · · · · · · · · 69

Du bist so unromantisch! · 77

Wir müssen reden · 83

Die eurythmische Stochastik-Story · · · · · · · · · · · · · · 92

2. DIE LIEBE AN UND FÜR SICH

Freunde bleiben! · 99

Die schönste Zeit? · 105

Was für ein Urlaubstyp bin ich? · · · · · · · · · · · · · · · · 110

Bakterien mit Herz · 115

Basketballspielen für Schüchterne · · · · · · · · · · · · · · 120

Ein Missverständnis namens Mama · · · · · · · · · · · · · 124

Rabenmütter für jeden! · 128

Du hast was Besseres verdient · · · · · · · · · · · · · · · · · 133

Sorry, ey! ·· **143**

Jetzt heirate ich mich selbst ························· **151**

Das Lied der aktiven Reue ···························· **154**

3. DIE LIEBE ZU BAUCH, BEINE, PO

Futter bei die Fische ································· **158**

Alles, was Sie noch nie über Brüste wissen wollten **163**

Der Preis der Schönheit ······························· **169**

Spam, Sperm und Maiglöckchen ····················· **173**

Der Zahn der Zeit ····································· **179**

Der erste neurobiologisch korrekte Liebessong ········· **186**

4. DIE LIEBE ZU SINN UND SINNLICHKEIT

Was quatschst du mich von der Seite an? ··········· **190**

Druck mit der Tränendrüse ·························· **195**

Eins nach dem anderen ······························· **199**

Zähl nach! ··· **205**

Der Preis ist Schweiß! ································· **211**

Was du nicht sagst! ···································· **215**

Das Auge liest mit ····································· **223**

Loblied auf die Langzeitbeziehung ················· **227**

5. DIE LIEBE ZU SPEIS UND TRANK

Der Klügere kippt nach ······························· **231**

Was Männern der Sex, ist Frauen das Essen ········ **235**

Willensstärke gegen Kartoffelstärke ················ **239**

Von Nichtrauchern und Nichtschwimmern ········· **251**

Das Unschöne am Schönsaufen ····················· **257**

6. DIE LIEBE ZUM DETAIL

Freudsche SMS ··· 267

Fahren und fahren lassen ···························· 273

Fernbeziehungen ·· 281

Eine Anleitung für Männer im Umgang mit Frauen ···· 288

Das Geheimnis von Krake Paul ······················ 291

Wasserhäme ··· 298

Alles E? ·· 303

Balken am Kopf ··· 311

Unhaltbar ··· 315

Nur ein Kuss … ·· 322

7. DIE LIEBE ZUM NICHT-ENDEN-WOLLEN

Hört nur, wie lieblich es schallt! ···················· 326

«Unsterblichkeit ist nicht jedermanns Sache» ······· 331

Geschenkt! ·· 339

Wie werde ich Gesundheitsguru? ··················· 348

Stimmt so! ·· 357

Nachwort ··· 366

Die Pinguingeschichte ································· 368

Was hast du vor mit dem Rest deiner Zeit? ··········· 374

Dank ·· 376

Bildnachweis ·· 384

Große Liebesgeschichten beginnen oft mit einem einfachen Hallo. Aber damit sie und nicht die Frauen weitergehen, müssen Männer sich schon mehr einfallen lassen. (Hier in Rio de Janeiro im Rahmen eines Kunstprojekts von ART HELPS.)

Vorwort

Die Liebe – ein Thema, so unerschöpflich wie ein Teller Brühe für den, der nur eine Gabel hat. Wir sind alle zwischen zwei unvereinbaren Positionen zerrissen, zwischen Romantik und Realismus. Der Romantiker in uns sagt, dass es für jeden Menschen auf der Welt genau einen richtigen Partner gibt. Und der Realist sagt: «Da muss ja nur einer den Falschen nehmen, und dann geht's für alle nicht mehr auf.»

Herzlich willkommen zu einem Liebesbuch, das es so noch nicht gegeben hat. Sie werden nichts von Schuhen oder Parklücken lesen. Denn es gibt genau zwei Arten von Menschen: solche, die alles in zwei Gruppen einteilen, und solche, die wissen, dass so etwas Quatsch ist. Ich weiß, dass wissenschaftlich größtenteils unsinnig ist, was über Männer und Frauen kursiert. Aber für Komiker gibt es nichts Dankbareres als die Marotten unseres Miteinanders. Was also tun? Dieses Buch soll gleichermaßen stimmig und erheiternd sein. Und so beziehen sich die Kernaussagen immer auf ein hartes Stück Recherche. Aber das, was mir dazu in den Sinn kommt, ist manchmal auch Unsinn. Und ich traue Ihnen zu, den Unterschied zu erkennen.

Männer und Frauen stammen nicht von Mars und Venus. Beide sind von der Erde, wollen gerne in den siebten Himmel und dafür andere zwischenzeitlich auf den Mond schießen. Und wenn es einen Unterschied gibt, dann die Tatsache, dass Frauen mehr Bücher kaufen als Männer. Aber das ist nicht angeboren. Und es hat auch nichts mit der Steinzeit zu tun. Liebe bleibt bei aller Wissenschaft ein Wunder – das größte überhaupt. Und womöglich hält sie die Welt noch ganz anders zusammen als jedes Elementarteilchen, das wir entdecken.

Dieses Buch ist nicht vollständig. Wie auch, bei einem Thema, das alles umspannt? Wenn Sie bestimmte Dinge vermissen, wie die Liebe zu Freunden, die Anatomie des Genusses und die Bindung zu Kindern, liegt es daran, dass ich darüber in meinem letzten Buch *Glück kommt selten allein* schon geschrieben habe. Ich bemühte mich, Überschneidungen zu vermeiden. Aber Glück, Sinn und Liebe gehören eben zusammen. Ich biete Ihnen hier auch keine Rezepte oder Konzepte; vielmehr sind es Puzzlesteine, die erst in Ihrem Kopf mit Ihren eigenen Erfahrungen zu einem Ganzen werden. Im besten Fall. Und einige Geschichten haben auch gar nichts mit Liebe zu tun. Einfach so.

Als Arzt fasziniert mich, wie in den letzten Jahren das Bewusstsein dafür gewachsen ist, dass Menschen sich durch positive Gefühle gesund halten und gegenseitig heilen. Leben Verheiratete länger, oder kommt es ihnen nur so vor? Kein Witz, die Liebe ist im wahrsten Sinne lebensentscheidend! Sie beschleunigt die Wundheilung, verhindert Herzinfarkte, und den größten Gewinn an Lebenserwartung haben Menschen, die sich für andere einsetzen. Wir brauchen andere Menschen, um glücklich zu sein. Allein glücklich sein zu wollen, ist so sinnlos, wie sich selbst zu kitzeln. Ähnlich ist es beim Sex: Wird er immer nur allein praktiziert, fehlt irgendwann die Überraschung. Man denkt sich: Es war schön, aber ich habe es kommen sehen. Sex kann zu zweit schöner sein, muss aber nicht.

Frisch Verliebte sind psychiatrisch betrachtet in ihrem Denken bisweilen sehr eingeengt. «Ah, guck mal, da fährt ein rotes Auto. Mein Schatz fährt auch ein rotes Auto. Das beweist, dass er gerade an mich denkt.» Es macht zwar einen großen Unterschied, ob man solche Sätze zu einem Arzt in einer Nervenklinik oder zu seiner besten Freundin sagt, aber beide werden im Zweifelsfall nichts unternehmen, denn diese Störung geht von allein vorbei. Das hat die Natur so eingerichtet, sonst käme man zu nichts mehr. Das Gesunde an der Liebe ist weniger der dramatische Dopamin-Rausch der Ekstase, sondern eher das stille Oxytocin-Glück des Zusammengehörens. Wir sind keine Chemiebaukästen, aber ich glaube, erst wenn man die Biologie der Attraktion versteht, kann man vielleicht verhindern, dass man sich so richtig immer nur in die Falschen verliebt.

Vieles ändert sich: Vor zwanzig Jahren war es noch verpönt, Pornos anzuschauen. Heute gilt man als verklemmt, wenn man es nicht tut – und in zwanzig Jahren wird man wahrscheinlich ausgelacht, wenn man keine eigenen ins Netz stellt.

Ein Wort zu den Schreibweisen: Wenn ich von Männern spreche, verwende ich oft nur die männliche Form. Ich bitte Sie, mir das nachzusehen. Auch jeder, der andere Präferenzen hat, möge mir verzeihen, wenn ich viele Formen der Liebe jenseits von Männlein und Weiblein nicht erwähne, weil ich davon noch weniger Ahnung habe. Ich schreibe dieses Buch aus der Sicht eines Mannes, der Frauen liebt. Gleichzeitig bin ich oft neidisch auf die Frauen. Alle sind neidisch: Wer in einer Beziehung lebt, beneidet die Singles, und wer Single ist, die Paare. Und viele Ehefrauen beneiden ihren Mann, weil der so glücklich verheiratet ist.

Dieses Buch entstand über einen Zeitraum von drei Jahren. Mit dem Thema Liebe habe ich mich wie wohl jeder Mensch etwa seit dem fünfzehnten Lebensjahr beschäftigt, mit sehr durchwachsenem Ergebnis. Aber Komik ist ja Tragik plus Zeit, und so entstand aus Recherche, persönlichem Erleben und Musik mein Bühnenprogramm *Liebesbeweise*, damit es auch bei den großen Gefühlen etwas zu lachen gibt.

Und weil ich das Interaktive liebe, spreche ich den Leser, also Sie, immer wieder direkt an. Wenn ich aber über Männer oder Frauen spreche, meine ich NIE Sie persönlich. Nur die Menschen, die Sie kennen.

Während meiner Auftritte entsteht gemeinsam mit dem Publikum viel Unerwartetes, was teilweise seinen Weg in dieses Buch gefunden hat; beispielsweise die Streit- und Liebeskarten, die meine Zuschauer in der Pause ausfüllen: «Ich geh mit dir bis ans Ende der Welt – und dann schubs ich dich!» oder «Ich soll Dir noch liebe Grüße von Deinem Niveau ausrichten. Ihr seht Euch ja nicht so oft.» So etwas kann sich keiner ausdenken. Zudem singe ich, daher die Liedtexte, falls Sie sich wundern, was plötzlich die Poesie soll. Was jedoch nicht abgebildet werden kann – die Befreiung, wenn tausend Menschen gleichzeitig lachen und jeder merkt: Ich bin nicht allein.

Dieses Buch muss niemanden verändern. Wahrscheinlich sind Sie sehr okay und liebenswert, so wie Sie sind. Wenn jedoch jeder Leser auch nur eine einzige Idee mitnimmt, sind das schon viele tausend Ideen, die Sie alle hoffentlich leichter und herzlicher durch die nächsten Tage gehen lassen. Mich haben zum Beispiel die *free hugs* begeistert: Menschen bieten auf öffentlichen Plätzen Umarmungen an, ohne Hintergedanken und ohne Geld dafür zu nehmen. Ich habe es einmal selbst am Alexanderplatz in Berlin ausprobiert. Es ist verrückt, dass so etwas Einfaches, wie in den Arm genommen zu werden, vielen Menschen offenbar fehlt. Und es ist herzerwärmend, wie gelöst coole Großstädter nach der Berührung lächelnd ihrer Wege ziehen. Dass uns Körperkontakt guttut, gerade bei Stress, weiß inzwischen auch die Wissenschaft.

Wenn's doch nur so einfach wäre. Doch vielleicht ist es das ja. Liebe dich selbst, dann können die anderen dich gernhaben. Liebe ist Weg und Ziel. Aber Umwege erhöhen die Ortskenntnis. Im Song «Nature boy» heißt es: «The greatest thing you

ever learn is just to love and be loved in return.» Das Groß-
artigste, was man überhaupt lernen kann: lieben und geliebt
zu werden. Das wünsche ich Ihnen und allen und mir auch.
Viel Freude mit den Puzzleteilen, Augen auf, Herz auf!

Ihr

Eckart v. Hirschhausen

1. Die Liebe
kommt selten allein

Romantik, Oxytocin und Dopamin, Schnittblumen und
Topfpflanzen, Taille-Hüfte-Quotient, Exponentialfunktion,
Chromosomen, *mate copying*, Fruchtfliegen,
Streithähne, Polygamie, Kavaliere, Hormonspiegel,
Unterhaltungselektronik, Redebedarf

Ein großer Schritt für ihn, ein kleiner Schritt für die Menschheit.

Die Bedingungen der bedingungslosen Liebe

Das Wunder der Geburt: Unsere Mutter hat uns auf Anhieb gemocht. Das ist alles andere als selbstverständlich! Wir haben sie über Monate von innen getreten und nächtelang wach gehalten, sorgten für Sodbrennen, Wadenkrämpfe und eine Gewichtszunahme von zwanzig Kilo, von denen sich nach der Geburt nur drei erklärten. Und dann pressten wir uns durch eine sehr empfindliche Körperregion auf die Welt – und bescherten ihr unglaubliche Schmerzen. Mutti dachte, dass wir vielleicht lächeln und rosig sein würden. Aber nein! Wir liefen blau an und plärrten! Doch Mutti sah uns und hatte uns lieb, sozusagen frisch gepresst.

Wie ist das möglich? Nur mit massivem Einsatz einer bewusstseinsverändernden Droge, des Hormons Oxytocin. Dieser zentrale Botenstoff in unserem Gehirn wird auch gerne als «Kuschelhormon» bezeichnet. Es hat für unsere Bindungen und unser soziales Verhalten jedoch noch viel komplexere Funktionen, die die Wissenschaft derzeit nur ansatzweise versteht. Als Erstes taucht Oxytocin massiv direkt nach der Geburt auf, als die rosa Brille der Evolution: Jede Mutter der Welt blickt auf ein käsig verschmiertes Etwas und sagt: «Das ist das schönste Kind, das jemals geboren wurde!» Und du stehst als Arzt daneben und möchtest diesen kostbaren Moment nicht zerstören. Aber in deinen Adern ist weniger Oxytocin präsent, stattdessen viel mehr Adrenalin. Was sagt man dann? «Ja, stimmt, jetzt wo Sie es sagen. Gut, es gab hier auf der Station schon ein paar Geburten, aber so ein hübsches Kind, nein, das ist wirklich das schönste!»

Ein Gegenbeispiel: Wenn einen Mann ein Nierenstein plagt,

der auch über einen natürlichen Weg ins Freie muss, dann tut das ebenfalls sehr weh und dauert Stunden. Aber ich habe noch nie erlebt, dass ein Mann in dem Moment, in dem das verdammte Ding endlich draußen war, spontan zärtliche Gefühle für den Stein entwickelte. Ich kenne auch keinen Patienten, der seinen Stein mit nach Hause genommen hat, sich ein Leben lang für ihn verantwortlich fühlte und im Nachhinein sagte: «Das war der schönste Moment in meinem Leben.» Da fehlt einfach das Hormon.

Oxytocin spielt auch nach der Geburt eine große Rolle. Es sorgt für den Milcheinschuss und dafür, dass sich die Gebärmutter wieder zusammenzieht, was noch einmal sehr weh tun kann. Mütter haben dennoch beim Stillen oft einen friedlichen Gesichtsausdruck. Dahinter steckt ebenfalls das Kuschelhormon. Es gelangt über die Milch ins Kind, deshalb heißt es ja auch Stillen: weil das Kind danach still ist. Rundum befriedigt, satt und selig schläft es ein. Auch beim Sex wird Oxytocin freigesetzt, was wiederum erklärt, warum der Mann danach rundum befriedigt, satt und selig einschläft. Liebe Frauen, schaut euren Männern dann einmal ins Gesicht, ihr seid ja noch wach. Das ist das Gesicht eines satten Säuglings. Und weder einem Schlafenden noch einem Säugling kann man ernsthaft böse sein, oder? Die Idee der «bedingungslosen Liebe» stammt meines Erachtens aus der Stillzeit. Sie ist ein Ideal.

In der Realität geht es leider viel zu oft schief. Jede siebte Mutter hat nach der Geburt kaum positive Regungen, sondern eine Wochenbettdepression, die nicht immer erkannt wird. Und auch jeder zehnte Vater wird im ersten Jahr depressiv. Dabei haben die Väter in den ersten Monaten schon eine wichtige Funktion, wenn sie denn da sind. Eine aktuelle britische Studie zeigt, dass insbesondere Jungen sich besser entwickeln und später weniger verhaltensauffällig werden, wenn der Vater im ersten Lebensjahr liebevoll mit ihnen umgeht. Ein einfühlsamer Vater tut nicht nur dem Kind gut; auch sein eigenes Gehirn verändert sich so massiv wie seit der Pubertät nicht mehr. Dank des Bindungshormons entwickeln sich seine sanften Seiten. Das Testosteron sinkt – im Gegensatz zum Körpergewicht. Und während die Frauen den Kugelbauch nach der Schwangerschaft verlieren, bleibt er den Männern oft erhalten. Dafür erleben Eltern einen neuen Sinn und neue Prioritäten im Leben. Zum Beispiel: Schlaf!

Wer selbst keine sicheren Beziehungserfahrungen gemacht hat, tut sich schwer, selbst Stabilität an die nächste Generation weiterzugeben. Und mit der bedingungslosen Liebe ist es nach ein paar Monaten für alle nicht mehr ganz so einfach. Denn die setzt ein symbiotisches Verhältnis voraus, ein Verschmelzen zu einer großen Einheit. Wenn jedoch das Baby beginnt, seinen eigenen Willen zu entwickeln, wird es anstrengender. Gut, das erste Mal hebt jeder noch gerne den Schnuller vom Boden auf. Aber auch das achte Mal, wenn offensichtlich ist, dass er nicht durch Zufall dorthin gelangt ist?

Eine moderne Theorie der Liebe zwischen Mann und Frau behauptet, sie sei ein «Abfallprodukt» der Liebe zwischen Mutter und Kind. Diese Ur-Bindung, welche für unser Überleben als Säugetiere entwickelt wurde, ist im Laufe der Evolution zur partnerschaftlichen Beziehung erweitert worden, aber unter Verwendung derselben Andockstellen und hormonellen Systeme. Das würde erklären, warum sich frisch Verliebte so gerne füttern und kitzeln und ihr Wortschatz wochenlang nur aus «Dududu» besteht. Anderseits macht dies auch plausibel, warum wir uns, wenn wir von einem Partner verlassen werden, wie ein kleines Kind verhalten. Wir fühlen uns hilflos, schreien und heulen, als hätte uns Mama mit vier Jahren im Supermarkt vergessen. Und über allem steht der Wunsch, geliebt zu werden, wie man ist, angenommen zu sein wie damals an der Mutterbrust. Aber das ist im wahrsten Sinne ein bisschen infantil.

Was mich als Komiker immer gewundert hat: Warum gibt es so unendlich viele schlechte Witze über Schwiegermütter? Vielleicht hängen diese auch mit unserem Bindungssystem zusammen, denn jeder Partner weiß, dass er in Intensität und «Vorlauf» niemals an die Mutter-Kind-Beziehung herankommen kann. Die Schwiegermutter kannte unseren Partner zuerst. Sie war die erste große Liebe. Und auch wenn jemand schon andere Partner vor uns hatte, eine andere Mutter hatte er nie! Womöglich kommt daher die latente Eifersucht auf jemanden, dem man letztendlich zu verdanken hat, dass es den Partner überhaupt gibt. Nach meinen bundesweiten Umfragen ist die häufigste Äußerung im Streit: «Du wirst deiner Mutter immer ähnlicher.»

Zur Bindungs- und Herzensbildung gehören in unserer Kultur sehr widersprüchliche Dinge: «sich selbst verwirklichen» und «selbstlos sein». Ob Kinder glücklich machen, hängt davon ab, ob man sie als Hindernis zur Selbstverwirklichung erlebt – oder als Weg dorthin. Oder als Wert an sich. Elternschaft erzeugt insbesondere in Männern viele positive Gefühle, weil sie mit den Kindern eine neue Dimension von Sinnhaftigkeit erfahren. Gut, sie leisten auch meist nicht die anstrengende Dauerbetreuung. In einer Studie zeigte sich, dass reiche Eltern weniger Freude mit ihren Kindern erleben, vielleicht, weil sie versuchen, viele andere Optionen für ihr Leben parallel zu verwirklichen. Das wird auch mit mehr Kindergeld nicht besser. Es ist wie immer komplex.

«All you need is love», sangen die Beatles. Alles, was man braucht, ist Liebe?

Aus der Medizin weiß ich, dass es kaum ein wirksameres Medikament gibt als Zuwendung. Was lange mit dem Spruch «Das ist doch nur Placebo» abgetan wurde, hat große heilende Effekte. Es ist in der Testung von Medikamenten ein reales Problem, den Einfluss von Glaube, Liebe und Hoffnung von der tatsächlichen Wirkung des Medikamentes zu trennen. Vielleicht war es auch ein Irrweg, statt einzelner Medikamente nicht ebenso akribisch die Wirkung von liebevoller Zuwendung zu untersuchen. Aber all das ändert sich ja gerade rasant.

Kann man sich selbst Liebe als Medikament verordnen? Eine Übung, die aus der buddhistischen Tradition stammt, aber auch in vielen Varianten in unserem Kulturkreis praktiziert wird, ist die *loving kindness*-Meditation. Mit ihrer Hilfe versucht man, diesem ursprünglichen Gefühl grenzenloser Liebe nahezukommen und es im wahrsten Sinne zu kultivieren. Zuerst stellt man sich jemanden vor, den man sehr gerne mag. Man beobachtet, welche Gefühle sich dabei in der Brust einstellen, und lässt sie wachsen und stärker werden. Dann versucht man, dieses warmherzige Gefühl aufrechtzuerhalten, während man an andere Menschen denkt, die einem nicht so nahestehen. Die einfachere Variante empfahl Mark Twain: «Ehe man anfängt, seine Feinde zu lieben, sollte man seine Freunde besser behandeln.»

Ein paradoxes Ergebnis der Meditationsforschung: Die Fähigkeit zum Mitgefühl für andere wird trainiert, während man allein auf einem Kissen sitzt und seinem Atem folgt. Kurse für MBSR – *Mindfulness-Based Stress Reduction*, auf Deutsch «Achtsamkeitstraining» – gibt es inzwischen auch «auf Kasse». Augen zu, atmen, schmunzeln, und wenn man die Augen wieder aufmacht, merkt man, was alles schon da ist, man staunt wie ein Kind und verliebt sich ins Leben.

Buddhisten haben mehrere Lebenszyklen auf der Erde, um bedingungslose Liebe zu erreichen. Sie ahnten schon lange vor uns, dass etwas Lebensentscheidendes in uns schlummert, was genährt werden möchte, obwohl sie noch gar nichts von Oxytocin wussten. Und wir sind gerade erst dabei, diese Zusammenhänge zu entdecken, die uns von Beginn unseres Lebens an prägen.

In einem berühmten jüdischen Witz streiten sich ein Protestant, ein Katholik und ein Rabbi, wann das Leben beginnt: «Mit dem ersten Atemzug», meint der Pastor. «Nein, bereits mit der Einnistung der Eizelle», kontert der Priester. Der Rabbi schüttelt nur schmunzelnd den Kopf: «Wann beginnt das Leben? Wenn die Kinder aus dem Haus sind und der Hund tot!»

Lied und Schatten

«Wie soll ich meine Seele halten, daß sie nicht an deine rührt?» In dem «Liebeslied» von Rainer Maria Rilke klingt ein großes Thema an: Liebe und Musik. »Doch alles, was uns anrührt, dich und mich, nimmt uns zusammen wie ein Bogenstrich, der aus zwei Saiten eine Stimme zieht.»

Ein schönes Bild für die Harmonie, die nicht darin besteht, dass die zwei Saiten verschmelzen, sondern gegenseitig zum Klingen gebracht werden. Deshalb ragt es bis heute aus dem Meer der deutschen Liebeslyrik heraus. Indes – dieses Meer hat mehr Untiefen als Tiefen. Gerade weil so vieles an der Liebe unaussprechlich ist, gibt es so unsagbar viele idiotische Liebeslieder. Da zweifelt man am Volk der Dichter und Denker, wobei die deutschen Denker immer äußerst skeptisch ihrer Gefühlswelt gegenüber waren.

Immanuel Kant meinte, die Ehe sei ein Gesellschaftsvertrag zur gegenseitigen Nutzung der Geschlechtsorgane. Da fragt man sich doch heute: Mensch, gibt es nicht auch Leasing? De facto kannte Kant kaum Frauen, er kam nie aus seiner engen Studierstube in Königsberg heraus. Das einzig Warme, Runde und Weiche, was er kennenlernte, waren Klopse. Er war besessen von der Suche nach dem «Ding an sich» und machte wohl nie die Erfahrung, wie viel schöner es ist, wenn jemand anders es an dir findet. Nietzsche wiederum tönte: «Gehst du zum Weibe, vergiss die Peitsche nicht!» Da fragt man sich heute: Was kannte der für Frauen, die keine eigene Peitsche haben?

Viel hat sich geändert in den letzten hundert Jahren, aber im Denken durchgesetzt haben sich nicht die Denker, sondern die Dichter der Deutschen. Sie preisen seit Jahrhunderten unverändert das Hohelied der romantischen Liebe, voller Sturm und Drang, voller Willkommen und Abschied, voller großer Gefühle und mit vollem Griff ins Klo. Ihre Aussagen sind gefährlich, denn es wird stets davon ausgegangen, dass es diese eine wahnsinnige Liebe gibt, und wenn die vorüber ist, erfriert man in der Hölle («Hölle, Hölle, Hölle»). Entschuldigung? Frieren in der Hölle? Das ist theologisch und thermodynamisch ein himmelschreiender Unsinn. Aber das sind die Bilder, mit denen wir alle kollektiv unbewusst herumlaufen. Man wundert sich doch auf Partys immer wieder, wie viele gebildete Menschen alle Schlagertexte auswendig mitsingen können. Zeit also, diese Texte einmal einer kritischen Würdigung zu unterziehen.

Das erste Liebeslied, an das ich mich erinnern kann, hörte ich bei meiner Oma. Sie liebte Operette, hatte noch alte Platten von Franz Lehár, mit so einprägsamen Liedzeilen wie: «Dein ist mein ganzes Herz, wo du nicht bist, kann ich nicht sein.» Wie oft habe ich als kleiner Junge darüber nachgedacht, was damit wohl gemeint sein könnte. Wo du nicht bist, kann ich nicht sein? Hä? Das widersprach aller meiner bis dahin gesammelten Lebenserfahrung. Und je länger ich über diesen Sachverhalt nachdachte, desto weniger Sinn machte er. Rückblickend lässt sich daraus aber schließen:

Regel Nummer eins für erfolgreiche Liebeslyrik: Schnell weitersingen, bevor jemand ins Grübeln kommt.

Regel Nummer zwei: Alle Liebeslieder haben ähnliche Inhalte, die Form jedoch wird ab und an modernisiert.

Dementsprechend hat Heinz Rudolf Kunze dieses Lied durch die denkwürdige Zeile variiert: «Dein ist mein ganzes Herz, du bist mein Reim auf Schmerz.» Du bist mein Reim auf Schmerz? Meine Oma hörte immer: «Du bist mein Rheuma-

Diese Jougend!

schmerz.» Und fühlte sich von diesem Mann total verstanden. Ich habe sie selbstverständlich in dem Glauben gelassen.

Denn **Regel Nummer drei** lautet: Sing undeutlich, damit jeder das heraushört, was er gerne hören möchte und gerade braucht. Und verwende Bilder, die so allgemein sind, dass jeder denkt: Genau wie bei mir! Nach einem ähnlichen Prinzip funktioniert auch ein guter Teil der Psychotherapie.

Regel Nummer vier: Sing auf Englisch. Dann weiß eh keiner genau, worum es geht. Das Lied «Blähung des Wechselgeldes» wäre in deutscher Sprache kein Hit geworden. «Wind of Change» dagegen funktioniert weltweit. Ich weiß bis heute nicht, worum es in dem Lied geht, aber es ist mir auch egal. Ich hole einfach das Feuerzeug heraus und fühle mich gut. Darauf kommt es an. Der Inhalt wird überbewertet.

Regel Nummer fünf: Franzosen sind auch nicht besser: «L'amour c'est comme une cigarette.» Liebe ist wie eine Zigarette. Also am Anfang Feuer, am Ende Asche und alles Gift im Mundstück.

Haben Frauen bessere Liebeslieder gesungen? Marianne Rosenberg zum Beispiel: «Er gehört zu mir wie mein Name an der Tür ...» Ich habe dieses Lied nie verstanden. Welcher Name soll denn da sonst stehen? Mustermann – wenn die Klingel neu ist. Aber was will die Metaphorik dieses Songs uns sagen? Kein Mann möchte mit einer Klingel gleichgesetzt werden. Eine Klingel bedeutet: Du hängst draußen rum und darfst nicht rein. Vielleicht ist das ja eine versteckte Botschaft an den Mann von der GEZ?

Man darf über Liebeslieder nicht nachdenken, denn streng genommen gibt es nur zwei Grundmuster:

Kategorie Nummer eins: «Oho, wenn du doch da wärst.»
Kategorie Nummer zwei: «Oho, wenn du doch zurückkämst.»

Sollte es uns nicht stutzig machen, dass es so wenige Lieder gibt mit dem Motto «Wo du nun schon mal da bist»? Kennen Sie eins? Fehlanzeige. Das Drama herrscht vor. Es geht immer um den Beginn oder das Ende, Verlieben und Trennen, aber so selten um den Mittelteil. Ich habe nun ein Loblied auf die Langzeitbeziehung geschrieben. (Und wenn Sie es hier nicht nur lesen möchten [siehe Seite 227], sondern auch sehen oder hören, dann lade ich Sie herzlich zu meinem Bühnenprogramm *Liebesbeweise* ein. Und zum Laut-Mitsingen ist es auch auf der DVD zum Programm erhältlich.)

Ein weiterer Dauererfolg und Ohrwurm stammt von Peter Maffay: «Und es war Sommer, das erste Mal im Leben. Es war Sommer, das allererste Mal. Und als Mann sah ich die Sonne aufgehn, und es war Sommer …»

Welch seltsame Mischung aus Redundanz und Penetranz, Transpiration und Penetration. Geht es ums Wetter? Nein! Dieses Lied macht nur Sinn, wenn man voraussetzt, dass Sommer ein anderes Wort für Geschlechtsverkehr ist. Ein Synonym für Sex. Und dann versteht man auch, was Rudi Carrell meinte: «Wann wird's mal wieder richtig Sommer, ein Sommer, wie er früher einmal war?» Wenn es nicht mehr so ist, wie es früher einmal war – gehen Sie zum Arzt. In den allermeisten Fällen kann geholfen werden.

Aber den absoluten Tiefpunkt deutscher Liebeslyrik erreichte Roland Kaiser mit dieser Textzeile: «Manchmal möchte ich schon mit dir eine Nacht das Wort Begehren buchstabieren.» Die Ergebnisse der Pisa-Studie waren schon schlecht, aber dass jemand eine ganze Nacht braucht, um das Wort B-e-g-e-h-r-e-n zu buchstabieren … Ist das ein würdiger Satz für das Land der Dichter und Denker?

So, jetzt habe ich mich aber lange genug über schlechte Poesie in Liebesliedern lustig gemacht. Viel wichtiger ist es doch, einmal zu sagen, was einem gefällt! Und tatsächlich habe ich schöne Metaphern für die Liebe in zwei Songs gefunden, allerdings auf Englisch. Bette Midler singt in «The Rose»: «Some say love, it is a river that drowns the tender reed. Some say love, it is a razor that leads your soul to bleed.» Die Liebe ist eine Rasierklinge. Das stimmt. Erst wird man eingeseift, eine Weile läuft es glatt, und – *zack* – hast du dich geschnitten. Aber man kann sich doch jetzt aus Angst vor Verletzungen nicht nur noch trocken rasieren. Liebe und Rasieren sind durch elektrische Geräte nicht zu ersetzen!

Und weiter heißt es: «Just remember in the winter, far beneath the bitter snow, lies the seed that with the sun's love, in the spring becomes the rose.» Die Liebe ist ein Samenkorn, welches im Erdreich wartet, bis die Sonne alle Bitterkeit zum Schmelzen bringt. Dann erst wächst es heran, durch das Erdreich hindurch, und erblüht im nächsten Frühjahr zu einer Rose.

Wer bitte hat so viel Zeit? Es gibt doch auch Schnittblumen!

Schnittblume oder Topfpflanze, das ist die Lebensentscheidung bezüglich der Liebe und einer Beziehung. Denn beide Modelle haben etwas für sich. Die Schnittblume ist schön, lässt aber rasch den Kopf hängen, und dann muss die nächste Schnittblume gefunden werden. Eine nach der anderen, Hauptsache, immer frisch. Dieses Modell heißt wissenschaftlich «serielle Monogamie». Im Volksmund «Modell Matthäus». Und ich meine nicht den Evangelisten. Muss ich ja bei so gebildeten Lesern dazusagen. Das Modell Schnittblume hat einen entscheidenden Nachteil. Wenn es mit einer der getriebenen Blüten doch ernst wird, kann eine Schnittblume niemals Wurzeln schlagen.

Das spricht für das Gegenmodell: die Topfpflanze. Menschen, die sich dafür entscheiden, sagen: «Davon hat man einfach länger etwas!» Hinter vorgehaltener Hand geben sie zu, dass im Topf nicht immer Frühling ist. Die Pflanze ist auch nicht so in den Himmel gewachsen, wie man sich das einmal vorgestellt hat. Und manchmal herrscht Dürre. Dann muss schon mal der Nachbar helfen, wenn einer unterwegs ist, mit dem Feuchthalten. Aber man bleibt bei seinem Topf.

Welches Modell ist nun besser? Mein zweites Lieblingsliebeslied ist von John Denver. Er hat seine Zweifel: «Perhaps love is like a window, perhaps an open door, it invites you to come closer, it wants to show you more, and even if you lose yourself, and don't know what to do, the memory of love will see you thru.» Liebe ist ein offenes Fenster und eine offene Tür. Klingt total offen, aber auch ein bisschen zugig. Nicht, dass sich wer erkältet. Wenn Beziehungen sehr offen sind, ist leicht einer mal verschnupft. «And some say love is holding on, and some say letting go, and some say love is everything, some say they don't know.»

Liebe ist alles, alles ist Liebe. Was wissen wir davon? Nischt! Danke, John Denver.

Aufreißkalender.
Was dem einen sein Pferd, ist dem anderen sein Hengst,
seine Pussycat oder sein Zendungsbewusstsein.

Wonach suchen wir eigentlich?

Eine der wichtigsten Entscheidungen überhaupt ist die Partnerwahl. Davon hängt nicht nur die Qualität unseres Lebens
ab, sondern auch die der nächsten Generation. Und so leiten
die Evolutionspsychologen seit Jahren praktisch alles menschliche Verhalten aus diesem Dilemma ab: Wie findet man den
Richtigen? Wie bekommt man seine Gene in die nächste Runde? Die Standarderklärung von Geschlechterklischees lautet:
weil das schon in der menschlichen Evolution ganz früh so
angelegt wurde ... Deshalb würden Männer nach knallharten
Kriterien wie dem «Taille-Hüfte-Quotienten» gehen, sogar die,
die nicht wissen, was ein Quotient ist. Das ist der Vorteil von
angeborenen Reiz-Reaktions-Mechanismen. Sie funktionieren
auch ohne Verstand.

Fragt man Männer, was ihnen als Erstes an einer Frau auf-
fällt, antworten sie gerne: «Die Augen!» Frauen fällt dagegen
bei Männern zuerst auf, wie schlecht sie lügen. Was nach einer
Studie daran liegt, dass der Anblick einer schönen Frau tatsächlich die kognitiven Fähigkeiten eines Mannes schwinden lässt,
auch wenn er sie sich nur vorstellt, zum Beispiel am Telefon
oder am Computer. Ich habe mir das nicht ausgedacht, mir ist
es auch peinlich. Gerade wenn Männer beeindruckt sind und
unbedingt einen guten Eindruck machen wollen, fehlen ihnen
die Ausdrucksmittel, und sie können nur noch stammeln.

Breite Hüften verraten Fruchtbarkeit, und deshalb fahren
Männer auf Rundungen ab. In der Praxis ist es im 21. Jahrhundert so, dass Männer nicht wirklich darauf stehen, wenn
die Frau sich bereits drei Wochen nach dem Kennenlernen als
fruchtbar herausstellt. Andersherum stehen Frauen traditionell

evolutionär auf Typen, die Bäume ausreißen können, haben aber oft gar keinen passenden Garten dazu. Also, höchste Zeit, unsere Muster zu durchschauen und zu überlegen, welche denn heute tatsächlich noch Sinn machen.

Zum Ersten: In der Steinzeit war ja keiner dabei. Wie es damals wirklich zugegangen ist, ob die Männer immer Bären und die Frauen immer nur Beeren sammelten, weiß kein Mensch. Zum Zweiten: Vor zehntausend Jahren muss etwas Entscheidendes passiert sein, was sich bis heute nachweisen lässt. Auf den Chromosomen gibt es sehr lange Abschnitte, die sich über Generationen nicht verändern. Anhand der Varianten, die man bei verschiedenen Menschen findet, kann man zurückrechnen und fiktive Stammbäume basteln. Dann kann man abschätzen, wie eng zwei lebende Menschen miteinander verwandt sind. Und man kann Landkarten erstellen, die zeigen, wo welche Gene heutzutage noch häufig oder selten sind. Und so findet man ansatzweise heraus, wer in Urzeiten was miteinander gehabt haben muss, ohne dass Illustrierte aus dieser Zeit überliefert sind.

Wenn man sich die Chromosomen im Detail anschaut, entdeckt man etwas Erstaunliches: Vor etwa zehntausend Jahren wurde eins der erfolgreichsten Fernsehformate der Neuzeit erfunden – *Bauer sucht Frau*! Wobei ich hier aus Loyalität zur ARD einmal betonen möchte, dass es vor Inka Bause schon Ina Müller war, die mit *Land & Liebe* eine rustikale Kuppelshow mit vielen Anhängern und Anhängerkupplungen präsentierte. Aber wer hat es erfunden? Menschen im Neolithikum, nicht zu verwechseln mit ZDF Neo. Andere Zielgruppe. Bauernpräsident Gerd Sonnleitner behauptete: «*Bauer sucht Frau* hat mit der Realität nichts zu tun.» Dem widersprechen jetzt britische Wissenschaftler. Sie haben die genetische Vielfalt der europäischen Bevölkerung untersucht. Und die große Überraschung: Anhand der heutigen europäischen Y-Chromosomen lässt sich rekonstruieren, dass damals Männer von anderen Stämmen eingewandert sein müssen, die die hier ansässigen Frauen irgendwie begeistern konnten. Was hatten diese Männer, was unsere Dorfjugend nicht hatte? Falsche Frage. Es gab keine Dorfjugend, denn in Zentraleuropa wurde noch gejagt und gesammelt. Die angereisten Kerle stammten aus Anatolien und hatten ein Erfolgsrezept: Ackerbau! Offenbar waren die Frauen aus der Region das ewige Jagen und Sammeln leid und ließen sich gerne mit den Fremden erst ein und dann häuslich nieder. Und was sagten sie womöglich zum Abschied zu ihren ausgestochenen Ex-Partnern? «Mach dich vom Acker!»

Bauer sucht Frau ist somit nicht das Ende der abendländischen Kultur, sondern ihr Anfang! An ein paar Grundwahrheiten des Lebens kommt das Fernsehen eben nicht vorbei. Oder wie es die geschätzte Kollegin Ina Müller auf den Punkt bringt: «Schöönheit vergeiht, Hektar besteiht.»

Aber vor zehntausend Jahren konnte ja keiner ahnen, dass der Siegeszug der Sesshaftigkeit einmal auf dem Fernsehsessel enden würde. Hat sich seitdem an den Mustern der Partnerwahl gar nichts mehr geändert? Doch, die Auswahl auf unseren Partnerbörsen ist ins fast Unendliche gewachsen! Früher reichte es, der oder die Schönste im Dorf zu sein, heute ist der Stress viel größer: Es gilt unter sieben Milliarden Menschen den *einen* Richtigen zu finden.

Aber wonach wählen wir aus? Was bestimmt den berühmten ersten Eindruck, und wie lässt der sich manipulieren?

Dank moderner Computertechnik lassen sich Fotos «morphen», das heißt, man macht aus zwei Gesichtern ein «gemischtes». So erscheint ein Gesicht zum Beispiel männlicher, wenn man mit Schatten und Kanten die Knochen härter hervorspringen lässt. Entsprechend wird es weiblicher durch mehr Polster an den Wangen. Eigene persönliche Gesichtszüge wie Augenabstand, Farbe, Nasenwinkel etc. lassen sich so abgestuft in ein fremdes Bild rechnen, dass man sich zwar nicht direkt erkennt, aber dass das so entstandene Gesicht einem automatisch vertraut vorkommt.

Lässt man diese manipulierten Fotos bewerten, mögen wir die «Personen» am meisten, in deren künstlichem Gesicht Anteile von unserem eigenen enthalten sind. Wen suchen wir im anderen? Uns selbst! Die Evolutionspsychologen meinen, dass man aus der Ähnlichkeit im Gesicht auf gemeinsame Gene schließt und lieber mit jemandem die Kinder großzieht, der gut zur Familie passt, als mit jemandem, der ganz anders ist. Es heißt ja immer, dass Paare sich über die Zeit ähnlicher werden. Das stimmt. Das gilt auch für Hunde und ihre Herrchen. Ein Teil der Erklärung ist, dass ein gemeinsamer Lebensstil eine parallele Gewichtszunahme nahelegt. Und wenn beide oft lachen oder beide oft grollen, sich auch das in ähnlichen Gesichtszügen langfristig niederschlägt. Die viel einfachere Erklärung aber lautet: Man wird sich ähnlich, weil man sich von Beginn an ähnlich war und sich deshalb gegenseitig ausgesucht hat.

Nach diesem Muster funktionierte auch folgende Studie: Ausgerechnet im tiefkatholischen Trier sollten fünfzig Männer Fotos von nackten Frauen beurteilen. Bei einem Teil der Frauen hatte man Merkmale des männlichen Betrachters dem Bild beigemengt, in das Gesicht, versteht sich. Gerade so viel, dass es nicht groß auffiel, das Bild aber vertrauter wirkte. Die Hälfte der Männer wurde künstlich unter Stress gesetzt, indem sie eine Hand drei Minuten in eiskaltes Wasser halten mussten –

Herzfrequenz, Blutdruck und Stresshormone stiegen. Männer aus der Ins-kalte-Wasser-geworfen-Gruppe entschieden sich signifikant öfter für Frauen, die keine Ähnlichkeit mit ihnen aufwiesen. Entspannte Männer wählten Frauen, die ihnen selbst glichen. Gegensätze ziehen sich an? Offenbar nur, wenn wir unter Strom stehen.

Für stabile Partnerschaften gilt wissenschaftlich eindeutig belegt das Motto: «Gleich und Gleich gesellt sich gern.» Was uns vertraut vorkommt, ist vertrauenswürdig und hilft, die eigenen und ähnliche Merkmale weiterzugeben. Wählt man genervt eher Andersartige, kommt es zu den typischen Übersprunghandlungen in Torschlusspanik: Je verzweifelter man sucht, desto eher gerät man an den oder die Falsche.

Für mich wirft der Versuch aber neue Fragen auf. In der Studie steht, auch von anderen Tieren sei bekannt, dass Stress den Reproduktionstrieb steigere. Ich kenne genug Leute, die unter vier Augen versichern, unter Stress versiege der Reproduktionsdrang. Könnte es sein, dass man eigentlich einen guten Partner hat, ihn aber unter Stress irrtümlich für ungeeignet hält? Was mir auch schleierhaft bleibt: Warum verändert man die Gesichter, wenn man dann doch Nacktbilder zeigt? Wozu kaltes Wasser vorher, wenn man fünfzig nackte Frauen betrachten soll? Braucht man es nicht eher danach?

Allzu ernst darf man Studien zum Paarungsverhalten nicht nehmen, denn diese werden meist an Psychologiestudenten durchgeführt. Die größte Studie ist das Leben selbst: Wären wir nur eine Marionette unserer Gene, müsste man erwarten, dass eineiige Zwillinge mit gleicher Erbsubstanz sich auch sehr ähnliche Partner suchen. Tun sie aber nicht. Es gibt also Spielraum, sich immer wieder überraschen zu lassen und eigene Wege zu gehen.

Natürlich haben wir einen evolutionären Auftrag und eine genetische Komponente, die mitbestimmt, wen und was wir aufregend finden. Wenn die Geschlechtsorgane zwischen den Armen lägen, würde man vielleicht sagen: Sie haben so schöne lange Arme, wer weiß?

Und: Warum hat man nur Männer untersucht? Seit wann haben die etwas mit der Partnerwahl zu tun? Der Mann wirbt, wählen tut die Frau. Den meisten Stress kann man sich als Mann ersparen, wenn man sich für eine Frau entscheidet, die einen bereits gewählt hat. Männer können einen Namen und ein Herz in den Schnee pinkeln. Aber die Frau setzt den Punkt.

Die Bilder, die wir von Sex im Kopf haben, sind oft weit von der Realität entfernt.

Sextipps, die wirklich funktionieren

Sie sind auf diese Überschrift reingefallen? Auf unzähligen Zeitschriftencovern werden einem die ultimativen Sex- und Diättipps versprochen. Und immer wieder kauft man das Heft, in der Hoffnung, schlank und sexy in einer Woche zu werden. Gut, dass es nächste Woche wieder ein neues Heft gibt, für den Fall, dass die eine Woche nicht gereicht hat, aus uns eine Jennifer Lopez oder einen Brad Pitt zu machen. Wobei ich gar nicht weiß, wie viel Spaß und Sex die beiden im wirklichen Leben haben. Wenn die überhaupt ein wirkliches Leben haben. Oder Sex. Jedenfalls nicht miteinander. Das hätte man gehört. Da ist wieder auf die Hefte Verlass!

Neulich stand auf einem Cover: «Supertipps für Outdoor-Abenteuer». Erwartungsfroh kaufte ich die Zeitschrift, zu Recherchezwecken und weil ich dachte, wer weiß, vielleicht kann ich noch etwas lernen. Und dann stand dort wörtlich als Supertipp: «Nehmen Sie eine Decke mit!»

Erst ärgerte ich mich über das Heft, dann über meine Naivität, zu glauben, dass für so etwas wie Sex, was seit Millionen Jahren auf diesem Planeten praktiziert wird, in der letzten Woche irgendetwas fundamental Neues erfunden worden sei. In einer anderen Frauenzeitschrift – ich war beim Friseur – hieß es, man solle die Frau überraschen und auch mal Dominanzspiele ausprobieren: spielerisch an den Haaren packen und ins Bett zerren. Stand in einer Frauenzeitschrift! Und im gleichen Heft: Kurzhaarfrisuren. Da weißt du doch schon, die glauben ihren Quatsch selbst nicht.

Weiter war zu lesen: Man solle auch mal ungewöhnliche Orte aufsuchen, zum Beispiel den Keller oder die Waschküche.

Dann solle man sich auf die Waschmaschine setzen, und spätestens beim Schleudergang seien ungekannte Hochgefühle garantiert. Sie dürfen sich jetzt gerne fremdschämen, aber ohne ins Detail zu gehen – ich habe es versucht und darf verraten: Es war nicht so. Es lag aber auch an mir. Ich merkte zu spät, wir saßen auf dem Trockner.

Gibt es denn gar nichts Vernünftiges zu diesem Thema? Ein Hauch Wissenschaft gefällig?

In Langzeitbeziehungen nimmt die Beischlaffrequenz in einer Exponentialfunktion ab. Konkret heißt das: Wenn Sie für jeden Geschlechtsverkehr in den ersten beiden Jahren der Beziehung eine Murmel in ein Glas tun und ab dem dritten Jahr für jedes Mal wieder eine Murmel aus dem Glas entfernen, wird das Glas bei den meisten nicht mehr leer. Rein statistisch. Ich will Sie nicht frustrieren, im Gegenteil. Sie sind wahrscheinlich normaler, als Sie denken! Andere Menschen haben auch nicht mehr Sex als Sie. Überraschenderweise ist es also keine Frage des Alters, sondern der Dauer der Beziehung. Zwei Fünfzigjährige, die sich erst zwei Jahre kennen, haben im Durchschnitt mehr Sex als zwei Dreißigjährige, die schon zehn Jahre zusammen sind. Also, egal wie alt Sie sind, werden Sie ein bisschen erwachsen.

Es ist naiv zu glauben, dass man nach zehn Jahren plötzlich so übereinander herfällt wie in den ersten Wochen. Wie soll man jemanden vermissen, wenn er immer da ist? Dass blindes Begehren schwindet, hat die Natur extra so eingerichtet, sonst käme man ja zu nix mehr im Leben. Andererseits: Würden wir uns erst fortpflanzen, wenn der Zauber der ersten Zeit vorbei ist, wären wir wahrscheinlich ausgestorben. Das Dilemma unserer Kultur: Wir wollen alles, immer, gleichzeitig, und das sogar auch noch mit einem Menschen. Das mag es geben, ist aber unwahrscheinlich. Den meisten Menschen geht es so, dass sie entweder vertraut miteinander oder scharf aufeinander sind. Auch in unserem Gehirn gibt es dafür zwei verschiedene Hormonsysteme: Zu Beginn der Beziehung dominiert das Dopamin, der Rausch, die Ekstase, das Verbotene, das Fremde, das Huhuhuhuhu. Einige erinnern sich. Auf Dauer nimmt jedoch das Oxytocin zu, das Vertraute, das Verbindende: gemeinsame Erlebnisse, Ziele, Kinder, Immobilien und Kredite, das ganze Programm der langfristigen Bindungen. Oder etwas poetischer: Liebe macht blind, aber eine Beziehung stellt die Sehkraft wieder her. Wie soll man jemanden jagen, wenn er schon nackig neben einem liegt? Da fehlt einfach die triebhafte Spannung. Tiere vermehren sich auch nicht in Gefangenschaft.

Deshalb stellen sich viele insgeheim beim Sex jemand anders vor, damit es aufregender wird. Dagegen ist auch nichts einzuwenden, solange man keine falschen Namen ruft. Ein echtes Selbstwertproblem hat man eigentlich erst, wenn man sich vorstellt, man selbst wäre jemand anders. Männer sind beim Sex Feuerwehrmänner. Wenn die Glut aufflackert, gilt es, schnell zu handeln. Frauen sind eher wie Kaminholz, bereit, sich entzünden zu lassen, aber nur, wenn alle Rahmenbedingungen stimmen. Über Sex kann man auch viel von Hunden lernen: das stundenlange Betteln und das «Ich stell mich tot»-Spiel.

Wann trennen sich die Leute typischerweise? Wenn das Dopamin-Drama nachlässt, ohne dass die Oxytocin-Basis gelegt wurde, bleibt wenig, man redet kaum mehr miteinander, womöglich sogar hässlich übereinander, nach dem Motto: «Keine Ahnung, was mich da geritten hat.» Die zweite Trennungsphase: Vertrauen ist da, Begierde schwindet, dann fallen die klassischen Sätze wie: «Lass uns Freunde bleiben.» Die dritte und vernünftigste Variante: Man bleibt Freunde, trennt sich aber dafür nicht! Das klingt unerotisch und nach reiner Vernunft, muss es aber nicht sein.

Wenig Sex bedeutet für viele nicht, eine schlechte Beziehung zu führen. Im Gegenteil – man muss sich nicht ständig seine Attraktivität auf körperlicher Ebene beweisen, wenn es auf anderen Ebenen stimmt. Man fragt sich schon, warum für etwas, das angeblich die natürlichste Sache der Welt ist, so viel Redebedarf und Anleitung nötig sind, aber gut. Was sind also die Tipps, die wirklich funktionieren?

1.) Ein guter Zeitpunkt für Zärtlichkeiten ist Gold wert. Früher ergab er sich noch automatisch, da konnte man auch die Nächte durchmachen, egal. Heute hat man Kinder, einen anspruchsvollen Job, morgens ist es zu stressig, abends sind alle zu müde. Und plötzlich ist einem der Schlaf wichtiger als der Beischlaf.

Verabreden Sie sich, machen Sie einen festen Termin aus füreinander, am besten an einem ungestörten Ort. Freitag um 16 Uhr oder Sonntag um 11 Uhr. Einigen Sie sich, je nach Konfession und Hobby der Kinder. Glauben Sie mir, am Freitagnachmittag ist so eine Doppelstunde Blockflötenunterricht für alle Kinder eine sehr gute Investition. Vielleicht wird Ihnen jetzt beim Lesen zum ersten Mal in Ihrem Leben klar, warum Sie selbst Blockflöte lernen mussten. Tut mir leid, man will sich das alles nicht vorstellen. Andererseits hätten Sie sonst keine Geschwister.

2.) Reden Sie miteinander. Am Anfang geht es ohne Worte, man ist wild und jung, und alles ist schnell vorbei. Aber je besser man sich und den anderen kennt, desto wichtiger wird die Kommunikation. Denn was der Einzelne aufregend findet und mag, ist individuell verschieden. Die Sexualtherapeuten sprechen sogar von einem «erotischen Fingerabdruck». Der ändert sich auch nicht groß. Man wird nicht plötzlich schwul oder pädophil oder Windelfetischist. Auch nicht durch einen bestimmten Job. Es ist eher andersherum, dass man sich Jobs sucht, die den eigenen Neigungen günstige Rahmenbedingungen schaffen. Balletttänzer, Priester oder Pampersvertreter – die Berufswahl hat nicht nur mit Berufung, sondern auch mit Prägung zu tun.

Es kommt einem heute geradezu absurd vor, wie lange sich die medizinische Lehrmeinung hielt, dass Schwule durch Therapie plötzlich hetero werden können. Homosexualität war noch bis in die siebziger Jahre eine «klinische Diagnose». Theoretisch hätten Millionen jeden Montag beim Chef anrufen und sich krankmelden können: «Kann heute leider nicht zur Arbeit kommen. Ich bin noch schwul.» – «Gute Besserung!» Es hätte kein Wirtschaftswunder gegeben – aber dann kam ja zum Glück die sexuelle Revolution. So viel Freiheiten, wie die gebracht hat, so viel Entschuldigungen sind seitdem auch weggefallen. Wenn die böse Kirche, die Gesellschaft und die Erziehung nicht mehr allein daran schuld sind, dass wir uns sexuell nicht verwirklichen können, wer ist es dann? Was hat sich geändert seit 1968? Frauen befriedigen sich öfter selbst und schämen sich nicht mehr dafür. Und Männer haben sich schon immer selbst befriedigt, aber jetzt schämen sie sich dafür, Mann zu sein.

Vor einer Generation hieß es noch, dass man durch Selbstbefriedigung blind wird. Hat es jemanden abgehalten? Da hat doch jeder gerne seinen ersten Doppelblindversuch gemacht, nach dem Motto: Komm – ein Auge riskiere ich noch. Eine frohe Botschaft aus der Medizin: Masturbation schützt vor Prostatakrebs. Endlich einmal eine Vorsorgemaßnahme, für die Männer sich begeistern können.

Es hilft außerdem, seinen Körper gut zu kennen, um mit anderen daran Freude zu haben. Wenn man Glück hat, findet man jemanden, mit dem es eine gewisse Schnittmenge der Vorlieben gibt. Es werden aber nie hundert Prozent sein. Wer denkt, erlaubt sei nur, was beiden gleichzeitig die ganze Zeit gefällt, beraubt sich vieler Möglichkeiten. Weil es eben für diesen Bereich keine festen Spielregeln gibt, können Sie selbst kreativ werden, verhandeln und tauschen. Was der eine besonders mag, gegen etwas, was der andere gar nicht mag. Und umgekehrt natürlich. Zwei Quickies gegen einmal Rasenmähen. Oder so. Mit Vorgarten und Vorspiel.

3.) Berühren Sie einander so, dass es für den anderen angenehm ist. Frauen lieben oft zarte Berührungen, als ob sie mit einer Feder gestreichelt werden. Männer ziehen es vor, «handfester» angefasst zu werden. Aber jeder ist verschieden, und nach dem Erfolg des Romans *Shades of Grey* ist eh alles erlaubt, unter der Bedingung, dass der andere es gut findet. Was hilft, kontrolliert die Kontrolle zu verlieren und sich selbst zu vergessen, ist doch schön. Der Franzose nennt den Orgasmus *la petite mort* – den kleinen Tod. Und solange Sie danach weiteratmen, handelt es sich nicht um den großen. Weiteratmen ist eh immer gut.

Im Zweifel: Fragen! Rückmelden! Der wichtigste Tipp überhaupt: Lassen Sie den anderen nicht im Dunkeln tappen, sondern vermitteln Sie verbal oder nonverbal, was Sie wollen und schön finden. Also, wenn der eine sagt: «Guck mal, wenn man mich so auf den Ellbogen tippt, finde ich das super», kann der andere sagen: «Wie bitte, Ellbogen? Ellbogen, da tut sich bei mir gar nix. Ich kenn keinen, der Ellbogen gut findet. Ellbogen mach ich nicht, Ellbogen ist pervers.» Er kann aber auch sagen: «Danke, dass du mir das sagst. Ich wäre von mir aus nie auf die

Idee gekommen, dass Ellbogen für dich was ganz besonders Schönes sein könnte. Hilf mir, dich noch besser kennenzulernen. Was fühlt sich besser an, mehr so streicheln oder mehr so drücken?» Und bevor es jetzt noch mehr Frustration gibt: Ellbogen ist nur ein Beispiel.

PS: Man darf beim Sex lachen! Nur nicht mit dem Finger zeigen.

Wenn's mal schnell gehen muss.

Liebesbeweis- und Streitkarten
Was hat es mit den Karten auf sich, die immer wieder in diesem Buch auftauchen?

Die Karten sind Teil eines Experiments, welches ich allabendlich mit den Zuschauern durchführe, die mein Bühnenprogramm *Liebesbeweise* besuchen. **Ich teile das Publikum in der Mitte in die «Streitseite» und die «Liebesseite».** Während der Pause soll sich die eine Hälfte mit dem schlimmsten Satz beschäftigen, den sie jemals in einem Streit gesagt oder gehört hat. Die andere soll aufschreiben, was sie an Liebevollem erlebt hat.

Zu Beginn des zweiten Teils ermittle ich die Stimmung, und jeden Abend ist die Streitseite schlechter drauf als die Liebesseite. Kein Wunder: wenn man sich fünfzehn Minuten lang nur mit menschlichen Abgründen beschäftigt. **Dafür sind die Dinge, die im Streit gesagt wurden, meistens lustiger als die Liebesbeweise, zumindest für alle anderen.** Aber urteilen und lachen Sie selbst.

Die schönsten Sprüche aus den letzten drei Jahren Live-Tournee sind hier versammelt. Mein absoluter Lieblingsstreitsatz: **«Halte deine Fresse, wenn du mit mir sprichst!»** Und der schönste Liebesbeweis: **«Für jeden anderen wärst du eine Fehlkonstruktion. Für mich bist du eine Sonderanfertigung.»**

An dieser Stelle ein großes Dankeschön an alle Zuschauer, die mitgemacht haben und sich vielleicht sogar hier wiederfinden – selbstverständlich anonym.

Was war für Sie ein Liebesbeweis? Und was für einen ungeheuerlichen Satz haben Sie schon einmal im Streit gesagt oder gehört?

Sie können auch eine Karte ausfüllen!

Liebes-beweis!

Liebesbeweise
Dr. ECKART von HIRSCHHAUSEN

Was ist das Schönste, was ich einmal einem anderen
Menschen gesagt habe oder jemand mir sagte? Welche
Taten oder Erlebnisse haben mich überzeugt, dass es Liebe gibt?

Nur für *Liebesbeweise!*

WEITERE INFOS UND ALLE TERMINE AUF WWW.HIRSCHHAUSEN.COM!

hirschhausen.com

Streit!

Liebesbeweise
Dr. ECKART von HIRSCHHAUSEN

Das Schlimmste, was ich schon einmal in einem Streit gesagt oder gehört habe, war ...

hirschhausen.com

WEITERE INFOS UND ALLE TERMINE AUF WWW.HIRSCHHAUSEN.COM!

ANMELDUNG ZUM NEWSLETTER

E-MAIL-ADRESSE	PLZ

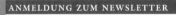

Bitte leserlich schreiben — auch die Ärzte! Diese Mailadresse dient nur für Informationen zu Terminen und Veröffentlichungen. Kein Spam, keine Weitergabe. Schweigepflicht! ;–)

Die hohe Kunst des Streitens

Warum nur ist es so viel einfacher, die Menschheit in ihrer Gesamtheit zu lieben als ihre konkreten Vertreter?

Ein hundertjähriger Mann wird von einem ungeduldigen Fernsehreporter bedrängt: «Was ist Ihr großes Geheimnis, wie wird man hundert Jahre? Bitte in einem Satz!» Der Mann überlegt eine Weile und sagt: «Ich streite mich nie.» Der Reporter ist enttäuscht: «Das kann ja wohl nicht das ganze Geheimnis sein!» – «Wahrscheinlich haben Sie recht!»

Nie zu streiten, ist tatsächlich unrealistisch. Aber wie viel gerade auch die Lebensdauer einer Beziehung von der Art des Streitens abhängt, hat der amerikanische Psychologe John Gottman über viele Jahre untersucht. Sein erschütterndes Ergebnis: Es reicht, Paaren bei einem willkürlich herbeigeführten Streit für nur fünfzehn Minuten zuzuschauen, um zu wissen, ob sie zusammenbleiben oder nicht! Denn im Streit offenbaren wir so viel von unserer destruktiven Seite, dass oft mit ein paar Sätzen etwas zerstört wird, das eben nicht mit ein paar Sätzen wiedergutzumachen ist, manchmal nie wieder.

Diese einmal ausgesprochenen Sätze, die den Mund verlassen haben, sind vergleichbar mit einem Stein, den man wirft und von dem man in der Sekunde, in der er aus der Hand ist, wünscht, man könnte ihn noch aufhalten, zurückholen, irgendwie daran hindern, sein Ziel zu erreichen und alles kaputt zu machen. Oder für die jüngere Generation: wie eine SMS, die dein Handy verlässt, und erst dann wird dir klar: Oh Scheiße, falscher Empfänger! Da werden auch religionsferne Menschen plötzlich gottesfürchtig, wenden den Blick zum Himmel und stammeln: «Funkloch, wo bist du, wenn ich dich brauche?»

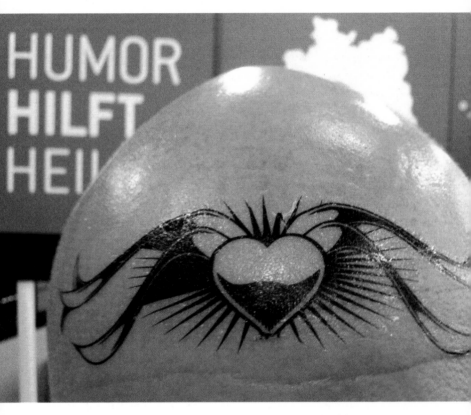

Nicht alles, wo ein Arschgeweih drauf ist, ist ein Arsch!

Gottmans Forschung hat eine klare Konsequenz: Am besten es gar nicht zu diesen Sätzen oder SMS kommen lassen. Seine «apokalyptischen Reiter», die Vorboten der Beziehungszerstörung, sind Momente der Rache, des Ekels, der Verachtung. Oder, was wohl jeder schon einmal erlebt hat: kompletter Abbruch der Kommunikation. Hier beginnt schon die unterschiedliche Wahrnehmung der Geschlechter im Kampf. Es klingt sehr klischeehaft, aber meist redet die Frau lieber über Beziehungsdinge als der Mann. Die Frau redet und redet bis zu dem Punkt, an dem sie stocksauer ist. Dann hört sie abrupt auf. Dummerweise ist das bisweilen für den Mann nicht unmittelbar als Strafe erlebbar. Habe ich das diplomatisch formuliert?

Entscheidend sind oft auch die Rahmenbedingungen. Wann streitet man sich meistens? Zu den ungünstigen Zeiten, genau dann, wenn die Chance auf eine kreative und einvernehmliche Lösung am geringsten ist. Wenn man unter Zeitdruck ist, alkoholisiert oder sonst wie hormonell oder hirntechnisch vermindert zurechnungsfähig. Just dann werfen wir mit Worten und Porzellangegenständen um uns, sodass der andere zu Recht annehmen muss, man habe nicht mehr alle Tassen im Schrank.

Im Stress gehen als Erstes unsere Scheuklappen zu, Flucht oder Kampf, mehr gibt es dann nicht zur Auswahl. Den anderen mit im Blick zu haben oder gar die Welt aus seinen Augen zu sehen, ist im erregten Zustand gar nicht möglich. Wir verhalten uns oft nicht intelligenter als ein aufgescheuchtes Huhn, das vor einem Zaun steht und sich tierisch aufregt, dass es mit den gestutzten Flügeln nicht über den Zaun fliegen kann. Es flattert und zetert, versucht mit den Füßen die Erde aufzuscharren; es kommt nicht drüber, nicht drunter durch, verheddert sich in den Maschen des Zaunes und verendet. Als

Letztes sieht das Huhn, wie schön es auf der anderen Seite des Zaunes gewesen wäre.

Alles, was das Huhn hätte tun müssen: drei Schritte zurückgehen. Denn mit ein bisschen Abstand hätte es sofort gesehen: Der Zaun ist nur einen Meter breit! Es wäre ein Leichtes gewesen, außen um den Zaun herumzulaufen. Dieser Abstand zu den eigenen Problemen heißt Humor. Den hat ein Huhn nicht. Den hat der Mensch, bis er anfängt zu streiten.

John Gottman beschreibt auch «Meister der Ehe», wie er die glücklichen Paare nennt. Was zeichnet sie aus? Dass sie einen Streit immer noch ein bisschen wie ein Spiel betrachten. Sie wissen zwar, an welcher Stelle der andere verletzlich ist, aber dort wird gerade nicht zugeschlagen, sondern nur gekitzelt. Diese Paare sind keine Heiligen, aber sie halten sich bewusst oder intuitiv an Verhaltensregeln, von denen ich auf den nächsten Seiten ein paar zusammenstelle.

Wobei es auch Paare gibt, die sehr gerne streiten, weil sie das als Vorspiel brauchen. Bis hin zu einer Frau, die einmal offenbarte, sie hätte den besten Sex mit ihrem Ehemann im Scheidungsjahr gehabt: «Es war so aufregend, weil wir das Gefühl hatten, wir würden gleichzeitig beide Anwälte betrügen.»

Warum hängen Aggression und Begehren offenbar für viele zusammen? Das hat eine ganz einfache medizinisch-psychologische Erklärung. Mal angenommen, beim Höhepunkt hätte man einen Pulsschlag von zweihundert. Man sitzt aber auf der Couch und liegt mit sechzig Schlägen die Minute noch unter dem Ruhepuls. Von da ist es sehr weit bis zweihundert. Mit ein bisschen streicheln kommt man vielleicht auf achtzig. Aber es bleibt schwer, sich jetzt rein sexuell so weit in Wallung zu bringen, dass die Funken sprühen. Leichter ist für manche streiten statt streicheln. Sie lassen erst die Fetzen fliegen, und wenn man sich gegenseitig schon auf hundertachtzig gebracht hat, ist es bis zweihundert nicht mehr weit. Jetzt muss man nur noch von der Palme runter und ins Bett. Der Versöhnungssex soll seinen Reiz haben. Was man so hört.

Doof ist nur, wenn man ins Bett geht, aber innerlich auf der Palme bleibt. Und zwar jeder auf seiner eigenen. Warum man gut daran tut, sich vor dem Schlafengehen zu versöhnen, il-lustriert die Geschichte von dem Paar, das zerstritten ins Bett geht, wortlos. Weil er am nächsten Tag einen wichtigen Termin hat, legt er ihr noch einen Zettel auf den Nachttisch: «Bitte weck mich morgen früh um 7 Uhr, es ist wichtig!» Beide schlafen lange nicht ein, wälzen sich verbittert und wortlos hin und her. Er wacht am nächsten Morgen verkatert auf, seine Frau ist schon aufgestanden. Er schaut auf die Uhr am Nachttisch, es ist 8 Uhr, er hat brutal verschlafen. Neben der Uhr liegt ein Zettel: «Es ist 7 Uhr, du musst jetzt aufstehen, es ist wichtig!»

Zurück zur Forschung: Bei Paaren wurden im Streit auch Stresshormone bestimmt, und siehe da, es gibt hochgestresste und halbwegs entspannte Streithähne. Von denen, die Streit und Adrenalin als Lebenselixier immer wieder brauchen, wa-ren nach zwei Jahren deutlich weniger noch zusammen als von den Moderaten. Gerade diejenigen, die immer darauf pochen, dass nach einem Gewitter das Wetter wieder besser ist, unter-schätzen, was Wolken tun, wenn eine andere strahlende Sonne auftaucht: Sie verziehen sich und sind dann mal weg. Bei stabi-len Beziehungen wird nicht in jedem Streit das Fundament in Frage gestellt. Im Gegenteil zeigen sich die Partner zwischen-drin durch Lachen, Witzeleien und Zeichen der Zuneigung, dass die enge emotionale Bindung nicht angekratzt wird.

Im Englischen gibt es den etablierten Ausdruck *passive-ag-gressive*. Unterschwellige Aggression heißt das bei uns, denn die Konflikte werden oft nicht auf der Ebene ausgetragen, auf der sie entstanden sind. Das Schönste, was ich jemals von einer Frau im Streit gehört habe, ist der Satz: «Jetzt zieh das doch nicht immer auf die Sachebene runter!» Nach meiner bescheidenen Erfahrung sind die besten und logischsten Argumente in emotional verstrickten Situationen oft kontraproduktiv. Der Begründer der gewaltfreien Kommunikation, Marshall Rosenberg, bringt es auf den Punkt: «Willst du recht behalten oder glücklich sein? Beides geht nicht!»

Jungs, falls euch das alles zu kompliziert ist, eine einfache Regel: Wenn ihr ahnt, dass ihr im Unrecht seid, haltet die Klappe. Und wenn ihr ahnt, dass ihr recht habt – *auch!* Und zur Erinnerung habe ich euch das auch noch als Flow-Chart auf Seite 288/289 aufgemalt.

Fragt man eine Woche später, wenn sich alle Wogen geglättet haben, was sich der andere denn in der Streitsituation wirklich als Reaktion gewünscht hätte, kommt überraschend oft heraus: «Ich wollte keinen Streit, keine Argumente, kein Rechthaben. Ich wollte jemand, der mich in den Arm nimmt.»

John Gottman und andere Psychologen haben längst einen Irrtum der achtziger Jahre widerlegt. Es ist kein gutes Zeichen für eine Beziehung, wenn man ständig über die Beziehung spricht. Ein Großteil der Probleme, die man miteinander hat, ist eh nicht völlig aus der Welt zu schaffen, auch nicht durch noch so viele Gespräche. Glücklicher sind nachweislich die Paare, die zwar viel miteinander reden, aber nicht immer über Tiefschürfendes, sondern über Alltägliches. Paare, die viele Details über den anderen wussten, waren zufriedener miteinander – von den Lieblingsfächern in der Schule über aktuelle Projekte im Job bis zu der exakten Art, wie man seinen Tee oder Kaffee genießt.

Ein Freund von mir ist Paartherapeut, und er erzählte mir Anekdoten aus der Beratung, bei denen man sich tatsächlich fragt, ob Menschen, die keine Probleme haben, sich deshalb welche machen. Ein Paar ist bei ihm in Behandlung, das sich nicht einig wird, wie das Toilettenpapier zu hängen hat. Einer ist überzeugt, das Ende der Rolle gehöre nach vorne, der andere meint, es müsse zur Wand hin hängen. Damit nicht genug. Immer wenn einer der beiden die Wohnung verlässt, dreht der andere heimlich alle Rollen um, sodass es wieder für ihn stimmt! Und jetzt reden sie mit dem Therapeuten das erste Mal offen über ihr Rollenverständnis. Vorher haben sie sich angeschwiegen: «Haben wir uns denn wirklich nichts mehr zu sagen?» – «Darüber haben wir doch schon letzte Woche gesprochen!»

Es existieren gute Präventionskonzepte für Paare, beispielsweise das Freiburger Stresspräventionstraining aus der Schweiz oder «Ein partnerschaftliches Lernprogramm». Obwohl Kommunikationsstrategien nachweislich vielen helfen könnten, sieht bei der Eheschließung niemand die Notwendigkeit. Eigentlich komisch, in ein Auto setzt man sich auch nicht einfach rein und fährt los. Die Probleme mit dem Beifahrer sind viel komplexer, als dass man auf Automatik hoffen sollte. Wenn der eine ein Morgenmuffel ist, hilft es oft, es nicht persönlich zu nehmen, sondern als eine Eigenheit zu werten, die sich vermutlich nicht mehr ändern wird. Die Probleme sind nicht die Probleme selbst.

Worum ich als Protestant die Katholiken wirklich beneide, sind die Beichte und die Absolution. Ich habe oft bei Paaren beobachtet, dass es nach einer Krise nur dann wirklich wieder gut weitergehen kann, wenn es auch ein Ritual gibt, das tatsächlich das Ende des Konfliktes, das Verstehen und Verzeihen signalisiert. Viele laufen hingegen ewig mit einem Schuldgefühl herum oder ziehen den Du-bist-noch-in-meiner-Schuld-Joker bei jedem neuen Streit. Sowenig ich von Juristen halte, gibt es doch den Rechtsgrundsatz der Verhältnismäßigkeit. Für ein Fehlverhalten, das unter dem Strich keine halbe Stunde gedauert hat, sollte man nicht ein halbes Leben büßen müssen.

Wer will, finde sein eigenes Ritual, um das Kriegsbeil wieder zu begraben. Zwei Minuten lang in den Arm nehmen. Zwei Stunden beim Italiener. Zwei Wochen in Italien. Dosierbar.

Was Gottman auch herausgefunden hat: Es reicht nicht, wenn man einmal etwas Doofes gesagt hat, einmal etwas Nettes zu sagen, um wieder quitt zu sein. Denn negative Dinge prägen sich viel heftiger ein als positive. Kamen auf eine negative Interaktion weniger als fünf positive, ging die Partnerschaft mit 94-prozentiger Wahrscheinlichkeit in die Brüche. Praktisch bedeutet das: Sie können sich so oft streiten, wie Sie Lust haben, Hauptsache, Sie machen das in den Phasen dazwischen wieder wett. Es ist nicht die Menge an Streit, die Paare auseinanderbringt, sondern der Mangel an «Guthaben auf dem Beziehungskonto». Und um nach einem fiesen Satz den Saldo auszugleichen, braucht es fünf echte Komplimente. Und nach *fünf* echten Glücksmomenten ist man noch nicht im siebten Himmel, sondern gerade mal von weit unter dem Gefrierpunkt wieder bei null!

«Partnerwahl ist Problemwahl.» Auf diese knappe Formel bringt es ein Eheberater. Frauen wünschen sich immer, dass die Männer sich ändern, und sie tun es nicht.

Und Männer wünschen sich, dass die Frauen sich nicht ändern – und sie tun's.

Für Leute, die es härter brauchen, um auf Touren zu kommen.

Streit, den man nicht gehabt hat, hat man nicht gehabt

TIPP 1
MILDERNDE UMSTÄNDE

Ein banaler, aber unter Umständen entscheidender Tipp – gestalten Sie die Rahmenbedingungen für eine einvernehmliche Lösung günstig. Meistens geraten wir mit unserem Partner aneinander, wenn wir gestresst, übermüdet, unterzuckert oder alles drei gleichzeitig sind. Ungünstig. Sie könnten beispielsweise vereinbaren, grundsätzlich nicht über heikle und potenziell verletzende Themen nach 22 Uhr zu sprechen. Unser Verstand geht nämlich abends um zehn ins Bett. Der ist ja auch vernünftig. Unsere Gefühle und unser Körper bleiben jedoch wach. Deshalb machen wir dann ohne Verstand all die Dinge, die uns am nächsten Morgen so furchtbar leidtun. Auch beim Spazierengehen kann man sehr viel entspannter miteinander reden, als wenn sich einer eingesperrt oder in die Ecke gedrängt fühlt.

TIPP 2
SPIEL-UNTERBRECHUNG

Wenn Sie merken, dass Sie beginnen, sich unfair zu verhalten, zu foulen oder sich selbst Verletzungen zuzuziehen, vereinbaren Sie ein Zeichen mit Ihrem Partner wie im Sport: Time-out! Kurze Verschnaufpause. Oder eine große. Lieber eine weitere Nacht darüber schlafen, womöglich sogar miteinander. Dann sieht die Welt eh wieder anders aus.

TIPP 3
HUMOR

Besorgen Sie sich zwei rote Nasen. Wenn Sie spüren, wie Ihnen das Blut in den Kopf steigt und der Kamm schwillt, können Sie zum Huhn mutieren oder sich mit Gegengift zum Affen machen. Setzen Sie die Nase auf, und schon sehen Sie anders aus – und die Welt gleich mit! Dieser emotionale Airbag schützt Sie, wenn Ihnen etwas an den Kopf geworfen wird. Sie werden sich selbst und Ihr Gegenüber nicht mehr so ernst nehmen, wenn er brüllt: «Du wirst deiner Mutter immer ähnlicher!» Probieren Sie es aus, es funktioniert! Oft schreiben mir Zuschauer, dass sie mit diesem einfachen, aber wirkungsvollen Trick ihre alten Streitmuster durchbrechen konnten.

TIPP 4
ÜBERRASCHEN

Wenn Sie gerade keine rote Nase zur Hand haben, hilft auch ein Handy oder ein Fotoapparat. Zücken Sie mitten im Streit plötzlich die Kamera, richten Sie sie auf den anderen und sagen Sie: «Schatz, halte bitte noch kurz diesen Gesichtsausdruck, ich möchte dich gerne genau so für die Ewigkeit festhalten!» Also, wer dann nicht lacht – da lohnt sich auch die Trennung.

Um die Streitdynamik außer Kraft zu setzen, hilft auch folgende Überlegung: «Jedes Ding hat drei Seiten. Eine, die ich sehe, eine, die du siehst – und eine, die wir beide nicht sehen.» Deshalb kann es sich bei festgefahrenen Positionen lohnen, einen Blick von außen einzuholen: von einem Freund, einem Coach oder einem Therapeuten. Von jemandem, der sich beide Seiten anhört und die dritte ergänzt. Nur weil ein Streit schon lange währt, bedeutet es nicht, dass die Lösung auch lang und kompliziert sein muss.

TIPP 5
HILFE HOLEN

Friede

Die Streitsätze in diesem Buch sind alle einmal wirklich ausgesprochen worden – von auf den ersten Blick sehr kultivierten Zuschauern meines Bühnenprogramms *Liebesbeweise*. Anonym geben viele zu, schon einmal so idiotische Sätze gesagt zu haben wie: «Alle Zähne sollen dir ausfallen bis auf einen – der soll dir bleiben für Zahnweh.» – «Du würdest noch nicht mal ins Wasser treffen, wenn du aus einem Boot pinkelst.» Oder auch schön: «Es gibt nur zwei Meinungen. Deine und die falsche.»

Zwei Dinge passieren, wenn man diese Aussagen hintereinander vorliest. Einerseits wirkt es so, als ob ein neuer Streit entsteht: Oft passen die Sätze von völlig verschiedenen Leuten gut zueinander. Dies zeigt, dass es auf dem Höhepunkt eines Streites keine Rolle mehr spielt, was eigentlich einmal der thematische Auslöser war und wer überhaupt angefangen hat. Gerade weil diese Sätze so universell sind, muss man sie nicht persönlich nehmen. Andererseits lachen die Menschen! Denn streiten sich andere, ist es viel leichter zu sehen, wie albern man sich aufführt, als wenn man selbst beteiligt ist.

Deshalb noch
TIPP 6

Probieren Sie
MENTALES JUDO,
wechseln Sie die Perspektive
und stellen Sie sich die Frage:
«Was wäre an unserem Streit lustig,
wenn wir die Nachbarn wären?»

Haftnotizblock

• mit drei Emotions

nur **2,99 €**

Mat.-Nr. 675-601-185

Kuge

• blaue

nur **2**

Gefühle für unter einen Euro! Da kann man nicht meckern.

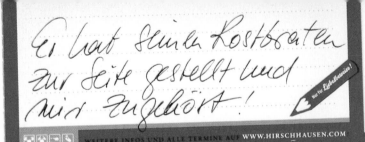

Er hat seinen Rostbraten
zur Seite gestellt und
mir zugehört!

WEITERE INFOS UND ALLE TERMINE AUF WWW.HIRSCHHAUSEN.COM

Nur für Liebesbeweise!

Liebesbeweis!

Dr. ECKART von HIRSCHHAUSEN

Was ist das Schönste, was ich einmal einem anderen Menschen gesagt habe oder jemand mir sagte? Welche Taten oder Erlebnisse haben mich überzeugt, dass es Liebe gibt?

Ich liebe Dich. Wenn Du mich verläcst,
darf ich dann mitkommen?

Nur für Liebesbeweise!

WEITERE INFOS UND ALLE TERMINE AUF WWW.HIRSCHHAUSEN.COM

FEHLER VERZEIHEN!

Nur für Liebesbeweise!

WEITERE INFOS UND ALLE TERMINE AUF WWW.HIRSCHHAUSEN.COM

---

anderen Menschen gesagt habe oder jem...
Welche Taten oder Erlebnisse haben mich überzeugt,
dass es Liebe gibt?

Als ein zehnjähriges Mädchen
zu mir sagte:
Wenn ich ein Handy hätte,
hätte ich dich als
Hintergrundbild.

Nur für Liebesbeweise!

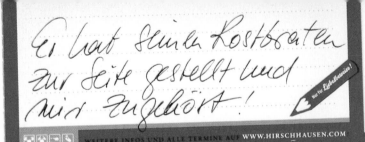

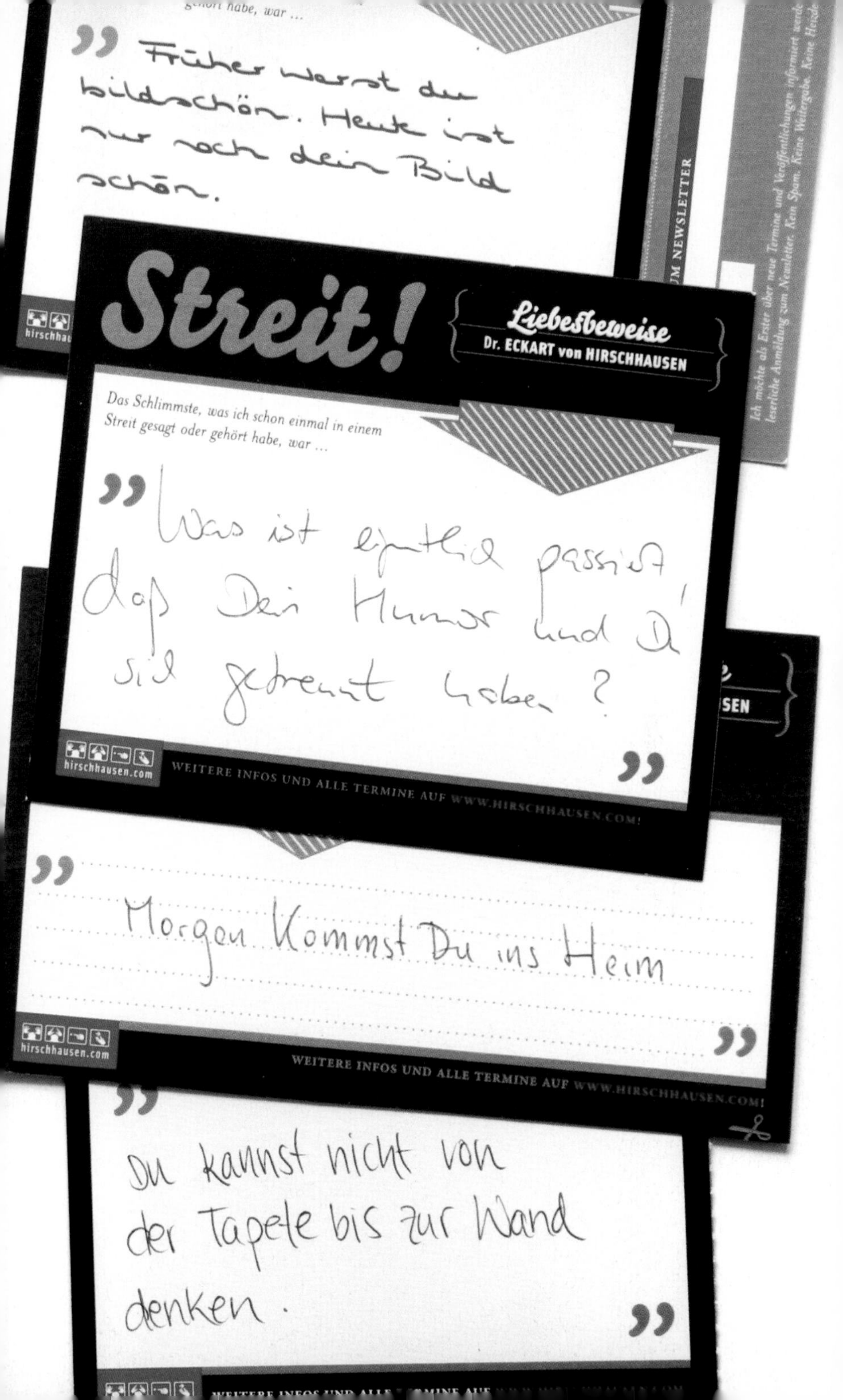

„ Früher warst du
bildschön. Heute ist
nur noch dein Bild
schön.

Streit!

{ Liebesbeweise
Dr. ECKART von HIRSCHHAUSEN }

Das Schlimmste, was ich schon einmal in einem
Streit gesagt oder gehört habe, war …

„ Was ist eigentlich passiert
daß Dein Humor und Du
sich getrennt haben? "

„ Morgen kommst Du ins Heim

„ Du kannst nicht von
der Tapete bis zur Wand
denken.

Der Heiratsmarkt ...

... heißt nicht umsonst so. Er ist der **härteste und brutalste Markt der Welt.** Das knappe Gut: gute Partner. Bei der Liebe sind nicht nur himmlische Kräfte am Werk, es herrscht ein Verteilungskampf zwischen Gut und Börse. Wie abgebrüht einige dabei vorgehen, wurde mir bewusst, als ich über die Scheidungsraten unter Londoner Bankern las. Plötzlich fielen die Kurse, und viele Paare trennten sich. Die böse Interpretation: Die Frauen stießen die Männer ab, so wie die Männer vorher Aktienpakete abgestoßen hatten. Abstoßend. Aber im materialistisch gedachten Handel **«Tausche Geld und Kreditkarte gegen glatte Haut und den Anschein eines Soziallebens»** eigentlich nur konsequent.

Früher gab es Heiratsvermittler oder arrangierte Ehen, in vielen Teilen der Welt gibt es sie immer noch. Dass wir unsere **Partner frei wählen dürfen, ist kulturell gesehen ein großer Fortschritt –** aber es macht das Leben halt nicht einfacher. Früher im Dorf hatte man die Auswahl zwischen maximal drei halbwegs passablen Kandidaten. Im globalen Dorf hat man plötzlich Milliarden Optionen, und das Gefühl, nicht die optimale Wahl getroffen zu haben, wächst exponentiell mit.

Betrachten wir einmal exemplarisch die Paarungsmuster in einem Krankenhaus. **Ein Biotop mit eigenen Gesetzen.** Und weil durch Überstunden und Nachtdienste Ärzte, Krankenschwestern und anderes Klinikpersonal praktisch keine Chance haben, auf «normalem» Weg Menschen kennenzulernen, **wird wild untereinander geflirtet und geheiratet ...**

... und zwar nach folgenden Regeln
– die natürlich auf andere Berufsgruppen übertragbar sind.

Die 10 goldenen Regeln des Heiratsmarkts

am Beispiel der Paarungsmuster im Krankenhaus

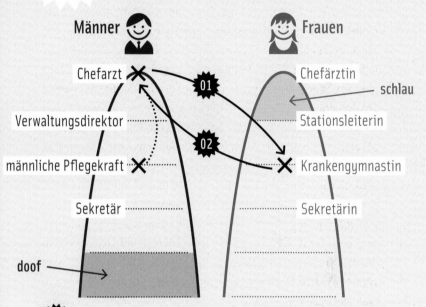

Männer — **Frauen**

Chefarzt — Chefärztin — schlau

Verwaltungsdirektor — Stationsleiterin

männliche Pflegekraft — Krankengymnastin

Sekretär — Sekretärin

doof

01 Der Chefarzt nimmt selten eine Chefärztin. Augenhöhe ist Männern meist zu anstrengend. Gerade die Karriereorientierten mögen es, wenn man ein bisschen zu ihnen aufschaut, **also nehmen sie gerne etwas Jüngeres und in der Ausbildung nicht ganz Ebenbürtiges**, aber nah dran: die Stationsleiterin. Oder auch gern genommen: **die Krankengymnastin.**

02 Eine Chefärztin wählt dagegen praktisch nie eine männliche Pflegekraft zum Gatten. Das liegt an zwei Gegenkräften: **Frauen interessieren sich traditionell für Männer, die im Status über ihnen stehen.** Und männliche Pflegekräfte interessieren sich traditionell nicht für Frauen.

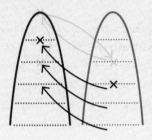

03 Die Sekretärin will auch nicht den Se-kretär. Und auch nicht den Pförtner. **Frauen wollen etwas Besseres, als sie verdient haben, und sie bekommen es,** weil es genug Männer gibt, die Augenhöhe vermeiden wollen. Also bekommt sie den Verwaltungsdirektor.

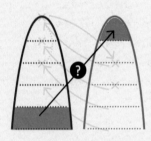

04 Bei diesem Verteilungsmuster müssen zwangsläufig zwei Gruppen übrig bleiben: **doofe Männer und schlaue Frauen.** Weil die doofen Männer ein Buch wie dieses erst gar nicht in die Hand nehmen, können wir offen reden. **Diese Typen haben überhaupt keine Ahnung, was es für attraktive, clevere und unabhängige Frauen auf dem Markt gibt,** weil sie, wenn sie im Netz unterwegs sind, Parship mit «sch» googeln und dann bei den «Bewegtbildangeboten» hängenbleiben.

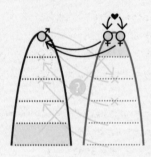

05 Die schlaue Frau hat jetzt folgende Möglichkeiten: **Sie tut sich mit einer anderen schlauen Frau zusammen.** Das passiert oft ohne großes Aufheben. Oder: **Sie teilt sich einen guten Mann.** Das ist nicht ganz so ro-mantisch, aber lieber zu fünfzig Prozent an einer guten Sache beteiligt als zu hundert Prozent an einer schlechten! Für die Doppelherz-Strategie existie-ren viele Varianten: heimlich oder öffentlich. Dieselbe Zeit, unter-schiedliche Orte. Oder derselbe Ort, dafür aber zeitlich getrennt. Und selten sind alle Beteiligten auf demselben Kenntnisstand.

06 Die Maximalvariante in Deutschland hat VW-Chef Ferdinand Piëch vorgelebt: ein Mann, vier Frauen, zwölf Kinder. In anderen Kulturen heißt so etwas Polygamie. Die ist in Deutschland verboten, weil sie angeblich frauenfeindlich ist. Ist sie das denn wirklich? Wenn ein Mann qua Macht und Ressourcen vier Frauen an sich binden kann, **bleiben** 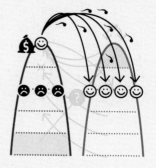 **zwangsläufig auf der Gegenseite drei mittelkluge, aber mittellose Männer auf der Strecke!** Polygamie ist im Kern also männerfeindlich. Erklären Sie das einmal Alice Schwarzer.

07 Der Verteilungskampf auf dem Heiratsmarkt ist an so manchen Konflikten in der Welt schuld. Warum? Wo gibt es denn überall Krieg? Dort, wo viele junge Männer ohne Perspektive leben. **Wer weder Hoffnung auf sozialen Aufstieg noch auf eine Frau hat, der hat nicht viel zu verlieren, wird aggressiv und leicht ein Spielball der Gewalt** – erst recht, 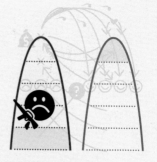 wenn man ihm Jungfrauen im Jenseits in Aussicht stellt. Das war in Deutschland vor vierhundert Jahren nicht anders: Zur Zeit des Dreißigjährigen Krieges hatte man auch hierzulande noch viel mehr Kinder. Der erste Sohn bekam den Hof, der zweite Sohn ging zur Kirche, der dritte zum Militär. Was machen Sie, wenn Sie nur ein Kind haben? Frieden. Die lange Phase des Friedens in Europa hat wahrscheinlich mit den Erfolgen der Politik weniger zu tun als mit dem Siegeszug der Pille!

08 Wir schicken unsere letzten jungen Männer dorthin, wo es bereits zu viel ungebändigtes Testosteron gibt, und wundern uns, dass es nicht besser wird. **Nymphomaninnen nach Afghanistan, das wäre humanitäre Hilfe!** Oder wenigstens in die Dörfer von Mecklenburg-Vorpommern. Ich provoziere, aber Sie sehen, in dem scheinbar so harmlosen Paarungsverhalten der Menschen steckt eine Menge Zündstoff. Und die eigentliche Pointe der Geschichte kommt erst noch: Dieses patriarchalische Modell gilt nicht mehr.

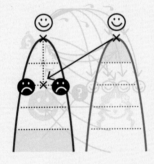

09 In Westeuropa wurde die jahrtausendelange Herrschaft der Männer vollkommen auf den Kopf gestellt. Die Frau von heute hat ihre eigene Ausbildung, ihr eigenes Geld, ihre eigenen Bedürfnisse. Sie braucht keinen Versorger mehr. **Sie will einen Besorger!** Sie sagt sich zu Recht: Warum soll ich meine besten Jahre an der Seite eines Knackers fristen, wenn ich auch etwas Knackiges haben kann? **Die moderne Frau nimmt sich ungeniert einen von den drei jungen Typen, die durch Herrn Piëchs Polygamie übrig geblieben sind, und baut ihn im zweiten Bildungsweg auf.** Viel Spaß dabei! Und das muss noch nicht einmal auf eine dauerhafte Bindung hinauslaufen. Liz Taylor sagte bereits: «Jede Frau sollte einen jüngeren Liebhaber haben. Er weiß nicht genau, was er tut. Aber er tut es die ganze Nacht.»

10 Das Einzige, was Männer noch retten kann, ist **Humor.** In jeder Kontaktanzeige steht etwas zum GSOH – *Good Sense Of Humour!* Alle Frauen sagen, ich will einen Mann mit Humor. Und jeder Mann antwortet auf die Frage «Was ist Ihnen an einer Frau wichtig?»: ihr Humor. Aber Vorsicht. Die reden aneinander vorbei. **Die Frau will einen, der witzig ist. Der Mann möchte eine, die ihn witzig findet.** Und damit sind wir wieder bei Punkt eins. Aber eine Runde weiter.

Süßholzraspeln war gestern.

Wenn Sie weiter an die große romantische Liebe glauben wollen, überblättern Sie die nächsten acht Seiten. In diesem Text lernen Sie die dunkle Seite der Partnerwahl kennen, die wir mit vielen Tieren gemeinsam haben. Gemein, hemmungslos, evolutionär. Und das Schlimmste: Sie verhalten sich längst danach, auch wenn Sie sich das noch nie eingestanden haben.

Wohin schaut eine paarungswillige Frau, wenn auf einer Party ein attraktiver Typ in weiblicher Begleitung durch die Tür kommt? Auf die Frau! Gerade weil sie sich für den Typen interessiert. In diesem strategischen Um-die-Ecke-Denken sind die Frauen den Männern voraus, müssen sie auch sein. Denn Frauen haben es schwerer, einen brauchbaren Partner zu finden, als andersherum. Für einen Mann sind die Kriterien bei der Partnerwahl sehr leicht zu erkennen, sie sind im wahrsten Sinne oberflächlich. Er sucht, übertrieben gesagt, das Versprechen der Jugend und der guten Gene: eine Frau, die glatte Haut hat, schön ist und deren Körperbau Fruchtbarkeit verheißt. Das ist seinem Hirn mit einem Blick in ein paar Millisekunden klar. Frauen müssen sehr viel mehr berücksichtigen, um einen guten Erzeuger und Versorger klarzumachen. Und viele dieser Eigenschaften sind nur indirekt zu erfahren, in detektivischer Feinarbeit. Gute Männer sind immer Mangelware, und auch die haben ihre versteckten Mängel.

Was nutzt ihr ein gutaussehender Typ, wenn er der klassische Blender ist? Sicherer als der Stoff seines Anzuges sagt die Frau an seiner Seite, aus welchem Holz er geschnitzt wurde. Die Qualität der Frau ist für die potenzielle Rivalin besser einzuschätzen, sie ist ja selbst eine. Sie weiß, ob die Klamotten und der Charakter billig sind oder nicht. Und daran lässt sich viel über den Geschmack, die Präferenzen und die Leistungsfähigkeit des Mannes ablesen.

Manche Qualitätsmerkmale kann sie auch direkt an ihm beobachten. Nur, das Dumme an Statussymbolen ist: Sie werden so leicht nachgemacht oder gefälscht. Eine Rolex muss nicht echt sein, der Porsche ist vielleicht nur auf Pump gekauft, der Doktortitel womöglich nur aus zwei Buchstaben zusammenkopiert. Was hat wirkliche Signalwirkung? Alles, was man sich nicht kaufen kann! Alles, was so aufwendig im Erwerb ist, dass es echt sein muss! Und das sind vor allem Fähigkeiten. Ein alter Schlager wusste um diesen Zusammenhang: «Man müsste Klavier spielen können. Wer Klavier spielt, hat Glück bei den Frauen.» Wer ein Musikinstrument virtuos beherrscht, zeigt damit, dass er auch sich selbst gut beherrscht. Denn Üben ist nicht immer lustig. Wer etwas exzellent kann, hat viel Zeit und Energie investiert. Es gibt für alles Geld der Welt keinen Schnellkurs «Konzertpianist in acht Tagen». Deshalb sind geistige Fähigkeiten viel kostspieliger und fälschungssicherer als materielles Vermögen.

Ich spiele leider nicht Klavier. Als Kind hatte ich zwar zwei Jahre lang Unterricht, war aber zu faul zum Üben. Meine Eltern zwangen mich nicht, im Gegenteil. Ich durfte, in der Pubertät angekommen, sogar zu einem anderen Instrument wechseln: Gitarre. Damit dachte ich die Frauenwelt schneller beeindrucken zu können. Ich wollte am Lagerfeuer singen und so die Herzen betören. Denn das war mir schon damals klar: Klavier am Lagerfeuer brennt zwar länger, hat aber logistische Nachteile. Es wurde sehr romantisch auf den Jugendfreizeiten, und mit fünf Akkorden kommt man abends beim Singen schon recht weit. Aber der direkte Erfolg blieb aus. Es wurde spät, alle sangen, man kam sich näher. Irgendwann waren alle am Fummeln, nur ich war der Depp, der keine Hand frei hatte.

Wer es nicht so mit der Musik hat, kann auch über andere zeitaufwendige Hobbys Status signalisieren. Weil ich im selben Jahr geboren wurde wie Boris Becker, war in meiner Jugend Tennisspielen sehr angesagt. Die guten Clubs waren irgendwann überlaufen, es wurde der Elite des Landes lästig, dass aus ihrem exklusiven Vergnügen ein Massensport geworden war, und plötzlich verlagerten sich alle, die etwas auf sich hielten, auf das Golfen. Seit nun auch Golf in der Mittelschicht populär geworden ist, bleibt fast nur noch Polo, um sich wirklich zu distinguieren. Und ich rede nicht vom britischen Pfefferminzbonbon oder von einem deutschen Kleinwagen.

Um ehrlich zu sein, ich kann den Reiz am Golf nicht nachvollziehen. Ich weiß nur, dass es ein sehr sensibles Thema ist, weil es weiterhin das alte Vorurteil gibt: «Haben Sie noch Sex, oder spielen Sie schon Golf?» Einmal habe ich auf einem Kreuzfahrtschiff einen Golfsimulator gesehen, an dem man Abschlagen und Einlochen vor einem virtuellen Grün üben konnte. Denn auf hoher See den Ball wiederzufinden, klappt nicht immer. Ich sah das Gerät und kam an meine Grenze des logischen Denkens: Wenn Golf Sex simuliert – was simuliert dann ein Golfsimulator? Meine Probleme möchte ich manchmal haben.

Ein anderes Beispiel: Kennen Sie den Amazonenkärpfling? Bei diesem mexikanischen Süßwasserfisch ist die Natur gänzlich durchgedreht. Es kommt mir vor, als wäre eine Zukunftsvision Realität geworden: Die Frauen sind komplett selbständig und die Männer praktisch überflüssig. Denn von dieser Fischart existieren lediglich Weibchen, die sich klonen, das heißt, sie brauchen keine fremden Gene für die nächste Generation. Sie pflanzen sich über Jungfernzeugung fort. Wobei dieser Begriff die Sache nicht ganz trifft, denn jungfräulich bleiben sie dabei nicht. Als eine Reminiszenz an frühere sexuelle Phasen ihrer Evolution benötigen die Amazonen noch das Kopulationsritual, um in Fortpflanzungsstimmung zu kommen. Aber weil es von ihnen nur Frauen gibt, lassen sie sich von Männchen einer nah verwandten Art «rumkriegen» und in Wallung bringen, soweit es die Wellen zulassen. Dabei wird kein genetisches Material übertragen, das Ganze ist nur Show.

Aber warum sollten die derart instrumentalisierten Segelflossen-Molly-Männchen das auf Dauer mitmachen? Fühlen die sich gar nicht «benutzt»? Irgendwann müssten sie ja merken, dass sie ihre kostbare Zeit und Erbsubstanz investieren, ohne dass jemals etwas für sie dabei herausspringt. Und hier schließt sich wieder der Kreis: Ihre Belohnung für die Anstrengung bei den Amazonenkärpflingsdamen ist die erhöhte Bewunderung der arteigenen Weibchen! Die werden offenbar davon nicht abgeschreckt, sondern nachweislich angeturnt. Vielleicht verbuchen sie es auch irgendwie unter Nachbarschaftshilfe oder Auswärtssieg, aber Fakt ist, die Weibchen wollen die Stecher nach dem Motto: «Das muss ein toller Hecht sein, wenn ihm sogar die Weiber einer anderen Art nachlaufen.»

Das erinnert doch stark an das oben erwähnte Abchecken auf der Party. Ist es nicht erniedrigend, dass wir die Muster unserer fleischlichen Begierde mit den Fischen teilen? Nein – es kommt noch schlimmer. Die Fruchtfliegen machen es genauso! Zeigt sich ein bis dato völlig uninteressantes Fliegenmännchen in Gegenwart einer schicken Fliege, fliegen auch andere Weibchen auf ihn. Dieses Spiel nennt sich *mate copying*, was man frei übersetzen kann mit: «Auch bei der Partnersuche ist nichts erfolgreicher als der Erfolg.»

Warum ist dieses Verhaltensmuster des Abjagens von gebrauchten Partnern so universell, dass die gleichen Regeln gelten, egal ob man sich einen Fisch angeln will oder einen Mann?

Eine biologische Tatsache, an der man in der Evolutionspsychologie nicht vorbeikommt, besagt: Frauen tragen das größere Risiko bei der Fortpflanzung. Der Mann riskiert vielleicht nur neun Minuten in der Besenkammer, sie aber neun Monate Schwangerschaft und achtzehn Jahre Verantwortung. Ist beiden Geschlechtern der Auftrag zur Reproduktion in den Genen eingepflanzt, so sind doch die Strategien dafür sehr unterschiedlich. Die Frau hat im Monat eine Eizelle. Der Mann am Tag etwa hundert Millionen Spermien. Jetzt einmal ganz ohne Vorurteile: Womit wären Sie großzügiger? Genau!

Die Frau will das Beste, der Mann das Nächstbeste. Sie sagt oft: «Du nicht!» Er: «Wer will, wer will, wer hat noch nicht?» Sie hat keine Lust, «an den Falschen zu geraten». Er hat Lust, aber nicht immer gleich «ernste Absichten». Das ist Biologie. Es erklärt nicht alles, aber einiges. Wenn eine geschlechtsreife Frau einen Großteil ihrer wachen Zeit damit verbringt, Angebote von Männern auszuschlagen, ist auch klar, womit Männer einen großen Teil ihrer Zeit verbringen. Und weil bei Frauen die Zeit der Reproduktion klar begrenzt ist, die biologische Uhr in ihr tickt und eine helfende Hand irgendwann wichtiger wird als die Rolex an seinem Arm, will sie ihre Zeit nutzen. Und da ist es auf alle Fälle effektiver, einen Mann, der sich bereits mit einer anderen Frau als beziehungstauglich erwiesen hat, ebendieser auszuspannen.

Frauen minimieren durch das *mate copying* ihr Risiko, auf einen Deppen hereinzufallen, bei dem sie erst nach Jahren der Aufbau- und Erziehungsarbeit merken, dass er sich nicht ändern wird. Verlorene Liebesmüh! Dann doch lieber einer anderen Frau den ihren abspenstig machen, ganz schlecht wird der nicht sein, sonst wäre eine gute Frau nicht mit dem zusammen gewesen. Von wegen Frauensolidarität.

Männer handeln übrigens nach dem gleichen Prinzip, nur auf einem anderen Gebiet, dem Autokauf: Deshalb sind Jahreswagen so beliebt. Sie haben bewiesen, dass sie etwas taugen und keine Montagsproduktion sind. Kleine Gebrauchsspuren werden in Kauf genommen. Und der Verlust an Neuwert wird durch die erhöhte Sicherheit im Fahrverhalten und die Langzeitperspektive wettgemacht.

Ein Blick in die *Gala* oder *Bunte* verrät: Auch auf dem Markt der Prominentenehen in Hollywood und anderswo verläuft vieles nach diesen uralten Mustern. Und gerade weil es so oft vorkommt, ist das Ausspannen gesellschaftlich so schlecht angesehen. Man tut es, aber eigentlich tut man es auch nicht. Obwohl immer zwei dazugehören, sind wie im Mittelalter die Frauen die Hexen und die Männer die Opfer. Das ist albern. Diese moralische Überhöhung kennen Fische und Fruchtfliegen nicht, die ist rein menschlich.

Und was bedeuten die Regeln der kostspieligen Signale und des Abjagens für den Wert eines Menschen auf der «normalen» Partnerbörse? Es läuft auf dem Heiratsmarkt wie auf dem Arbeitsmarkt: Es ist sehr viel einfacher, sich aus einer Festanstellung heraus auf eine neue Position zu bewerben als aus der Arbeitslosigkeit. Das ist ja die Ironie des Singledaseins. Solange man allein ist, gilt man als latent beziehungsunfähig, aber in dem Moment, in dem man sich bindet, kommen plötzlich die schärfsten Angebote! Ist man in der Disko solo unterwegs, interessiert sich kein Schwein für einen, sobald aber eine attraktive Frau an der Seite gefunden oder zumindest geliehen ist, kommen alle angetanzt.

Psychologen haben oft versucht zu erforschen, ob auch Männer die gebundenen Frauen automatisch attraktiver finden. Das scheint längst nicht so ausgeprägt. Milan Kundera hat über *Die unerträgliche Leichtigkeit des Seins* schon geschrieben: «Eins der großen Geheimnisse des Lebens: Frauen schauen nicht nach hübschen Männern. Sie schauen nach Männern mit schönen Frauen.»

Was Kundera noch nicht wissen konnte: 2011 wurde in der Berliner Speed-Dating-Studie ein weiterer Effekt dieses Mechanismus untersucht. Die Attraktivität ist übertragbar! Sogar über Kontinente. Studentinnen in den USA wurden Videos von Berlinern bei Schnell-Flirt-Versuchen mit wechselnden Partnern gezeigt. Erwartungsgemäß fanden sie anschließend die Männer attraktiv, die von attraktiven Frauen angehimmelt wurden. Aber auch Männer, die in Kleidung oder Frisur diesen Männern ähnelten, wurden plötzlich höher bewertet. Und das Gesicht spielte dabei gar keine entscheidende Rolle! Offenbar verallgemeinern wir automatisch unsere Präferenzen, was ja Sinn macht. Denn wenn alle den Gleichen wollen, wird es eng. Aber wenigstens so ähnlich soll er sein. Vielleicht nutzen Männer diesen Effekt längst unbewusst, wenn sie sich kleiden wie Rockstars oder die Frisur von Fußballern mit schicken Spielerfrauen kopieren. Wer allerdings allzu oft schlechte Erfahrungen macht, wird bisweilen in seinen Verallgemeinerungen wahlloser, frei nach dem Motto: «Kennste einen, kennste alle.»

Der feine Unterschied zwischen der Fruchtfliege und uns sind die Lebenserwartung und die Erwartung an das Leben. So sinnvoll es für die Gene der Fruchtfliege in ihrer kurzen Lebensspanne sein mag, so sinnentleert wirken menschliche Dauerjäger ab einem bestimmten Alter. Jäger und Abgejagte des verlorenen Schatzes. Wir sind unsteter geworden in unseren Beziehungen. Heute hat ein Dreißigjähriger schon mehr Partnerschaften gehabt als seine Eltern in der doppelten Zeit. Aber sind wir deshalb doppelt so glücklich?

Was bleibt von den Millionen Jahre alten Mustern des Jagens und Abjagens im 21. Jahrhundert, in einer Welt der computeroptimierten Partnersuche, des Speed-Datings und der Swingerclubs übrig? Sie bleiben fortbestehen. Und ich warte schon auf folgende perfekte Kontaktanzeige eines Mannes: «Bin leider schon vergeben.» Und dazu kein Foto von ihm, sondern von seiner Frau. Und eine Telefonnummer. Seine.

Du bist so unromantisch!

Laut einer Umfrage fällt es neununddreißig Prozent der deutschen Männer schwer, ihrer Partnerin «Ich liebe dich» zu sagen. Sie halten sich in diesem Punkt für effizient. Sie denken: «Ich habe es einmal gesagt, es gilt bis auf Widerruf. Frauen merken sich doch sonst auch alles, was man einmal gesagt hat.» Das Dumme an Liebesbeweisen ist, dass in dem Moment, in dem man sie einfordert, ihre Beweiskraft schwindet. «Ich liebe dich, du mich auch?» – «Ja, dich auch.» Ein kleines Wort, und die Romantik ist zerstört. «Würdest du für mich ans Ende der Welt gehen?» – «Ja.» – «Würdest du für mich auch dort bleiben?»

Romantik soll selbstverständlich sein, dabei versteht jeder etwas anderes darunter. Das ist so naheliegend, dass sich kaum jemand einmal wissenschaftlich damit beschäftigt hat. Richard Wiseman, ein kreativer Psychologe aus Großbritannien, wollte wissen, woher der ewige Streit rührt, bei dem der eine dem anderen vorwirft: Du bist so unromantisch! Dazu befragte er Paare, Männer und Frauen getrennt voneinander: Welche romantischen Liebesbeweise hat Ihr Partner schon erbracht? Und wie sehr schätzen Sie diese?

Auf den ersten Blick ist das Ergebnis ein Armutszeugnis für die Männer. Denn dreiundfünfzig Prozent der Frauen gaben an, dass ihr Mann sie noch nie zu einem aufregenden Überraschungswochenende eingeladen hätte. Dabei standen Überraschungswochenenden bei den Frauen sehr hoch im Kurs. Und fünfundvierzig Prozent der Männer hatten noch nie ihre Jacke angeboten, um die Dame ihres Herzens vor der Kälte zu schützen, wenn ihr fröstelte. Wo sind sie, die Kavaliere und Ritter?

Als die Männer einschätzen sollten, welche Gesten ihren

Frauen wirklich etwas bedeuteten, offenbarten sich die unterschiedlichen Sichtweisen. Nur elf Prozent der Männer glaubten, dass Frauen unbedingt hören möchten: «Du bist die schönste Frau auf der Welt.» Dabei stand dieses Kompliment bei den Frauen ganz oben auf der Liste.

Umgekehrt gaben Frauen an, sich über materielle Dinge wie teure Unterwäsche deutlich weniger zu freuen als über kleine achtsame Gesten. Wiseman versucht im Geschlechterkampf zu vermitteln: «Dieses Muster deutet darauf hin, dass der Mangel an romantischen Gesten von Männern nicht an Faulheit oder mangelnder Zuneigung liegt. Es scheint vielmehr so, dass Männer ihre Wirkung in den Augen der Frauen dramatisch falsch einschätzen.» Wer also denkt, dass die Freude über den Pelzmantel zu Weihnachten sich irgendwie noch in den Sommer hinein anrechnen lasse, liegt böse daneben. Noch schwerer im männlichen Romantik-Kalkül ist es einzusehen, dass hundert Rosen zum falschen Zeitpunkt gegebenenfalls weniger wert sein können als eine Rose im richtigen.

Da hat man als junger Mann die Regel verinnerlicht, stets der Frau die Tür aufzuhalten, und schon gibt es wieder Ausnahmen. Im Restaurant geht traditionell der Herr zuerst durch die Tür, um zu sehen, ob das Ambiente einer Dame angemessen ist. Da heute ebenfalls die Frau den Mann einladen kann, darf auch sie vorausgehen, wenn sie die Spendierhose anhat. Was Frauen galant finden oder chauvinistisch, ist eine Frage des Jahrgangs: Nur vierzig Prozent der Frauen unter dreißig Jahren schätzen es, wenn der Mann im Restaurant wie selbstverständlich die Rechnung begleicht. Aber bei den über Sechzigjährigen sind es über siebzig Prozent. Ob es bei den über Hundertjährigen über hundert Prozent sind, geht aus der Umfrage nicht hervor.

Himmelreich

Keine öffentlichen Parkplätze

Zufahrt nur für
-Anlieferverkehr
-Anwohner

In den siebten Himmel zu kommen, ist leichter, als dort zu parken.

Zu wissen, was der andere mag, und vor allem auch, was er so gar nicht mag, erfordert ein lebenslanges Lernen. In einer Studie mit dem Titel «Älter, aber nicht weiser» untersuchten Psychologen, ob Paare mehr voneinander wussten, wenn sie schon länger zusammen waren. Sie fanden heraus, dass der Wunsch, über den anderen etwas zu erfahren, zu Beginn einer Beziehung am höchsten ist. Und was passiert dann mit der «Lernkurve»? Sehr diplomatisch schreiben die Autoren: «In Langzeitbeziehungen konkurriert das Motiv, ein objektives Bild vom Partner zu bekommen, mit dem Wunsch, eine positive Beziehung aufrechtzuerhalten.» Auf gut Deutsch: Es ist besser, den anderen in etwas günstigerem Licht zu sehen als unter der Lupe. Und ein kleiner Trick, um mehr Zusammengehörigkeit zu fühlen, ist anzunehmen, der andere sei ja im Grunde genauso wie ich. Das führt schnell zu Missverständnissen, wie in der Geschichte, in der ein Paar sich nach zwanzig Jahren am Frühstückstisch anherrscht: «Immer gibst du mir vom Mohnbrötchen die obere Hälfte!» – «Aber ich dachte, du magst die obere lieber. Ich habe all die Jahre für dich darauf verzichtet!»

Wer denkt, dass er den anderen kennt wie seine Westentasche, hat oft lange keine Weste mehr getragen. Und die Annahme, schon alles über den anderen zu wissen, führt nachweislich dazu, dass Paare, die lange zusammen sind, weniger gut übereinander Bescheid wissen. Bei der Vorliebe für Speisen trafen junge Paare zu fast fünfzig Prozent den Geschmack des Partners. Die Langzeitpartner, die sich im Durchschnitt schon vierzig Jahre länger kannten, nur zu vierzig Prozent. Bei der Frage, welche Möbel wohl dem anderen gefallen könnten, lag die Wahrscheinlichkeit richtigzuliegen bei denen, die sich eigentlich «bestens kennen» müssten, nur bei dreißig Prozent.

Auch hier kannten sich die jungen Paare besser, der gemeinsame IKEA-Besuch war wohl einfach noch nicht so lange her.

In guten Hotels führen die Angestellten eine Liste darüber, was ein Gast alles mag oder nicht mag. Und so freut man sich sehr über die kleinen Aufmerksamkeiten, wenn beim Frühstück das Lieblingsgetränk gebracht wird oder auf dem Zimmer auch in Norddeutschland eine *Süddeutsche Zeitung* liegt. Wenn unser Hinterkopf offenbar so ungeeignet ist, sich diese Dinge bei dem Menschen, der uns am wichtigsten sein sollte, zu merken, warum führt man nicht heimlich auch solch eine Liste? Wenn es für die Kundenbindung taugt, warum dann nicht auch gegen die Entfremdung? «Lieblingseissorte: Erdbeer und Stracciatella. Was sie nicht mag: Eiswürfel in den Ausschnitt geworfen zu bekommen.» In der Art etwa. Es klingt banal, ist es aber nicht: Wann hält ein Mann der Frau die Autotür auf? Wenn das Auto neu ist oder die Frau. Die Kunst besteht darin, diesen Grad an Aufmerksamkeit in den Alltag zu retten. Das hält frisch. Gibt man sich in der Verliebtheitsphase noch richtig Mühe und bringt jeden Tag den Latte macchiato ans Bett, lässt doch bei den meisten dieses Kaffeewünsche-an-den-Lippen-Ablesen rasch nach. Sie sagt: «Ich wünsche mir ein Frühstück im Bett!» Und er grummelt: «Dann schlaf doch in der Küche.»

Liebe Männer – so einen Spruch könnt ihr lange nicht wiedergutmachen. Ich weiß, ihr wolltet witzig sein. Aber meine bittere Erfahrung: Auch die beste Pointe wird von Frauen nicht goutiert, wenn nach ihrer Meinung die Situation, die Rahmenbedingungen, sprich die emotionalen Modalitäten, nicht passen. Und dann kannst du wieder lange Türen aufhalten. Sogar Drehtüren. Nutzt alles nichts.

Was hilft: Investiert schlau, seid auch mal tagsüber aufgeschlossen. Stellt Fragen, hört zu. Überrascht den anderen am

Frühstückstisch mit spontanem Interesse: «Kennen wir uns nicht irgendwoher?» Und lasst euch dann selbst von den Antworten überraschen. Hey, Männer, ihr könntet so günstig heute Abend noch punkten: Zur angekündigten Zeit nach Hause kommen. Eine Badewanne einlassen. Ein verstecktes Kompliment machen. Ein Zettelchen mit einem Gruß schreiben, das sie erst später findet. Oder ein kleines Gedicht. Solche Dinge stehen bei Frauen hoch im Kurs. Es muss ja nicht gleich eine Ballade sein. Es reicht ein Zweizeiler. Mein All-Time-Favourite der Liebeslyrik stammt vom britischen Komiker John Hegley: Liebling, das Schönste, was ich über dich sagen kann: Du bist der eine Mensch, mit dem ich gerne Probleme hätte. Auf Englisch noch poetischer:

«Darling, the most romantic thing I can say about you is: You are the one I want to have problems with.»

Wir müssen reden

Nur sehr wenige Menschen können aus eigener Erfahrung über den Unterschied zwischen weiblichem und männlichem Denken sprechen. Einmal befragte ich Balian Buschbaum: geboren im Körper einer Frau, als Stabhochspringerin erfolgreich, aber nicht glücklich, schließlich die operative Geschlechtsanpassung zu dem, was Balian gefühlt immer war und sein wollte, ein Mann mit allem Drum und Dran. Er beschrieb, wie sich auch sein Denken durch die zusätzlich eingenommenen männlichen Geschlechtshormone änderte: «Eine Weile konnte ich die Frauen noch ganz gut verstehen, aber dann wurde es mir zu kompliziert. Ich denke jetzt weniger um die Ecke. Zwei Journalisten habe ich einmal die identische Antwort auf die Bitte um mein Einverständnis für einen Interviewtext geschickt: ‹Ist das der Text, der morgen erscheinen soll?› Die Frau mailte umgehend zurück, was denn los sei, ob sie etwas falsch verstanden habe und dass man dies sicher klären könne. Der Mann schrieb: ‹Ja!›»

Nun zu den Fakten: Das Gehirn eines Mannes ist durchschnittlich dreihundert Gramm schwerer als das einer Frau. Und damit bereits sein zweiter Körperteil, bei dem es offensichtlich nicht allein auf die Größe ankommt. Da Männer im Schnitt schwerer sind als Frauen, ist es nicht verwunderlich, dass auch ihre Gehirne etwas mehr wiegen. Frauen haben aber genauso viele Nervenzellen, die nur etwas dichter gepackt sind. Aufschlussreich finde ich, dass bestimmte seelische Störungen unterschiedlich häufig bei den Geschlechtern auftreten, zumindest werden sie unterschiedlich oft diagnostiziert. Frauen werden eher trübsinnig, Männer eher wahnsinnig. Frauen haben

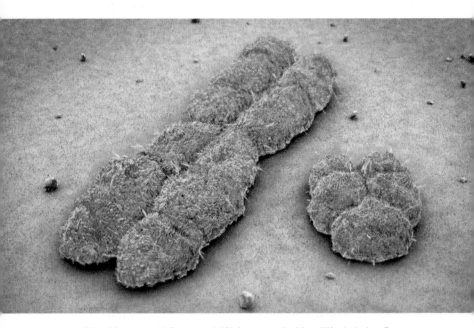

Was Männer und Frauen wirklich unterscheidet: XX wird eine Frau,
XY ein Mann. Das Y-Chromosom (rechts) ist ein Bruchteil von
einem X. Man wird zum Mann durch Mangel an Information.
Und ich wünschte, es wäre ein Gag.

das stabilere Betriebssystem der Evolution. Sie besitzen ja auch zwei X-Chromosomen, Männer nur eins. Wenn ein X eine Macke hat, haben sie noch ein «Backup». Wenn beim Mann das X eine Macke aufweist, hat er die. So häuft sich beispielsweise die Rotgrünblindheit beim männlichen Geschlecht. Und schwere Kommunikationsstörungen wie Autismus kommen bei Jungs zehnmal öfter vor als bei Mädchen. Was im Umkehrschluss nicht bedeutet, alle Frauen könnten toll kommunizieren. In der Disko gilt nach meiner Beobachtung folgende Faustregel: «Je höher die Absätze, desto kürzer die Hauptsätze.»

Nur Klischee? Die australische Wissenschaftsautorin und Psychologin Cordelia Fine geht in ihrem Buch *Die Geschlechterlüge* zu Recht hart ins Gericht mit allen Behauptungen bezüglich der Geschlechter, die sie zum «Neurosexismus» erklärt: Einparken hat nichts mit den Chromosomen zu tun, sondern vielmehr mit Übung und dem Erwartungsdruck. Und ich bin jetzt mal ganz ehrlich. Ich parke sehr schlecht ein, wenn eine Frau neben mir sitzt. Und jetzt bin ich noch ehrlicher. Auch wenn keine neben mir sitzt. Dafür fahre ich sehr gut Bahn.

Lange wurde behauptet, der Balken, die Verbindung zwischen der rechten und linken Hirnhälfte, sei bei Frauen stärker ausgeprägt. Aber das ist ebenso eine Frage des Trainings. Der Balken verbreitert sich beispielsweise auch bei Musikern und anderen, die viel mit der Koordination der Körperseiten zu tun haben. Vereinfacht kann man sagen: Je dicker der Balken im Kopf, desto dünner das Brett vor dem Kopf.

Oft wird gesagt, Männer könnten sich besser räumlich orientieren. Das trifft nur auf die mentale Rotation zu. Bei den klassischen Intelligenztests wird gefragt, in welche Richtung die Spitze von einem verknäulten Objekt zeigt, wenn man es erst nach links dreht und dann von hinten betrachtet. Bei diesen Aufgaben sind Männer schneller. Aber woran liegt das? Wie man in einer MRT-Studie zeigen konnte, dauert es bei Frauen länger, weil sie sich zusätzlich zum Drehen fragen, was das Ganze soll! Das hält natürlich auf.

Frauen denken also nicht langsamer, sondern mehr! Manchmal vielleicht ja zu viel. Denn das Knäuel besaß auch rotiert keine größere Bedeutung, als zu beweisen, dass Männer sich Dinge gut von hinten vorstellen können. Dafür merken sich Frauen besser Gesichter.

Und was hat es auf sich mit der alten Geschichte von der männlichen und weiblichen Orientierung und dem angeblichen «Nicht nach dem Weg fragen»? Folgendes: Männer orientieren sich eher nach Himmelsrichtungen und Entfernungen, was bei großen Distanzen Vorteile bietet. Frauen orientieren sich dagegen eher an markanten Punkten auf Augenhöhe. Das merkt man tatsächlich, wenn man auf der Straße nach Wegbeschreibungen fragt.

Ein Mann sagt: «Sie müssen nach achthundertfünfzig Metern Richtung Nordosten abbiegen.» Die Frau sagt: «Gehen Sie so lange weiter, bis Sie zu einem Blumenladen kommen, dann um die Ecke, also nach links, oder ist das rechts?» Dabei gestikuliert sie aber so charmant herum, dass die Gefahr, sich zu verlaufen, viel geringer ist, als wenn man versucht, achthundertfünfzig Meter in Schritten abzuzählen. Als ob der Mann wirklich wüsste, wie weit achthundertfünfzig Meter sind. Da gehen ja schon im Zentimeterbereich die Schätzungen weit auseinander. Frauen wissen dagegen sehr präzise, was ein Blumenladen ist.

Eine Studie zeigt, dass bei Frauen die Orientierung gemäß dem Hormonspiegel schwankt. Aber ich weiß jetzt nicht mehr, in welche Richtung, ob zum Eisprung hin oder gerade nicht. Ich habe auch generell sehr schlechte Erfahrungen damit gemacht, in Konfliktsituationen überhaupt das Thema Hormonspiegel zu erwähnen. Ich habe aber tatsächlich einmal versucht, einer Freundin, die stets rechts und links verwechselte, eine schöne Eselsbrücke zu bauen. Ich erinnere noch sehr genau, wie mir jemand in der Vorschule zum ersten Mal gesagt hat: «Rechts ist da, wo der Daumen links ist.» Das fand ich so bescheuert, dass ich ihm gerne rechts und links eine runtergehauen hätte, aber ich wusste nicht, wo anfangen, so verwirrt hatte mich dieser Spruch. Das wollte ich meiner Freundin ersparen und fragte sie, ob sie wisse, wo sich ihr Herz befinde. Ich dachte, wenn Frauen eine gute Orientierung haben, dann bezüglich ihres Körpers. Sie legte die rechte Hand automatisch aufs Herz. Ich gab ihr den Rat, sich dessen immer zu vergewissern, da das Herz nun einmal links schlage. Als ich sie ein paar Wochen später wiedertraf, wollte ich meinen Lernerfolg feiern und fragte lachend: «Na, wo ist das Herz?» Sie schaute mich an, überlegte kurz und meinte: «Auf dem rechten Fleck!»

Gut, dass wir darüber geredet haben. Apropos: Frauen reden lieber als Männer. Punkt. Und in diesem Punkt bin ich ausnahmsweise nicht auf der Seite der Wissenschaft. In *Science*, einer der renommiertesten Fachzeitschriften der Welt, fand ich eine kuriose Studie. Diese hat tatsächlich versucht, die Wörtermenge, die Männer und Frauen über den Tag von sich geben, in einem elektronischen Diktiergerät aufzufangen, das die Probanden um den Hals trugen. Dabei zeigte sich überraschenderweise, dass Männer und Frauen gleich viel reden – im Durchschnitt. Natürlich gab es extreme Ausprägungen, schweigsame Frauen und geschwätzige Männer. Und umgekehrt. Aber das statistische Mittel unterschied sich nicht wesentlich. Komisch. Oft bestätigt ja psychologische Forschung, was man eh schon ahnte oder wusste. Wenn sie das einmal nicht tut, muss man sich genau anschauen, unter welchen Bedingungen die Ergebnisse erhoben wurden. Wer sind zum Beispiel die Versuchspersonen? Und schon kann sich zeigen, dass man von amerikanischen Erstsemesterstudenten auf deutsche Hausfrauen so wenig übertragen kann wie von Mäusen auf Menschen oder von Äpfeln auf Birnen. Deshalb zweifele ich an, dass man Männer unter Normalbedingungen mit denen in der Studie gleichsetzen darf. Die hatten ja plötzlich etwas zu erzählen, schließlich trugen sie ein Diktiergerät um den Hals! Und da wird doch selbst der sturste Mann zur Plaudertasche:

«Eh, was ist das denn?»

«Das ist Teil einer wissenschaftlichen Studie, darüber darf ich nicht reden.»

«Aber das ist doch ein Diktiergerät, nimmt das jetzt auch unser Gespräch auf?»

«Nein, nur meine Wörter.»

«Wie, das Ding hat personalisierte Spracherkennung, läuft das auch auf einem PC oder nur auf dem Mac?»

«Nee, soviel ich weiß, zeichnet das in einem Wave-MP5-Format auf, ich wette, dein PC kann nur bis MP4.»

«Geil, aber ich kann das ja extern auf meinem Cloud-Server konvertieren lassen. Also, das Teil hol ich mir auch, wo gibt es das?»

«Darf ich nicht sagen.»

Klassische Männerdialoge. Solche will natürlich keiner hören, aber sie gaben den Jungs die tausend Wörter zusätzlich, die sie unter Normalbedingungen nie gesprochen hätten!

Deswegen heißt das Zeug ja auch «Unterhaltungselektronik», weil es praktisch das Einzige ist, worüber man sich mit jedem Mann auf der Welt unterhalten kann. Notfalls auch nonverbal mit Lauten der Wertschätzung, die sich auf dem weiten Weg von der Neandertalerhöhle in den Elektromarkt praktisch nicht geändert haben: «BOH-EY!» Geht international durch für Mammuts oder Megabytes. Ich bleibe dabei: Frauen reden lieber als Männer. Punkt. Ich habe in der Kinderneurologie gearbeitet und Mädchen und Jungen auf ihren Entwicklungsstand hin untersucht: Mädchen fangen früher an zu sprechen. Und sie hören später wieder auf. Und daran ändert sich nichts groß im weiteren Leben. Wer meint, das sei nichts als ein blödes Klischee, zeige mir irgendwo auf der Welt zwei Frauen beim Angeln!

Und ein letzter Hinweis: Man kann im Kernspin sehen, wo im Gehirn gedacht wird, wo sozusagen das Licht an ist. Es gibt einen kleinen Unterschied im Ruhezustand: Bei Frauen sieht man Aktivität in der Hirnrinde, dort sitzen Verstand und Sprachproduktion – bei Männern eher in basaleren Bereichen, vergleichbar mit einer Stand-by-Funktion. Aus der Theorie für die Praxis. Mein Appell an alle Frauen: Wenn Sie Ihren Schatz, der nichtsahnend auf dem Sofa sitzt, mal wieder überraschen mit der Frage: «Du – woran denkst du eigentlich gerade?» Und er gibt sich wirklich Mühe, spürt in sich hinein und sagt aus tiefster Überzeugung nur ein Wort: «Nichts!»

Bitte: Glauben Sie ihm!

... gesagt habe oder jemand mir sagte? Welche
Taten oder Erlebnisse haben mich überzeugt, dass es Liebe gibt?

Mein Freund hat zu mir gesagt, dass er mich
fast Liebes mag, als die Curry-Soße bei
Mc Donald's! ☺

Liebes-beweis!

{ *Liebesbeweise* }
Dr. ECKART von HIRSCHHAUSEN

*Was ist das Schönste, was ich einmal einem anderen
Menschen gesagt habe oder jemand mir sagte? Welche
Taten oder Erlebnisse haben mich überzeugt, dass es Liebe gibt?*

Der Tankstellenwart fragte mich,
obwohl ich gedankt habe, ob
ich bereits 18 bin. Dabei bin
ich 35 :)

Nur für Liebesbeweise!

hirschhausen.com WEITERE INFOS UND ALLE TERMINE AUF WWW.HIRSCHHAUSEN.COM

Was ist das ...
Menschen gesagt habe oder jemand mir ...
Taten oder Erlebnisse haben mich überzeugt, dass es Liebe gibt?

Das Lächeln im Gesicht eines
behindertem Menschen, dem
ich zu seinem 3. Platz
beim Schwimmen gratulieren
durfte. Reine Freude
und Herzensgüte

Nur für Liebesbeweise!

hirschhausen.com WEITERE INFOS UND ALLE TERMINE AUF WWW.HIRSCHHAUSEN.COM

NACH VIELEN JAHREN DES WÜNSCHENS,
BEKAM ICH ENDLICH MEINEN
STREUSEL KUCHEN, DER
NUR AUS STREUSELN BESTAND!

Nur für Liebesbeweise!

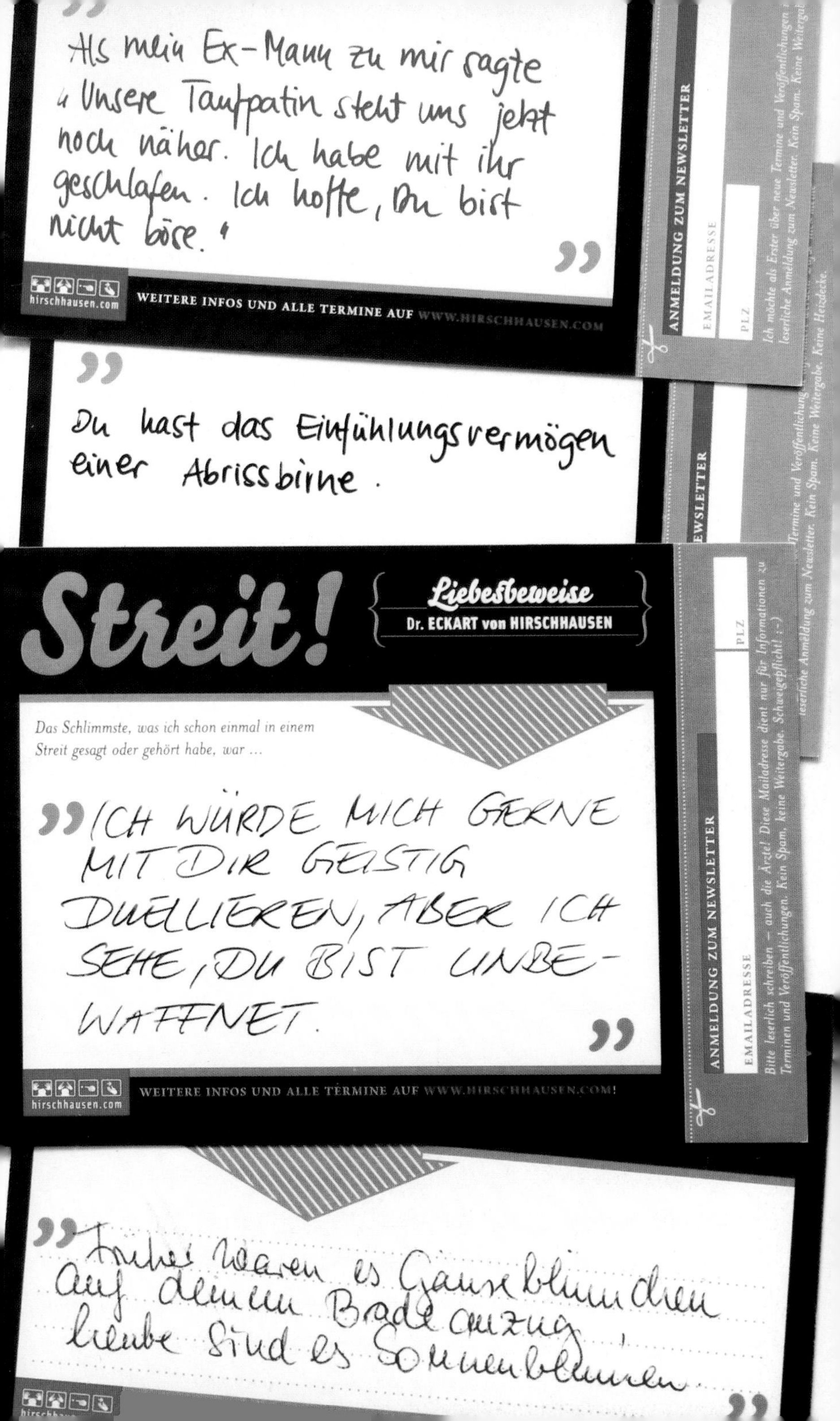

Als mein Ex-Mann zu mir sagte „Unsere Taufpatin steht uns jetzt noch näher. Ich habe mit ihr geschlafen. Ich hoffe, Du bist nicht böse."
hirschhausen.com
WEITERE INFOS UND ALLE TERMINE AUF WWW.HIRSCHHAUSEN.COM
ANMELDUNG ZUM NEWSLETTER
EMAILADRESSE
PLZ
Ich möchte als Erster über neue Termine und Veröffentlichungen informiert werden. Kein Spam. Keine Weitergabe. Keine Heizdecke.
Du hast das Einfühlungsvermögen einer Abrissbirne.
Streit!
Liebesbeweise
Dr. ECKART von HIRSCHHAUSEN
Das Schlimmste, was ich schon einmal in einem Streit gesagt oder gehört habe, war …
ICH WÜRDE MICH GERNE MIT DIR GEISTIG DUELLIEREN, ABER ICH SEHE, DU BIST UNBEWAFFNET.
hirschhausen.com
WEITERE INFOS UND ALLE TERMINE AUF WWW.HIRSCHHAUSEN.COM!
ANMELDUNG ZUM NEWSLETTER
EMAILADRESSE
PLZ
Bitte leserlich schreiben – auch die Ärzte! Diese Mailadresse dient nur für Informationen zu Terminen und Veröffentlichungen. Kein Spam, keine Weitergabe. Schweigepflicht! ;-)
Früher waren es Gänseblümchen auf deinem Badeanzug, heute sind es Sonnenblumen.

Die eurythmische Stochastik-Story

Über Männer und Frauen wird vieles behauptet. Was ist Klischee? Was ist eine messbare Differenz der Mittelwerte? Und wie sieht die Verteilungskurve aus? Um Ihnen ein Gefühl für diese fundamentale Botschaft zu geben, habe ich mir – inspiriert von der Waldorfpädagogik – eine eigene Kunstform einfallen lassen: **die getanzte Statistik, die eurythmische Stochastik.**

Die Grundlage: die Normalverteilung. Ein praktisches Beispiel. Man misst das Körpergewicht von tausend Zuschauern im Raum und trägt alle Messwerte von links nach rechts auf der Bühne auf. **Dann ergibt sich eine klassische Glockenkurve,** weil es in der Mitte mehr Messwerte gibt als an den Extremen. **Die meisten sind eben so wie die meisten.** Oder anders gesagt: Häufiges kommt öfter vor als Seltenes.

Gaußsche Normalverteilung:
Die Glockenkurve entsteht, weil die meisten eben so wie die meisten sind. Oder anders gesagt: Häufiges kommt öfter vor als Seltenes.

Teilt man die Messwerte nach Männern und Frauen, ergeben sich zwei verschiedene Kurven. Vereinfacht gesagt: **Männer und Frauen haben unterschiedliche Glocken.** Männer wiegen im Mittel mehr als Frauen. Aber das bedeutet nicht, dass jeder Mann automatisch schwerer ist als jede Frau! Es gibt ja nicht nur Kate Moss und Reiner Calmund, **es gibt auch Ralf Schmitz und Tine Wittler!**

Teilt man die Messwerte nach Männern und Frauen, ergeben sich zwei verschiedene Kurven. Vereinfacht gesagt: Männer und Frauen haben unterschiedliche Glocken. Männer wiegen im Mittel mehr als Frauen.

3

Aber das bedeutet nicht, dass jeder Mann automatisch schwerer ist als jede Frau! Es gibt ja nicht nur Kate Moss und Reiner Calmund, es gibt auch Ralf Schmitz und Tine Wittler! Das heißt: Man kann vom Gewicht nicht auf das Geschlecht schließen. Und vom Geschlecht nicht auf das Gewicht.

Das heißt: **Man kann vom Gewicht nicht auf das Geschlecht schließen.** Und vom Geschlecht nicht auf das Gewicht. Ein Mann kann sich mehr von einem anderen Mann unterscheiden als von seiner Frau. Und umgekehrt. **Und wenn das für so etwas Simples wie das Körpergewicht schon so differenziert betrachtet werden muss,** wie viel genauer muss man hinschauen, handelt es sich um Eigenschaften, die schwerer zu messen sind! Daher ist die Aussage, die der statistischen Wahrheit am nächsten kommt: **Männer und Frauen haben vieles gemeinsam! Aber das will keiner hören. Da lacht keiner.** Und keiner würde ein Buch kaufen mit dem Titel: **Was Männer und Frauen alles nicht unterscheidet.** Deshalb werden ständig und überall die Differenzen betont, die aber für Sie konkret gar nicht zutreffen müssen. Aber bei Ihren Nachbarn, da passt es schon wieder, **denn die sind ja viel typischer als Sie.**

4

Ein Mann kann
sich mehr von einem
anderen Mann unterscheiden
als von seiner Frau.
Und umgekehrt.

Wenn Sie also wieder einmal jemanden hören, der Ihnen etwas über die Geschlechterunterschiede erzählen will, fragen Sie einfach zurück: **Wie groß war die Stichprobe, wie wurde sie zusammengestellt, wer hat die Untersuchung finanziert, wo wurde sie veröffentlicht, wer hat sie begutachtet, und konnten die Ergebnisse von einem anderen Forscherteam bestätigt werden?** Und dann sieht man, was von der «Erkenntnis» übrig bleibt.

Denn wahrscheinlich gehören Sie zur großen Schnittmenge von **Männern, die zuhören können, und Frauen, die in der Lage sind, einzuparken,** ohne dabei an Schuhe zu denken. **Willkommen!**

Die Wahrheit:
Männer und Frauen haben vieles gemeinsam. Und wahrscheinlich gehören Sie persönlich zur großen Schnittmenge von Männern, die zuhören können, und Frauen, die in der Lage sind, einzuparken, ohne dabei an Schuhe zu denken.
Willkommen!

5

**Happy
End!**

2. Die Liebe
an und für sich

Teppichhändler, Urlaubsprospekte und Kontaktanzeigen,
Altruismus alter Freunde, Körbe sammeln, Lallphase,
Gruppendynamik oder Hackordnung, Lebenskummer,
gebrochene Herzen, Verzeihen, Hochzeit

Banane

1kg   1,99

So listig werden Verbraucher getäuscht!

Freunde bleiben!

Wer sagt, dass Geld nicht glücklich macht, weiß einfach nicht, wo man gut shoppen kann. Das ist natürlich Unsinn. Aber tatsächlich macht es in fast jedem Land der Welt mehr Spaß, Geld auszugeben, als daheim. Im Urlaub dreht man nicht jeden Pfennig zweimal um, einerseits weil es schon länger keine Pfennige mehr gibt, andererseits weil die Kreditkarte einen erst Wochen nach dem Urlaub durch die Abrechnung wieder in die Realität zurückkatapultiert.

Wie sinnlich der Handel sein kann, durfte ich in Marrakesch erleben. Ein Ortskundiger geleitete mich durch die antiken Märkte – Färber, Schmiede und Barbiere, Tausendundeine Nacht gemischt mit dem 21. Jahrhundert. So wird einem zwar der Bart noch als Dienstleistung getrimmt, aber nicht mehr mit Messer und Seife, sondern mit einem Elektrorasierer. Und die Jungs, die sich auf das malerische Bearbeiten von Metall verstehen, verdienen durch das Handaufhalten für ein Foto weitaus mehr als mit ihrem eigentlichen Handwerk. Welch Meister der Kundenbindung der Teppichverkäufer war, hätte ich erahnen können, als mich der Führer an seiner Pforte ablieferte und auf unbestimmte Zeit allein ließ. Er wusste, ich käme genauso wenig ungeschoren davon wie die Schafe, deren Wolle hier in höchster Verarbeitungsstufe feilgeboten wurde.

Mein Gastgeber im Palast der Webwaren hielt sich nicht damit auf zu fragen, ob ich denn überhaupt irgendeinen Teppich bräuchte. Auch war sein Deutsch so gut, dass sich Komplimente dafür von allein verbaten. Sogleich eilten seine Handlanger herbei, um die Auslegeware in so schneller Folge vor meinem Auge auszubreiten, dass nahezu Bewegtbilder entstanden.

Oder war im eifrig nachgeschenkten Minztee etwas Halluzinogenes? «Lebende Wolle» nannte er die besondere Qualität seiner Knüpfwaren. Denn so wie Schafe nach dem Regen sich selber reinigen, würde auch der Teppich nie dreckig werden, und im schlimmsten Falle sollte ich ihn in den Schnee legen. Ich fragte nicht nach.

Nach dem dreißigsten Modell, das er anschleppen, ausbreiten und wieder abtransportieren ließ, erkundigte ich mich zögerlich, was denn so ein lebendes Wunderwerk in etwa kosten würde. Das hätte ich nicht tun sollen. Eindeutig war ich in diesem jahrtausendealten Ritual einen Schritt zu weit gegangen. Er schaute mich an mit einem Blick, der zeigte, wie tief ich in seinen Augen gerade gesunken war, wie schwer ich ihn enttäuscht hatte. Nach endlosen Momenten der Stille sprach er den alles entscheidenden Satz: «Du hast dein Geld. Ich habe meine Teppiche. Und das Wichtigste ist, dass wir Freunde bleiben!» Wann habe ich so etwas jemals von einem deutschen Einzelhändler gehört? Fragt man in einem Berliner Reisebüro, wohin man am billigsten fliegen kann, lautet die Antwort: «Uff die Fresse!»

In Deutschland bedeutet Kundenfreundlichkeit: Man muss als Kunde freundlich bleiben, sonst wird man nicht bedient. Aber der Teppichhändler verstand sich als Dienstleister, als Entertainer. Die Ware ist nebensächlich, bezahlt wird für die Show. Eine Einstellung, die ich mir nur ein einziges Mal von einem deutschen Zugbegleiter wünsche. Oder einem Polizisten, der ja angeblich Freund und Helfer zugleich ist. In Marokko bleibt man Freunde, ohne es je gewesen zu sein. Das finde ich sympathisch.

Nun ging unser Gespräch in die nächste Runde mit dem Erlernen von zwei arabischen Wörtern: «kann weg» und «vielleicht». So engte sich langsam die Auswahl ein, bis ein Teppich und ein Sofaüberwurf übrig blieben.

Die dritte Phase des Handels begann: Viele Zahlen wurden auf einen Block geschrieben. Es musste sich um eine Art der Kabbala, des Zahlenzaubers, handeln. Das Wort Addition hätte dem Spektakel als Beschreibung unrecht getan. Der Teppichhändler rechnete und rechnete, strich wieder durch, übertrug die Summen und rechnete erneut. Hätte er diese Prozedur auf einem Windows-Rechner getätigt, wäre zwischenzeitlich die Sanduhr erschienen. Aber er war Rechner und Berechner in einem und wurde nicht müde, darauf hinzuweisen, dass mich der gleiche Teppich in Deutschland natürlich das Hundertfache kosten würde. Mit dem Unterschied, dass ich ihn dort nie gekauft hätte. Aber ich hielt meine Klappe. Denn ein weiterer unschlagbarer Satz aus seinem Mund folgte postwendend.

Als ich behauptete, der Preis sei doch ein bisschen hoch, konterte er: «Der Teppich ist nicht teuer – Ihr Geschmack ist teuer!» Wie sollte ich zugeben, einen billigen Geschmack zu haben? Nein – ich konnte nicht anders, willigte aufgrund meines exklusiven Geschmacks ein und kaufte. Zum Freundschaftspreis. Inklusive Lieferung bis nach Hause. Ich fühlte mich gut. Kurz überlegte ich, ob ich mir wünschen sollte, dass die Ware auf dem Weg nach Europa abhandenkommt. Denn ich brauchte wirklich keinen Teppich. Und schon gar nicht zwei. Viel wichtiger war mir, für immer zu wissen: In Marokko habe ich einen wahren Freund.

Du tapezierst wie eine Göttin!

ANMELDUNG ZUM NEWSLETTER

EMAILADRESSE

Bitte leserlich schreiben – auch die Ärzte! Diese Mailadresse dient nur für Informationen zu Terminen und Veröffentlichungen. Kein Spam, keine Weitergabe, Schweigepflicht ;-)

PLZ

Liebes-beweis!

Liebesbeweise
Dr. ECKART von HIRSCHHAUSEN

Nur für Liebesbeweise!

Was ist das Schönste, was ich einmal einem anderen Menschen gesagt habe oder jemand mir sagte? Welche Taten oder Erlebnisse haben mich überzeugt, dass es Liebe gibt?

Zu unserer Hochzeit hat er versprochen mein Fahrrad - wenn nötig - jeden Tag zu flicken - in 10 Jahren konnten wir schon 60. "Flickjubiläum" feiern, die Liebe dauert an!

hirschhausen.com   WEITERE INFOS UND ALLE TERMINE AUF WWW.HIRSCHHAUSEN.COM

Was ist das Schönste, was ich einmal einem anderen Menschen gesagt habe oder jemand mir sagte? Welche Taten oder Erlebnisse haben mich überzeugt, dass es Liebe gibt?

"Wessen Herz höre ich da schlagen?
Meines oder deines?"
"unseres"

Nur für Liebesbeweise!

hirschhausen.com   WEITERE INFOS UND ALLE TERMINE AUF WWW.HIRSCHHAUSEN.COM

L

Was ist d
gesagt ho
haben m

Stammzellspende für meine Schwester!

Nur für Liebesbeweise!

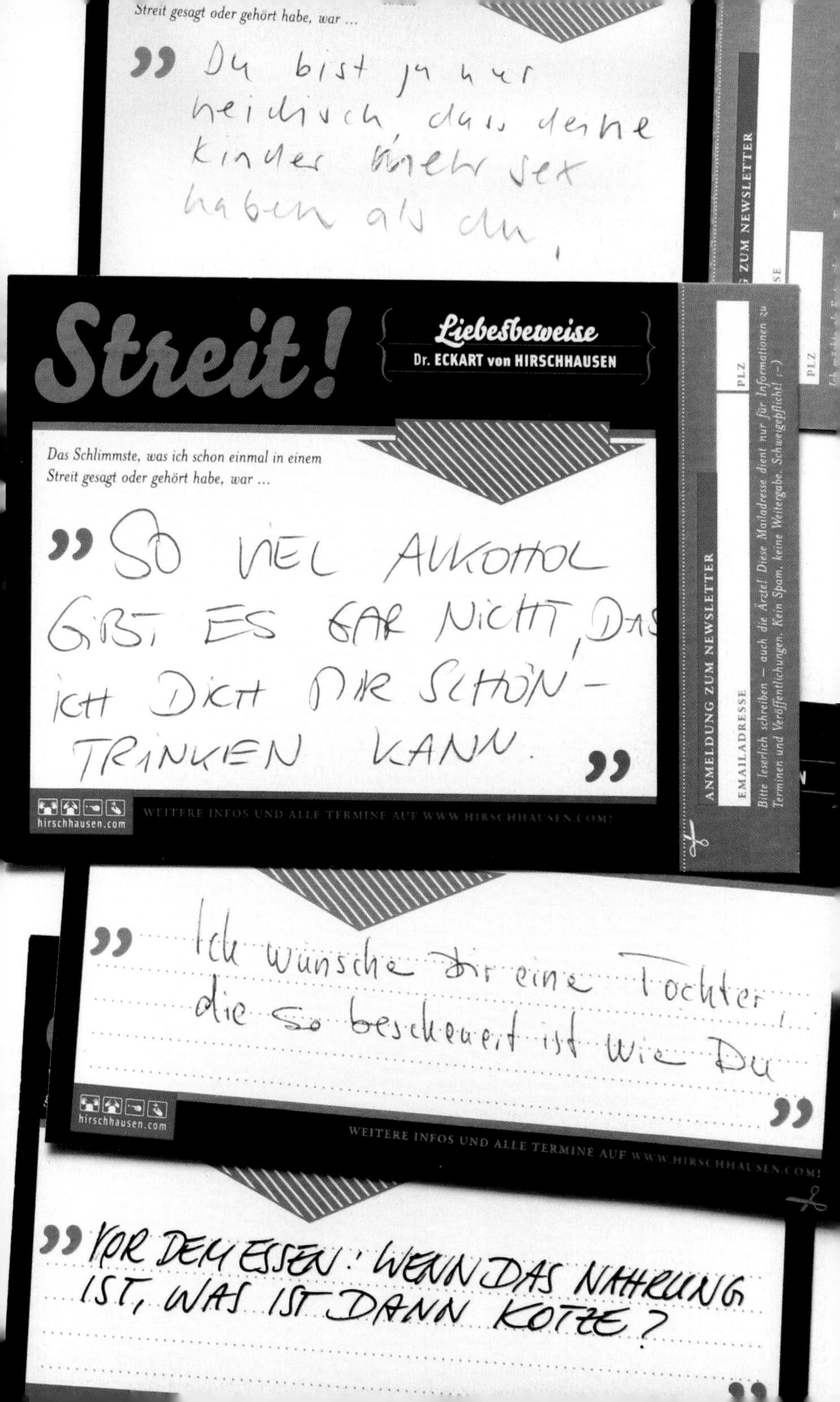

Streit gesagt oder gehört habe, war ...

" Du bist ja nur
neidisch, dass deine
Kinder mehr Sex
haben als du.

Streit!

Das Schlimmste, was ich schon einmal in einem
Streit gesagt oder gehört habe, war ...

" SO VIEL ALKOHOL
GIBT ES GAR NICHT, DAS
ich DICH MIR SCHÖN-
TRINKEN KANN. "

" Ich wünsche dir eine Tochter,
die so bescheuert ist wie Du

" VOR DEM ESSEN: WENN DAS NAHRUNG
IST, WAS IST DANN KOTZE?

Das Schöne am Urlaub: Sand im Getriebe.

Die schönste Zeit?

Richtig abzuschalten, fällt nicht nur Betreibern von Kernkraftwerken schwer. Urlaub heißt: Die Menschen, die man bei der Arbeit mindestens acht Stunden täglich sieht, sieht man plötzlich wochenlang nicht. Dafür sieht man wochenlang die Menschen, die man sonst nur abends und am Wochenende um sich hat. Nun aber für vierundzwanzig Stunden am Tag. Man fährt in die Ferne, um sich wieder näherzukommen, und ist entsetzt, wenn genau das passiert. Nach zwei Regentagen im Hotelzimmer wünscht man sich nur eins: wieder arbeiten zu dürfen – am Arbeitsplatz und nicht an der Beziehung oder der Erziehung.

Mir ist aufgefallen, wie sehr sich die Sprache von Urlaubsprospekten und die Selbstbeschreibungen in Kontaktanzeigen oder auf Dating-Portalen ähneln. Hier wie dort wird schonungslos das Positive überbetont und die Erwartungen hochgeschraubt. Und dann ist die Realität so hart wie der Beton vor dem Hotelfenster oder so weich wie der galant verschwiegene Bierbauch. «Sportlich» als persönliches Attribut heißt gerne mal: Ich trage Trainingsanzug den ganzen Tag. Ebenso wie «Meerblick» bedeutet, dass man theoretisch zwischen den Häusern vor dem Hotel das Meer erblicken könnte, wenn die davor nicht drei Stockwerke höher gebaut hätten. Eigentlich müsste es «Röntgenmeerblick» heißen. «Kontakt mit einheimischer Bevölkerung» heißt konkret: Die Hotelangestellten verstehen kein Wort Deutsch. «Eheerfahren» klingt ja schließlich auch besser als geschieden!

Und wenn sich dann der Traumurlaub als genauso trügerisch herausstellt wie der Traumpartner, würde man gerne von der Reiserücktrittsversicherung Gebrauch machen. Aber die Macken des Partners gelten leider nicht als höhere Gewalt. Obwohl es einem so vorkommen mag.

Der moderne Mensch hat so viel Freizeit und Urlaub wie noch nie in den letzten vierzigtausend Jahren, aber der Stress lässt nicht nach: Reisen, auf denen nichts Schlimmes passiert, haben den größten Erholungswert. Aber man hat so wenig zu erzählen! Was ist das Gegenteil einer Grenzerfahrung? Im Land bleiben. Wer hört schon gerne zu, wenn die Verdauung regelmäßig blieb und die Koffer nicht verschollen sind? Die Nicht-Erkrankung, die körperliche Nicht-Verausgabung und die Nicht-Gewichtszunahme sind das Ziel, das klingt schon fast buddhistisch. Die Abwesenheit von negativen Gefühlen ist womöglich entscheidender als die Anwesenheit von positiven. Aber was ist mit den ganz großen Gefühlen? Gerade vielleicht beim ersten gemeinsamen Urlaub?

Der Stress beginnt bei einigen Paaren schon lange vor der Reise, bei der Wahl des Ortes: *Zack* – schon die erste Krise. «Für so kurze Zeit so weit weg?», «Ich will nicht dahin, wo du schon mal mit jemand anderem warst!», «Warum fahren wir eigentlich nicht mit Freunden?», «Ach – bin ich dir allein nicht interessant genug?»

Stressoren gibt es genug im Urlaub: Er will das Land kennenlernen, sie die Leute oder umgekehrt. Sie will abends lange Sonnenuntergänge, er schon ab mittags Sundowner. Er will im gemieteten Cabrio durch die Landschaft düsen, sie auf dem Pferd. Er will Sex, sie will Sex – nur nicht miteinander. Und Kinder im Beistellbett machen es nicht einfacher. Wo bleibt da die Romantik? Auf der Strecke. Die ersten Tage beherrscht man sich. Aber dann will einer abreisen und ist erst recht beleidigt, wenn der andere hilft, den Koffer zu packen.

Jede dritte Scheidung wird nach dem gemeinsamen Urlaub eingereicht. Und im Urlaub streitet sich jedes fünfte Paar so heftig, dass die ganze Beziehung in Frage gestellt wird. Ein aufmerksamer Blick an Stränden, Buffets und Bars verrät: Viel häufiger als Urlaubsbekanntschaften ist die Urlaubsentfremdung. Paare wurden einmal gefragt, ob sie gerne noch einmal an den Ort ihrer Flitterwochen reisen würden. Die einhellige Meinung: Auf keinen Fall. Nicht gefragt wurde: Würden sie überhaupt noch einmal heiraten? Und erst recht nicht, ob noch einmal denselben Menschen. Mörder kehren angeblich immer an den Ort des Verbrechens zurück. Aber Paare ungern dorthin, wo sie geflittert haben. Warum? Dahinter steckt wohl das Bedürfnis, die Erinnerungen an bedeutsame persönliche Erlebnisse zu schützen. Eine Wiederholung würde die Einzigartigkeit entwerten. Die Bilder im Gedächtnis sind schöner, als es damals dort tatsächlich aussah. Und erst recht schöner, als es dort heute aussieht. Im günstigsten Fall hat man ja damals außer dem Hotelzimmer auch gar nicht viel von der Umgebung gesehen. Es wurde nicht gemordet. Im Gegenteil.

Aber das ist lange her. Damals fand man alles, was am anderen so anders war, aufregend. Heute regt einen das alles nur noch auf. Reden hilft. Manchmal. Kennen Sie den Unterschied zwischen Direktflug und Nonstop-Verbindung? Ein Direktflug landet zwischen und macht Pause. Ein Nonstop-Flug bleibt bis zum Erreichen des Ziels in der Luft. Für die geglückte Kommunikation im Urlaub kann man daraus eins lernen: Dinge ruhig «direkt» ansprechen – nur nicht «nonstop»!

Kann es denn besser funktionieren? Ich habe mich einmal schlaugemacht, was es im Internet zur Reise-Psychologie alles Weises zu lesen gibt. Reinhold Schmitz-Schretzmair von der «Gesellschaft für wissenschaftliche Gesprächspsychotherapie» meint: «Bei manchen Paaren verdichtet der Anblick makelloser Körper am Strand die Sehnsüchte nach lange Vergangenem.» Zum Beispiel der Zeit, in der man noch nicht diesen beknackten Doppelnamen trug.

Warum sich denn am Strand umschauen? Man kann doch auch einmal nach innen schauen. Deutsche Paare sprechen täglich im Durchschnitt nur acht Minuten miteinander. Wäre es da nicht viel schlauer, diese paar Minuten auch noch zu streichen und daraus wieder eine gemeinsame Erfahrung zu machen – im Schweigekloster? Aber statt die Urlaubszeit konsequent für die spirituelle Entwicklung zu nutzen, hocken die Paare auf den Terrassen und rühren in ihren Tassen. Ein Cappuccino pro Stunde. Schweigen mit Schaum vor dem Mund.

Was dann helfen kann: Man beobachtet gemeinsam ein anderes Paar, welches echte Probleme miteinander hat. Und *zack* – hat man wieder etwas zum Gucken, Gesprächsstoff und kann sich darauf einigen: So schlimm wie bei denen ist es bei uns nicht. Was für ein Glück.

Die niederländische Psychologin Jessica de Bloom hat die Kunst, Urlaub zu machen, ernsthaft untersucht. Der Erholungseffekt ist erstaunlich kurzlebig, schon nach wenigen Tagen ist er nicht mehr nachweisbar. Oft ist die Arbeitsbelastung direkt nach der Rückkehr höher als zuvor. Kein Wunder, denn während man am Pool lag, ist auch im Büro viel liegengeblieben. Die Expertin empfiehlt daher, nicht an einem Montag in den Job zurückzukehren, sondern an einem Mittwoch, dann steht das Wochenende bald wieder vor der Tür. Für die Erholung sind mehrere kürzere Urlaube günstiger als nur ein großer. Mindestens genauso wichtig wie die Planung des Jahresurlaubs auf den Malediven sind geplante kleine Inseln der Erholung im Alltag.

Die Unternehmenskultur spielt dabei auch eine Rolle: Wird man schräg angeschaut, wenn man um fünf Uhr nach Hause geht, oder ist dem Chef bewusst, dass ausgeruhte Mitarbeiter in der Zeit, die sie im Büro sind, viel effektiver arbeiten als die übernächtigten Überstundenschieber? Die junge Disziplin der Erholungsforschung empfiehlt, «heilige Zeiten» festzulegen, in denen man zu Hause nicht erreichbar ist und keine E-Mails checkt. Um gedanklich Abstand zur Arbeit zu finden, helfen die Klassiker: Ausdauersport und etwas Neues erlernen, von Salsa bis Soßenkochkurs.

Und im Urlaub einfach einmal ein neues Shampoo benutzen. Weil unser Gehirn so stark auf Gerüche reagiert, macht ein neuer Duft im Haar den Kopf frei für die Urlaubslaune. Und danach, wenn man im Alltag zwischendurch einen positiven *flashback* braucht, zu Hause nach dieser Flasche greifen. So weit die Wissenschaft.

Aber der beste Tipp aus dem Internet für den entspannten Urlaub zu zweit lautet immer noch: «Vorher schon entspannt sein.»

Typ A ist der Abenteurer. Er verreist, um etwas zu erleben. Er fährt grundsätzlich nur mit einer Badehose und einer Kreditkarte bekleidet zum Flughafen und lässt sich überraschen. Er war noch nie zweimal am gleichen Ort. Wozu auch, es gibt so viel Neues überall auf der Welt zu entdecken.

Typ B ist der Bildungsbürger. Er verreist, um die Realität mit seinem Reiseführer abzugleichen. Er fährt grundsätzlich nur gut vorbereitet zum Flughafen. Und um zu testen, wie lange die Fahrt im Ernstfall dauern könnte. Wenn es dann so weit ist, sind sämtliche Flüssigkeiten in Klarsichtbeuteln verpackt, sogar die im Koffer. Typ B wechselt gelegentlich das Urlaubsziel. Er war im Gegensatz zu Typ A schon zweimal in gleicher Konstellation im Urlaub.

Typ C ist eine bekennende Couchpotato (englisch für Sitzgruppen-Knolle, ein Wort, welches erstens nicht mit C anfängt und sich zweitens noch nicht in der deutschen Umgangssprache eingebürgert hat). Er verreist grundsätzlich gar nicht, es ist schon weit genug bis zum Kühlschrank.

Typ D ist «DIEFAMILIE». Kein Druckfehler, auch keine Diefamierung. Dieser Menschenschlag kommt wie das Wort nur vergesellschaftet vor. Jede Form der Individualität wird verachtet, zumindest von einem weiteren Familienmitglied. Primäres Urlaubsziel ist die Betreuung der Kinder tagsüber. Übergangsstadien sind möglich. Der Mischtyp B/D fährt zwar auch mit Kindern in Urlaub, aber die Kinder sind bereits weit über dreißig. Doch weil sie immer nur mit den Eltern Urlaub gemacht haben, fehlen entscheidende Erfahrungen und Gelegenheiten, um selbst Eltern zu werden.

Was für ein Urlaubstyp bin ich?

⚠ Bitte **VOR** einer gemeinsamen Reise ausfüllen:

ZIEL

Ich fahre lieber an Orte …

A wo jüngere Menschen sind

B wo ältere Baureste sind

C wo niemand ist

D wo es Pommes gibt, wenn man sie braucht

Bei «Hawaii» denke ich an …

A Surfen

B Toast

C Ist das nicht schwäbisch für «Gegenteil von Hanoi»?

D Da fahr ich hin, wenn die Kinder aus dem Haus sind und der Hund tot ist

Das Foto auf dem Reisedokument …

A … sieht mir überhaupt nicht ähnlich

B … andere Brille

C … auf was?

D … da hatte ich noch Haare

RISIKOBEREITSCHAFT

Das exotischste Getränk im Urlaub war ...

A ... ein Tropfen Wasser, den ich eigenhändig aus einem Wüstenstein gepresst habe

B ... Campari Orange – hab ich mir aber über den Abend eingeteilt

C ... das Bier vom Nachbarn

D ... unverdünntes Milchpulver

Herpes ...

A ... gehört dazu

B ... simplex oder zoster?

C ... deswegen geh ich ja nicht aus dem Haus

D ... und mir sagte er, es seien Sonnenbläschen

Mein Tanz

A ... Salsa

B ... Tango

C ... Dis-Tanz

D ... Ententanz

Welches dieser Fotos spricht Sie spontan an?

ENTERTAINMENT

Welche Musik macht ihnen Gänsehaut?

A Uzz-uzz-uzz-uzz
B Ta-ta-ta-taa
C Open Air
D Töröh!

Was vermissen Sie vom deutschen Fernsehen im Urlaub?

A Die Wiederholungen
B Die Wiederholungen
C Die Wiederholungen
D Die Wiederholungen

Welches Lied ist für Sie Urlaubslaune?

A I am sailing
B Das Wandern ist des Müllers Lust
C Kein Schwein ruft mich an
D Hölle, Hölle, Hölle

ABSCHALTEN

Wie sind Sie im Urlaub erreichbar?

A Über Skype und Twitter
B Über Nachsendeantrag
C Wie immer
D Über Lautsprecher ausrufen lassen!

Würden Sie in ein Land ohne WLAN reisen?

A Wozu?
B Wie bitte?
C Nö
D Ich frag mal die Kinder

Wie signalisieren Sie Ihren Status im Urlaub?

A Trage einen Leatherman mit 93 Funktionen

B Trage einen Baedeker mit 93 Museumstipps

C Ertrage mich

D Trage eine Badehose von 93

Welches ist Ihr typisches Gefährt für den Urlaub?

A Porsche Cayenne

B VW Passat

C Wenn ich nur wüsste, wo mein Führerschein ist ...
vielleicht irgendwo in der Wohnung

D VW-Bus

→ Zählen Sie, welchen Buchstaben Sie am meisten hatten,
und vergleichen Sie diesen mit Ihrem Urlaubstyp!

→ ## Und übrigens:

Viele Gemeinsamkeiten helfen. Machen es aber auch
langweilig. Reden Sie sich nur nicht ein, dass man sich an
etwas gewöhnt oder sich gar weiterentwickelt. Menschen
ändern sich nicht so schnell. Und wer etwas anderes behauptet,
hat sich vorher nicht gekannt.

Bakterien mit Herz

Drei Lebensformen kämpfen im Krankenhaus ums Überleben: die Patienten, das Personal und die Bakterien. Die erfolgreichsten sind leider die Bakterien. Der Versuch, sie zu töten, endet oft wie die Geschichte von Hase und Igel. Sie sind immer schneller, irgendwie tricksen die kleinen Biester auch das neueste und beste Antibiotikum aus.

Auf die Entdeckung des Penicillins war ich immer ein bisschen neidisch, geht doch die Legende, dass Sir Alexander Fleming sein Labor unaufgeräumt verließ, und nach einigen Tagen waren bei seiner Rückkehr alle Bakterienkulturen verschimmelt. Rund um den Schimmel wuchsen die Bakterien schlechter. Heureka! Es musste also eine Substanz geben, die ihnen die Laune am Vermehren verdorben hatte. Zu meiner Zeit in einer Studenten-WG haben wir in unserer Küche oft dieses Experiment nachgestellt – ohne für unsere Schimmelkulturen jemals den Nobelpreis erhalten zu haben. Na ja, auch Flemings Sieg war nur vorübergehend. Selbst er musste sich inzwischen der Tatsache beugen, dass wir langfristig gegen die Bakterien keine Chance haben.

Sie haben keine Lunge, aber den längeren Atem. Was macht die Biester mit den Angst einflößenden lateinischen Namen wie *Multiresistenter Staphylococcus aureus* so verdammt erfolgreich? Jüngst kam eine wissenschaftliche Sensation ans Tageslicht: Die Bakterien sind deshalb so schwer zu bekämpfen, weil sie sich heimlich abstimmen. Der Titel der Studie lautet «Bacterial charity work leads to population-wide resistance» – Wohltätigkeitsveranstaltungen unter Bakterien bringen ihnen weltweite Widerstandskraft. Wie muss man sich diese Galas genau vorstellen? Der Siegeszug der Bakterien beruht nicht auf Glamour und einem roten Teppich, sondern auf Netzwerken hinter den Kulissen. Zum Testen traktierten Forscher den Darmkeim *Escherichia coli* mit steigenden Dosen von Antibiotika. Wie erwartet, entwickelte die Kolonie eine zunehmende Resistenz. Aber erstmals ließen sich die Bakterien dabei erwischen, wie sie miteinander kommunizierten. Was ist also ihr Erfolgsgeheimnis?

Gerade die härtesten unter ihnen nehmen die Bürde auf sich, einen Warnstoff zu produzieren, der sie zwar selbst schwächt, aber den anderen nützt. Sie produzieren das kleine Molekül Indol, das der Kolonie signalisiert: Achtung, da kommt ein Gift, Pumpen einschalten und Schutzmechanismen aktivieren! Dass sich die Starken nicht einfach selbst blind durchsetzen, sondern für die Schwachen einsetzen, so viel Sinn fürs Soziale hatte man den hirnlosen Kügelchen bislang nicht zugetraut.

Diese Entdeckung könnte dazu dienen, wieder neue Antibiotika zu entwickeln. Und sie könnte uns Menschen darüber nachdenken lassen, wie wir unsere Kommunikation untereinander im Kampf mit den Keimen verbessern können. Denn die Ironie der Geschichte ist, dass genau die Leute, die einem im Krankenhaus helfen sollen, gleichzeitig die fiesesten Keime mit sich schleppen. Und die werden mit jedem Handschlag weitergegeben. Gerade bei Privatpatienten ist der Chefarzt bemüht, mit einem kräftigen Händeschütteln seine Kompetenz zu unterstreichen. Gesünder und kompetenter für alle: ein freundliches Zuwinken. Ärzte sind wohl die einzige Berufsgruppe, die durch Händewaschen Leben retten könnte. Erinnern Sie Ihren Arzt daran. Auch wenn es erst mal nicht so heldenhaft rüberkommt.

Klärungsprozesse am besten im Team und zeitnah.

Die ganze Anstrengung der Mediziner zielte in den letzten hundert Jahren darauf, die Bakterien zu bekämpfen. Vielleicht der falsche Ansatz, denn seit langem ist offensichtlich, dass wir diesen Kampf nicht gewinnen können und nur selbst dabei verlieren.

Bevor man ein Antibiotikum gegen kooperative Bakterien einnimmt, sollten Arzt und Patient so intelligent sein, Stärken und Schwächen abzuwägen. In der Praxis sind beide oft halbherzig und nur halb ehrlich. Der Patient mit dem Husten denkt: Wenn der Arzt mir nichts verschreibt, hätte ich ja gar nicht erst zum Arzt gehen müssen. Und der Arzt denkt: Wenn ich nichts verschreibe, geht der Patient das nächste Mal zu einem anderen. Dabei wäre es für alle Beteiligten besser, kein Medikament zu nehmen, es sei denn, es geht um eine Lungenentzündung. Seit die Niederländer konsequent Antibiotika nur noch verordnen, wenn sie wissenschaftlich erwiesen einen Sinn machen, verbrauchen sie nur ein Drittel der Menge und haben viel weniger Probleme mit Problemkeimen.

Wann haben Sie sich das letzte Mal bei den Bakterien in Ihrem Körper bedankt? Sie sind keine Feinde, sie sind Mitarbeiter. Forscher nennen die angestammten Bakterienstämme, die vermutlich schon seit vielen tausend Jahren mit uns gemeinsam Evolution erleben, liebevoll «alte Freunde». Statt immer unsinniger Geld und Energie in die Bekämpfung von Bakterien zu stecken, schaut eine neue Generation von Mikrobiologen nach den Chancen eines positiven Miteinanders mit unseren Mitbewohnern. Wir sind nie allein. Eine Billiarde Bakterien leben in und mit uns – und für uns! Wir sind ein riesiger Arbeitgeber und Arbeitnehmer zugleich. Denn ohne die emsigen kleinen Helfer könnten wir weder verdauen noch die bösen Keime abwehren.

Vergleicht man die Darmflora von Menschen in ländlichen Gebieten von Afrika mit denen von amerikanischen Großstädtern, wird eines deutlich: Ein Krieg zwischen den «Zivilisationen» sorgt für ein ungutes Bauchgefühl. Auch ohne aktiven Infekt haben die Amerikaner ständig Entzündungszeichen im Blut, der Darm ist im Dauerclinch mit sich statt friedlich im Geben und Nehmen mit seinen «alten Freunden». Es gibt Hinweise, dass Krankheiten wie Asthma, Übergewicht und sogar unsere Stimmung bis hin zur Depression von dem Gleichgewicht der Bakterien im Darm beeinflusst werden.

Wie kann man denn den «alten Freunden» eine Freude machen? Im Test befinden sich Mikroben-Cocktails, Leckerli wie bestimmte probiotische Nahrungsbestandteile und – halten Sie sich fest – Stuhltransplantationen. Bei chronisch entzündetem Darm gibt es erste Erfolge, ihn nicht einfach herauszuoperieren und für immer zu entfernen, sondern mehr inhaltlich zu arbeiten. Bakterien aus einem gesunden Darm helfen offenbar besser als große Mengen von Antibiotika und Entzündungshemmern. Und wenn sich dieses Verfahren etabliert und sich Darminhalte wieder zu Geld machen lassen, ist man doch mit dem Konzept der «alten Freunde» dem großen Traum der Alchemisten sehr nahe!

Wohin geht die Liebe, wenn sie durch den Magen durch ist? In den Darm. Und ich hoffe, Sie finden das jetzt weniger eklig als noch zu Beginn des Buches. Es ist der Geist der Liebe und der Kooperation, der durch unser Innerstes weht. Und wenn wir anfangen, uns selbst an den Körperstellen zu lieben, wo die Sonne nie scheint, sinkt die Reizung, steigt die Stimmung, und wir schließen unsere «alten Freunde» aus dem Darm ins Herz. Das wäre ein kleines Wunder. Und wer weiß, vielleicht beginnt der Blinddarm dann auch wieder zu sehen.

Wie viele schüchterne Menschen haben Sie in Ihrem Bekanntenkreis? Genau das ist das Problem. Man lernt sie so schwer kennen. Dabei sind unter ihnen sehr viele liebenswerte und liebesfähige Menschen. In meinem Bühnenprogramm bitte ich immer alle Schüchternen, sich einmal hinzustellen und laut zu sagen: Ich bin schüchtern. Das klappt nicht so gut. Dann lasse ich die Menschen einfach im Dunkeln summen, sodass keiner genau weiß, wer gesummt hat. Und auf einmal merkt das ganze Publikum, wie viele Menschen sich für schüchtern halten, und die Schüchternen merken: Ich bin nicht allein! Dabei haben die richtig Schüchternen noch gar nicht mitgesummt. Und die Superschüchternen kommen erst gar nicht ins Theater, weil denen andere Menschen per se unheimlich sind.

Geht, wer sich nicht gern in die Öffentlichkeit begibt, stattdessen lieber online? Eine naheliegende These. Wird Facebook von denen mehr genutzt, die sich nicht trauen, Leute direkt, *face to face*, anzusprechen? Stupsen Schüchterne lieber virtuell jemanden an? Dem widerspricht eine aktuelle Studie der Zeitschrift *Computer and Human Behaviour*. In dieser wurden Leute umfangreich befragt, die nicht bei Facebook aktiv sind, die sogenannten Non-User. Die Überraschung: Die etwas Kontaktscheuen stürzen sich nicht in Scharen auf die sozialen Netzwerke. Es ist eher so, dass, wer in der realen Welt leicht Menschen kennenlernt, diese Fähigkeit auch online weiter nutzt. Es gibt ja bereits die These von der «digitalen Kluft»: Schlaue werden durch das Netz noch schlauer. Dumme nicht. Die «Bildungsfernen» gehen zwar auch viel online, profitieren aber weniger von all den verfügbaren Informationen. Ähnliches scheint für die sozialen Netzwerke zu gelten: Wer schüchtern ist, wird nicht plötzlich zum Online-Aufreißer.

Gehören Sie, liebe Leser, womöglich auch zu den Stillen? Die Chance besteht, denn Introvertierte lesen mehr als Extrovertierte. Deshalb sind sie oft auch die interessanteren Gesprächspartner, wenn man sie denn zum Reden bekommt. Die Extrovertierten hingegen kommen kaum zum Lesen, weil sie so gerne selbst erzählen.

Ich darf Ihnen verraten, dass es mir nicht von Anfang an leichtgefallen ist, vor anderen Menschen zu stehen und denen etwas zu erzählen. Ich kenne viele Künstler, denen das ähnlich ging und zum Teil noch geht, die Lampenfieber haben und Panikattacken und stottern, wenn sie nicht singen. Heute habe ich keine Angst mehr, vor großem Publikum aufzutreten. Ich habe sehr viel mehr Angst, bald wieder vor sehr kleinem Publikum aufzutreten. Auch Ängste wachsen, schrumpfen und ändern sich mit den Aufgaben.

Meine Geschwister waren immer sehr sportlich, spielten Hockey und Tennis und Basketball bis hin zur Stadtauswahl und Nationalmannschaft. Ich nicht. Mir war schon sehr früh im Leben klar, dass ich froh sein konnte, wenn ich im Sportunterricht bei der Mannschaftsverteilung im zweiten Drittel gewählt wurde. Und wer mich jemals beim Geräteturnen gesehen hat, weiß, warum ich Komiker geworden bin.

Ich habe einfach klein angefangen, habe meine Eltern und Geschwister als Publikum missbraucht, so lange, bis sie meine Witze und Zaubertricks nicht mehr hören und sehen wollten und mich an Kindergeburtstage und Gemeindefeste vermittelten. So habe ich schon während meiner Schulzeit und parallel zum Studium sehr viel Auftrittserfahrung gesammelt. Wer jemals eine Zaubervorstellung vor dreißig renitenten Kindern durchgestanden hat, wird auch dreißig Jahre später mit dreitausend Erwachsenen in einer Stadthalle fertig. Was ich sagen will: Üben hilft. Und am besten ist, das zu üben, wovor man sich schon lange fürchtet, weil man dann merkt, wie übertrieben die eigene Angst war und wie stark man sein kann.

Allen Schüchternen möchte ich für die echte Welt eine Übung mitgeben, die funktioniert und Spaß macht. Viele von ihnen haben Angst, jemanden anzusprechen. Man könnte ja abgewiesen werden. Also muss man üben, mit der Abweisung zu punkten. Wie beim Basketball: Körbe sammeln! Dazu braucht man einen Freund oder eine Freundin, die mitspielt. Wer an einem Abend als Erster zehn Körbe zusammenhat, der gewinnt! Was passiert? Man geht auf jemanden zu, sagt: «Können Sie mir helfen? Ich habe gerade gewettet, dass Sie mir einen Korb erteilen. Würden Sie das bitte für mich tun?» Wer da nicht lachen muss, den will man doch auch gar nicht kennenlernen. Durch den neuen Kontext ist man viel entspannter, was soll schon passieren, außer gewinnen? Und für potenzielle Partner gilt eh: Der Richtige kann nichts falsch machen und der Falsche nichts richtig.

Was immer falsch ist: ein einstudiertes Kompliment nach dem Motto «Dein Vater muss ein Dieb sein, dass er die Sterne vom Himmel stahl, um sie in deine Augen zu packen!». Viel besser funktionieren scheinbar banale Dinge. Einfach unverfänglich fragen: «Was liest du?» Und wenn der andere antwortet: «Den Zweitwagen über die Firma, warum?», *zack* – schon wieder einen Punkt gesammelt! Ich versuchte es einmal auf einem großen Fest mit der klassischen Eröffnung: «Und, wen kennst du so, wer hat dich eingeladen?» Und bekam die Antwort: «Ich bin der Gastgeber!» Dann am besten gleich ein schlagfertiges Kompliment hinterher, so was wie: «Ach so!»

Schüchterne tappen leicht in eine logische Falle. Ein Schüchterner denkt: «Die anderen müssen doch wissen, dass ich schüchtern bin.» Die anderen sehen aber nicht, dass jemand schüchtern ist. Die sehen einfach nur, dass da jemand steht und nicht mit ihnen redet. Die gleichen Symptome gelten auch für ein Arschloch.

Wir machen uns oft viel zu viele Gedanken über das, was andere denken, dabei denken die gar nicht so viel über uns nach, sondern vor allem an das, was wir gerade über sie denken könnten. Das Einzige, was hilft: aktiv werden und jemand anderen, der in der Ecke steht, ansprechen. Dann weiß man sehr schnell: schüchtern oder Arschloch. Oder schüchternes Arschloch. Das gibt es auch. Ist aber selten.

Der Mohn ist aufgegangen.

Warum heißen Mütter überall auf der Welt «Mama»? Auf Suaheli, in Ecuador, China, ja selbst in Bayern treffen Sprachforscher auf den Doppelklang. Woher diese Übereinstimmung? Gab es eine Ursprache, von der wir alles vergessen haben außer diesem einen, dem wichtigsten Wort?

Während sich schlaue Menschen schon mal Gedanken machen, was ihre letzten Worte dereinst bedeuten sollen, machen sich Babys überhaupt keine Gedanken darüber, was ihre ersten Worte bedeuten. «Erste Lallphase» nennt sich logopädisch korrekt, was Eltern ab dem zweiten Lebensmonat zu hören bekommen. Und wenn es schlecht läuft mit der Erziehung, kann die Lallphase auch ein Leben lang dauern. Die Kinder probieren aus, was von all den Lauten, die sie hören, ihr eigener Stimmapparat hergibt, und um das erste Lebensjahr herum ist «Mama» automatisch irgendwann dabei. Das Wort wird den Kleinen von der Anatomie des Sprechapparates in die Wiege beziehungsweise in den Mund gelegt.

Mama ihrerseits legt ihr Bedürfnis, nach all den schlaflosen Nächten ein bisschen Anerkennung zurückzubekommen, ebenfalls in dieses Wort. Und wenn nach «Mama» auch bald «Dada» sprechbar wird, nehmen die Väter das, was für sie übrig bleibt. Überall? Nein, auf Pitjantjatjara in Australien, in Guatemala und in Regionen des Kaukasus ist es umgekehrt: Da heißt der Vater «mam(a)» und die Mutter zum Beispiel «deda». Keine Ahnung, ob sich dort die Väter in der Früherziehung besonders einsetzen, aber das wäre doch ein linguistischer Hinweis auf die Wirksamkeit der Erziehungsmonate. Die meisten Eltern stellen ja schon pränatal bei ihren Kindern Zeichen von

Hochbegabung fest, wenn das Kind im Mutterleib gähnt, als Hinweis auf seine mentale Unterforderung. Ich kenne Eltern, die praktisch alles, was ihr Kind ab der Geburt an Lauten von sich gibt, mit einem Diktiergerät aufnehmen, damit nichts davon verlorengeht. Wenn das Kind irgendwann richtig sprechen kann, können sie es rückblickend fragen, was es damals der Welt Wichtiges mitteilen wollte. Im Ernst: Eltern können sich schlichtweg nicht vorstellen, dass hinter dem Lallen keine tiefere Absicht steckt, und legen deshalb Sinn hinein. Nüchtern betrachtet, geht es den kleinen Säugern vor allem um die permanente Versorgung, sei es mit Muttermilch, Karotten, Maniok oder Weißwurst – was es halt gibt. Und «Mama» heißt konkret «Haben!» oder bei Wiederholung der Silben: «Noch mehr haben!» Die Differenzierung erfolgt lediglich durch Lautstärke. Kein Wunder, dass man mit den gleichen Lauten, die in «Mahmah» stecken, auch «Hamham» für «Essen haben wollen» bildet. Das einzig Universelle an «Mama» ist also, dass Menschen gerne hören, was sie hören wollen, und Dinge auf sich beziehen und persönlich nehmen, die so nicht gemeint waren. Weltweit.

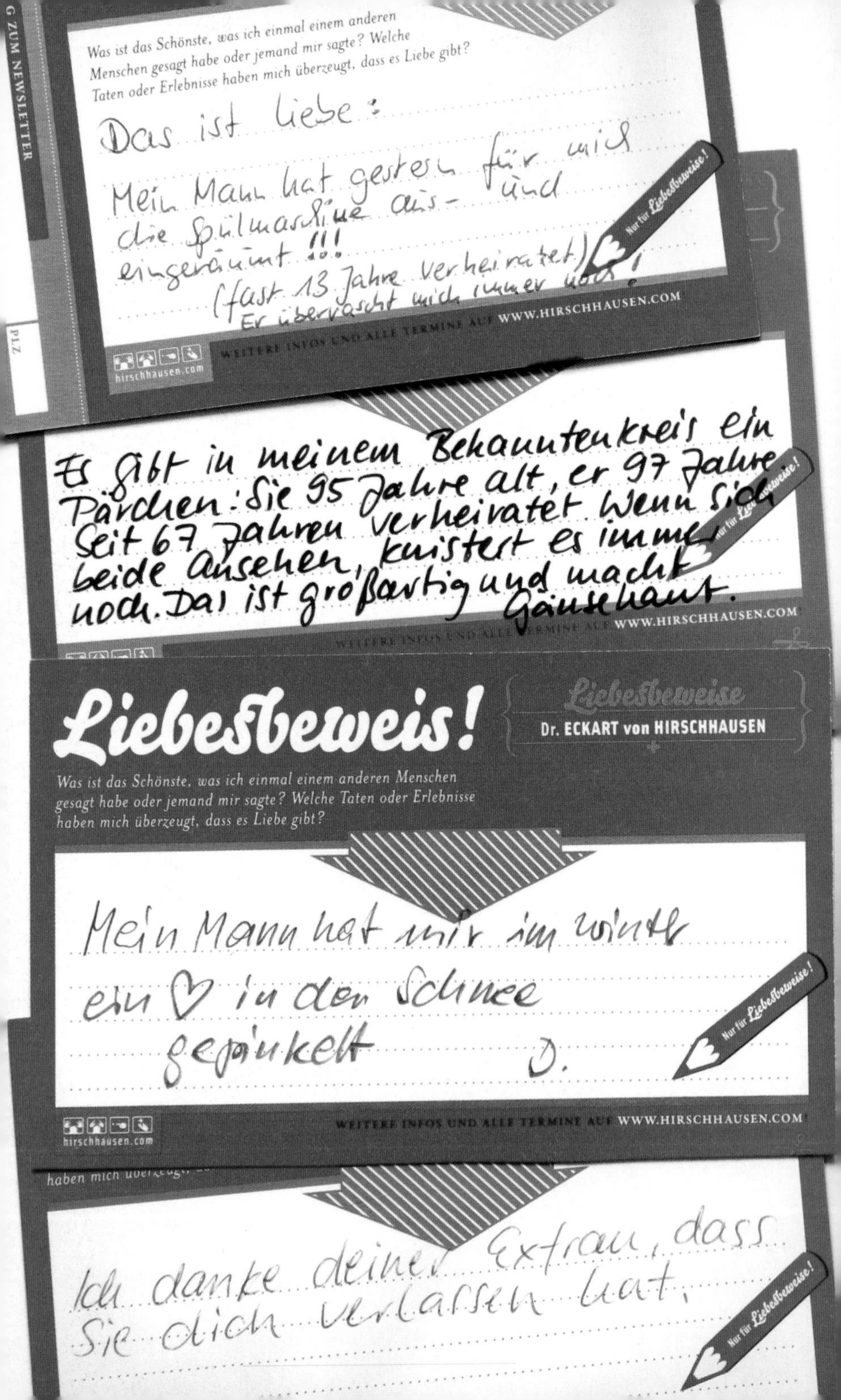

Was ist das Schönste, was ich einmal einem anderen
Menschen gesagt habe oder jemand mir sagte? Welche
Taten oder Erlebnisse haben mich überzeugt, dass es Liebe gibt?

Das ist Liebe:

Mein Mann hat gestern für mich
die Spülmaschine aus- und
eingeräumt !!!
(fast 13 Jahre verheiratet)
Er überrascht mich immer wieder.

Es gibt in meinem Bekanntenkreis ein
Pärchen: sie 95 Jahre alt, er 97 Jahre
Seit 67 Jahren verheiratet. Wenn sich
beide ansehen, knistert es immer
noch. Das ist großartig und macht
Gänsehaut.

Liebesbeweis!

Was ist das Schönste, was ich einmal einem anderen Menschen
gesagt habe oder jemand mir sagte? Welche Taten oder Erlebnisse
haben mich überzeugt, dass es Liebe gibt?

Mein Mann hat mir im Winter
ein ♥ in den Schnee
gepinkelt   :D

haben mich überzeugt

Ich danke deiner Exfrau, dass
sie dich verlassen hat.

„ICH HABE HEUTE HOCHZEITSTAG, DU ARSCH!"

Streit!

Dr. ECKART von HIRSCHHAUSEN

Was ist das Schlimmste, was ich schon einmal in einem Streit gesagt oder gehört habe?

„Schatz, wie lange waren wir verheiratet, morgen nicht mitgerechnet?"

 hirschhausen.com WEITERE INFOS UND ALLE TERMINE AUF WWW.HIRSCHHAUSEN.COM!

Streit gesagt oder g

„DU KANNST MIR ALLES SAGEN: BELEIDIGUNGEN, SCHIMPFWÖRTER, UNTERSTELLUNGEN – NUR NICHT, DASS ICH SO BIN WIE DU!"

hirschhausen.com WEITERE INFOS UND ALLE TERMINE AUF WWW.HIRSCHHAUSEN.COM

„WIE LEBT ES SICH OHNE GEHIRN?"

«Fällt er in den Graben, fressen ihn die Raben ...» Von Kindheit an, von Hoppe hoppe Reiter bis Hitchcock, lernen wir, vor schwarzen Vögeln Angst zu haben. Dabei entdecken die Ornithologen gerade, wie sozial ausgerechnet diese Tierart ist. Raben trösten und erbitten Trost! Statt Auge um Auge zu vergelten, haben sie ein sehr neutestamentliches Verständnis von Nächstenliebe: Wer gerade Prügel bekommen hat, dem muss man beistehen. Eine Krähe hackt der anderen kein Auge aus? Ganz genau! Es sorgen sich die anderen, den Pechvogel seelisch wieder aufzubauen. In einer Studie mit Kolkraben schlossen sich gerade die Junggesellen zum Schutz vor feindlichen Übernahmen durch Beutegreifer gerne zusammen. Aber wie in jeder Männer-WG gab es Streitthemen: Wer frisst wem was weg, und wer darf an welche Frauen ran? Ausgetragen wurden die Gefechte mit Schnabelhieben, bis sich einer zurückzog. Bis einer heult, geht nicht. Raben fehlt die Tränendrüse.

Der Streit bedeutet für den Verlierer eine hohe emotionale Belastung, die auf Dauer seiner Gesundheit schaden und den Zusammenhalt der Gruppe sprengen könnte. Daher gilt: Wenn zwei sich streiten, tröstet der Dritte. Tatsächlich tröstete ein am Streit Unbeteiligter den *Loser*. Er bot dem Prügelraben Futter an, spielte und schnäbelte mit ihm, vor allem, wenn die beiden miteinander aufgewachsen waren, egal ob real verwandt oder befreundet seit der Raben-Kita. «Ich hole meinen Bruder» ist also keine Drohung, sondern ein Friedensangebot. Umgekehrt erbaten manche Vögel auch direkt Zuspruch und näherten sich an, um sich aufmuntern zu lassen. Je fieser der Streit, desto stärker die Suche nach Beistand. Wer um Hilfe bittet und somit

Schwäche zeigt, bekommt nicht etwa noch ein paar aufs Maul, sondern ein paar Schnabel-Streicheleinheiten extra.

Übrigens suchten die Opfer sich zum Trösten keine anderen *Loser*, sondern jemanden, der auch dem *Täter* nahesteht. So kommt wieder Harmonie in die ganze Gruppe. Einfühlungsvermögen und den Wunsch, keine unnötige Energie im Streit zu verlieren, hätte man eher dem Menschen zugerechnet als Vögeln. Während Menschen mit rabenschwarzer Seele auf jede gestürzte Hupfdohle, jede Schnapsdrossel und jeden Dompfaff einhacken, leben uns die Vögel vor, wie man in den Himmel kommt. Denn ob Leute nach dem Kleinhacken wieder einen Fuß auf die Erde bekommen, danach kräht unter Menschen kein Hahn mehr. Eine Krähe schon. Von Vögeln lernen heißt lieben lernen. Warum geht das in unsere Spatzenhirne so schwer rein?

Ein Freund sagte zu mir:
Wenn du eine Niere brauchst,
kannst du eine von mir haben.

hirschhausen.com

... sagte? Welche
Erlebnisse haben mich überzeugt, dass es Liebe gibt?

Erlebnis: Hochzeitstag 1. April
(und hält noch
immer)
Mit Humor geht alles.

Liebes-beweis!

Liebesbeweise
Dr. ECKART von HIRSCHHAUSEN

Was ist das Schönste, was ich einmal einem
anderen Menschen gesagt habe oder jemand mir sagte?
Welche Taten oder Erlebnisse haben mich überzeugt,
dass es Liebe gibt?

Als mich meine heutige Frau vor
Aufregung in Paris fragte:

Willst Du meine Frau werden?

hirschhausen.com

Als ich mein geklautes Fahrrad wiederfand,
hat mein Mann es zurück geklaut,
obwohl er Beamter ist.

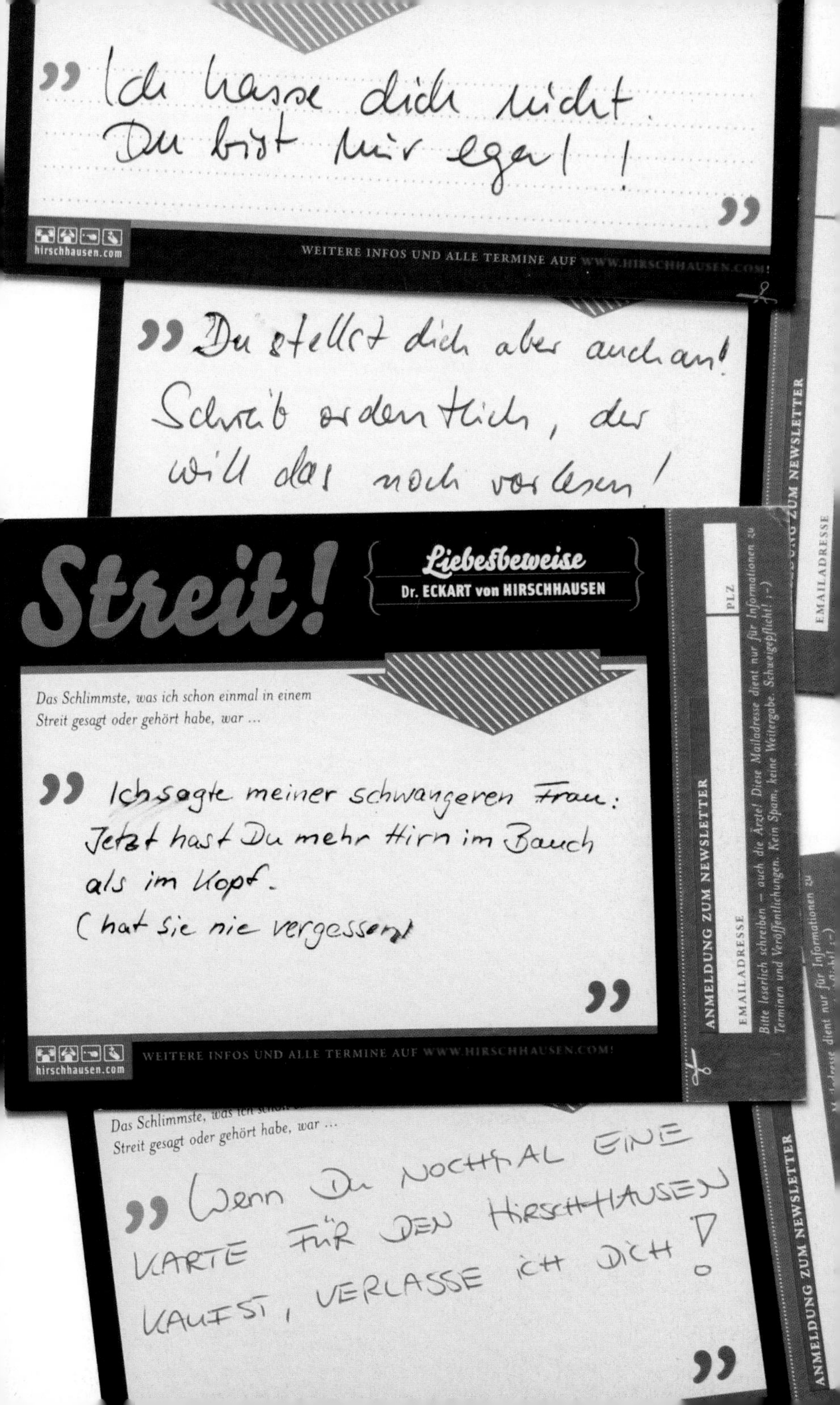

„Ich hasse dich nicht. Du bist mir egal!"
hirschhausen.com
WEITERE INFOS UND ALLE TERMINE AUF WWW.HIRSCHHAUSEN.COM!
„Du stellst dich aber auch an! Schreib ordentlich, der will das noch vorlesen!"
Streit!
Liebesbeweise
Dr. ECKART von HIRSCHHAUSEN
Das Schlimmste, was ich schon einmal in einem Streit gesagt oder gehört habe, war …
„Ich sagte meiner schwangeren Frau: Jetzt hast Du mehr Hirn im Bauch als im Kopf. (hat sie nie vergessen)"
hirschhausen.com
WEITERE INFOS UND ALLE TERMINE AUF WWW.HIRSCHHAUSEN.COM!
ANMELDUNG ZUM NEWSLETTER
EMAILADRESSE
PLZ
Bitte leserlich schreiben – auch die Ärzte! Diese Mailadresse dient nur für Informationen zu Terminen und Veröffentlichungen. Kein Spam, keine Weitergabe. Schweigepflicht! ;-)
EMAILADRESSE
Das Schlimmste, was ich schon einmal in einem Streit gesagt oder gehört habe, war …
„WENN DU NOCHMAL EINE KARTE FÜR DEN HIRSCHHAUSEN KAUFST, VERLASSE ICH DICH!"
ANMELDUNG ZUM NEWSLETTER

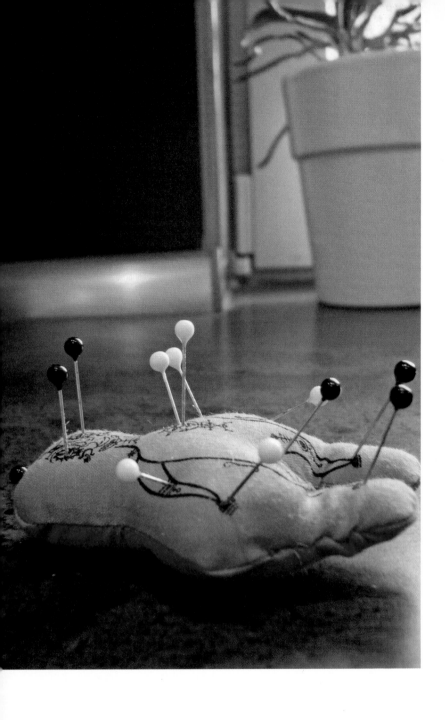

Du hast was Besseres verdient

Was sagt ein Mann, der bis zum Bauchnabel im Wasser steht? «Das geht über meinen Verstand.» Ein schlechter Witz, aber ein ernstes Thema: Wo in unserem Körper sind Gefühle, Vernunft und Unvernunft beheimatet?

Das Gehirn ist das einzige Organ, welches ich im Falle einer Transplantation lieber spenden als empfangen würde. Sie nicht auch? Wir glauben heutzutage, dass unsere Seele irgendwo zwischen den Synapsen sitzt. Die Griechen dachten noch, das Gehirn sei nur ein Apparat, um das Blut zu kühlen. Wie wir heute wissen, haben sie bei vielen recht behalten. Die Seele vermuteten sie im Zwerchfell, dort, wo Luft und Erde, Atmung und Verdauung aufeinandertreffen. Das Wort «schizophren», welches wir mit «gespaltene Seele» übersetzen, bedeutet wörtlich «gespaltenes Zwerchfell». Man kann jedoch mittlerweile zeigen, dass sich seelische Prozesse weder im Zwerchfell noch im Herzen, sondern im Gehirn abspielen. Auch die berühmten Schmetterlinge im Bauch haben mit flatterhaften Nervenzellen zu tun. So verändert sich bei frisch Verliebten der Umsatz bestimmter Botenstoffe – und sie ähneln in ihrem Denken Zwangsgestörten. Liebe macht Männer verrückt – und Frauen normal. Aber spielt der Rest des Körpers für alles, was sich im Kopf abspielt, keine Rolle? Wo tut es uns denn weh, wenn die Seele schmerzt? Überall, nur nicht im Gehirn. Und Kopfschmerzen gelten nicht, daran sind die Blutgefäße schuld.

Über Jahrhunderte glaubten Romantiker, das Herz sei für die Liebe das alles entscheidende Organ. Also jetzt geistig. Ach, Sie wissen schon. Und ein bisschen glauben wir es auch heute als aufgeklärte Menschen. Nach einer Herztransplantation können Männer und Frauen weiter lieben, und meistens lieben sie auch den, den sie vor der Verpflanzung geliebt haben, und finden nicht plötzlich den Hinterbliebenen des Spenders attraktiv. Der bleibt aus anderen Gründen anonym. Was die meisten Menschen nach der Operation allerdings fühlen, ist eine tiefe Dankbarkeit für alle, die sich schon zu Lebzeiten ein Herz gefasst und erklärt haben, ihre Organe zu spenden. So gesehen ist es also doch wieder eine Herzensangelegenheit.

Liebe, Herz und Schmerz sind untrennbar miteinander verbunden! Das sehen nicht nur die Dichter so, sondern auch die moderne Forschung, die Wechselwirkungen zwischen Gefühlen und Organen untersucht. Der schönste Befund: Wer sich geliebt fühlt, hat weniger Herzinfarkte. Liebe lohnt sich, zumindest für Männer. Frauen leben eh lange. Aber Liebeskummer schlägt aufs Herz. Man kann tatsächlich an «gebrochenem Herzen» sterben! Was man lange nur aus Märchen kannte, ist inzwischen eine anerkannte Diagnose: das *broken heart syndrome*. Zuerst wurde es in Japan beschrieben, inzwischen sind jedoch weltweit einige Fälle erfasst, in denen durch massive Stresshormone im Blut das Herz die gleichen Symptome aufwies wie bei einem Herzinfarkt, obwohl die Herzkranzgefäße eigentlich gesund waren.

Zum Glück handelt es sich um Einzelfälle, aber jeder kennt die kleine Schwester des *broken heart syndrome* – die *love sickness*, den Herzschmerz bei Liebeskummer. Wenn wir verlassen werden oder unsere Liebe nicht erhört wird, leiden wir seelisch und körperlich. Wie man heute dank bildgebender Verfahren sehen kann, unterscheidet unser Gehirn nicht zwischen realen und «eingebildeten» Schmerzen. Soziale Zurückweisung und Ablehnung werden über dieselben Nervenbahnen signalisiert wie physischer Schmerz, wenn beispielsweise jemand einem auf den Fuß tritt. Nur schlimmer. Wenn wir unter Tränen sagen: «Es war keine gute Beziehung, aber es tut trotzdem so weh», dann entspricht dies den Tatsachen. Wir empfinden eine Enge und einen Schmerz, als ob ein Dolch in unserer Brust steckt oder als hätte uns jemand das Herz aus dem Leibe gerissen. Liebeskummer erinnert in den Symptomen an eine Depression. Und bei Depressiven, so weiß man inzwischen, erhöht sich das Risiko für Herz-Kreislauf-Erkrankungen.

Auch zu Beginn einer Liebe spielt das Herz eine zentrale Rolle. Es muss höherschlagen, wenn wir den anderen sehen. Am besten gleich auf den ersten Blick. Ob das Herz durch den Anblick oder aus einem anderen Grund schneller pocht, ist für unser Gefühl nicht entscheidend.

Dazu wurde folgendes geniales Experiment durchgeführt, ein Klassiker der Psychologie: Eine Frau sprach unter dem Vorwand einer Befragung Männer an. Nachdem sie sich eine Weile gegenübergestanden und den Fragebogen ausgefüllt hatten, gab die Frau den Testpersonen ihre Telefonnummer, falls sie sich «für die Forschungsergebnisse» interessieren würden. Was wirklich getestet wurde, war die Zahl der Anrufer in Abhängigkeit vom Ort, wo das erste Treffen stattgefunden hatte. Die Männer, die von der Frau mitten auf einer Hängebrücke angesprochen worden waren, riefen öfter an als die Bekanntschaften auf solider Basis. Wie ist das zu erklären? Wenn wir aufgeregt sind, weil wir auf einer Brücke balancieren, fällt es uns leichter, uns zusätzlich noch für einen anderen Menschen zu begeistern. Unser Gehirn registriert «Ich bin aufgeregt» und sucht nach einer plausiblen Erklärung dafür. Und weil in ihm auch ein kleiner Romantiker steckt, nehmen wir lieber an, dass unser Gegenüber für die Erregung verantwortlich ist und nicht die Hängebrücke. Deshalb vergucken sich auch viele im

Fitnessstudio. Mit erhöhtem Puls steigt man vom Gerät, sieht einen mittelgradig passenden Partner und *zack!* Praktischerweise hat man schon einen roten Kopf. Man kann sich nicht nur jemanden schön saufen – auch schön laufen!

Menschen verlieben sich beim Tanzen, auf einer Bergtour oder im Büro, gerade in Krisenzeiten. Wer gemeinsam Gefahren überlebt, bei denen einem das Herz bis zum Hals schlägt, der festigt die Verbindung zwischen den Herzen. Wie verschieden die Wege zur Lust verlaufen können, belegt auch das Phänomen des *Post-Desaster-Sex.* Nach den Attentaten auf das World Trade Center am 11. September 2001 bekannten viele, sie hätten bei aller Angst und allem Grauen unwillkürlich Lust auf Sex bekommen. Nicht trotz, sondern wegen des Schreckens, erklärt die Anthropologin Helen Fisher von der Rutgers University in New Jersey. In Notlagen haben Menschen das starke Bedürfnis nach Nähe und Liebe. Im Bewusstsein ihrer Sterblichkeit sei Sex möglicherweise eine Art Instinkt zur Arterhaltung.

Ich habe mich oft gefragt, warum eine ganze Generation bei allem Schrecken, den sie erlebt hat, dennoch immer wieder von ihren Kriegserfahrungen erzählt. Weil die Nähe der Gefahr das schrecklichste, aber auch das intensivste Erleben von Gemeinheit, aber auch von Gemeinschaft möglich macht.

Zurück zum Geschlechterkrieg in Friedenszeiten: Nach meinen Beobachtungen lösen Beziehungsbrüche einen intensiven Herzschmerz aus, wenn die Liebe auch eine Hängepartie war. Je komplizierter und extremer das Hin und Her, desto heftiger ist man erst hin und weg, und wenn es beim weg bleibt, entsprechend hin. Ähnlich wie Drogen einen süchtig machen, indem sie schnell ins Gehirn gehen, sind wir auch bei Menschen eher angefixt, wenn alles kurz und heftig passiert, erst himmelhoch jauchzend – dann zu Tode betrübt. Sicher spielt aber auch die Art der Trennung eine Rolle, ob sie abrupt oder absehbar, selbst- oder fremdverschuldet, verzeihlich oder unverzeihlich ablief.

Es gibt wenig seriöse Liebeskummer-Forschung. Da jedoch die Prozesse des Verliebens schon an einen Rausch erinnern, ist doch klar, dass das Entlieben auch wie ein kalter Entzug wirkt. Mit allem, was dazugehört.

Um eine Liebe zu beginnen, braucht es zwei. Um sie zu beenden, nur einen. Verlassen zu werden, wirft uns gefühlt um Jahre, sogar Jahrzehnte zurück. Psychologen nennen dieses Phänomen die Aktivierung des «Ohnmachtspeichers», alle schlechten Erfahrungen des Lebens und die größten Ängste werden gleichzeitig abgerufen.

Weil diese innere Leere viel existenzieller ist, als es der Verlust des Typen oder der Herzensbrecherin erklären könnte, ist es für Freunde und Außenstehende so schwierig, mit einem Menschen im tiefsten Liebeskummer zu sprechen. Wir betrauern nicht so sehr den konkreten Menschen. Was es so übermenschlich macht: Wir trauern um alles, was wir uns in der Phantasie mit demjenigen ausgemalt haben. Und dagegen kommt keine Realität an. Psychologische Forschung und Lebenserfahrung halten dagegen: Wir überschätzen systematisch, wie glücklich uns jemand anders machen könnte. Und die frohe Botschaft für Liebeskummer: Wir überschätzen auch, wie unglücklich uns jemand machen könnte. Es ist nicht das Ende der Welt, obwohl es sich eine Weile so anfühlt.

Ist es leichter, Abschied zu nehmen von jemandem, der gestorben ist, oder von jemandem, der nur «für uns» gestorben ist? Wiegt die Vorstellung schwerer, wie der Geliebte sich mit jemand anderem vergnügt? Ist es einfacher, in Gedanken Frieden zu finden, wenn man ihn im Herzen und im Himmel weiß, als wenn wir ihn auf der Straße treffen könnten, obwohl wir ihn zum Mond geschossen haben? Keine Ahnung.

Ein Freund, der seine Verlobte durch eine Hirnblutung verlor, wurde wieder glücklich. Und andere, die sich unsterblich verliebt hatten, aber deren Zuneigung nie gleichermaßen erwidert wurde, trauern bis heute. Wer kennt nicht diese sehnsüchtigen Gedankenspiele: «Was wäre geworden, hätten wir uns früher getroffen oder später oder gar nicht?» – «Hätte ich damals doch ehrlich gesagt, was ich fühle, dann hätte sie auch sagen können, was sie schon die ganze Zeit gefühlt hat – aber jetzt ist es zu spät.» Bis hin zu: «Hätten wir uns damals nicht getrennt, sondern Kinder bekommen, wären diese jetzt schon wieder aus dem Haus!» Die Sehnsuchtsmaschine vermag, dass wir unser Leben wirklich vergeuden, weil wir die ganze Zeit meinen, das wahre Leben zu verpassen. Vergleichbar mit einem Film, der mit dem Happy End endet, ohne zu erzählen, was aus dem Paar zehn Jahre später geworden ist. Und das Schlimmste ist: Wir werden nie wissen, wie es geworden wäre. So schmerzen einen die Dinge, die man nicht gesagt oder getan hat, mehr als das, was man gesagt und getan hat. Wir können in unserem Leben die Filmrolle nicht zurückspulen oder umschneiden. Dafür erfinden wir aber vor unserem geistigen Auge ständig wieder ein neues Ende. Je öfter wir alle Varianten unseres fiktiven Liebesdramas durchspielen, desto schwerer wird es, sich von einer Realität zu trennen, die nie eine war.

Und wo wir schon beim Thema Projektionen sind: Oft fühlt man sich durch eine Trennung «wie im falschen Film», und alles um einen herum wird zu einer einzigen hohlen Kulisse wie in *Die Truman Show*. Ob man mit dem anderen ein Happy End erlebt hätte, ist ungewiss, und das bleibt es auch, man wird es nie in Erfahrung bringen. Unsere Sehnsuchtsmaschinerie im Kopf ist mächtig. Aber wenn die Fiktion uns schon so beschäftigt, dann könnte man daraus auch einen Paar-Test machen. Hätten denn die Filmgenres, die jeder als Drehbuchautor für sein eigenes Leben im Hinterkopf hat, wirklich auf Dauer zusammengepasst? Wer sich in einer Rolle *Jenseits von Afrika* sieht, sollte deshalb keinen King-Kong-Typen ehelichen. Rosamunde Pilcher und Stephen King sind auch kein Paar geworden, aus guten Gründen. Wer frisch verliebt ist, denkt übereifrig: «Ich liebe *Titanic,* und er mag *Ice Age,* wir passen doch super zusammen, wir interessieren uns beide für Eisberge.» Aber das täuscht, ebenso wenn der *Terminator* auf eine noch so *Pretty Woman* trifft. Mit einem, der aus der Zukunft kommt, kann man schlecht gemeinsam Zukunft planen. Warum nicht wie in *Harry und Sally* einfach befreundet sein? Dann weiß man wenigstens von Anfang an, dass es nicht klappt. Wenn man seinen Lebenstraum einmal vollständig «abdreht», kann man vielleicht aus dem Ende heraus erkennen, dass die Dramaturgie für ein Drama taugte, aber nicht für das Leben. Diese Erkenntnis mag ein wenig den Kummer eindämmen, wenn gerade an der schönsten Stelle der Film gerissen ist.

Inzwischen gibt es auch Beratungen für Liebeskummer-Patienten, sogar Angebote für Reisen und eine Hotline. Aber im Vergleich immer noch wenig, wenn man bedenkt, dass es kaum einen anderen psychischen Extremzustand gibt, der so viele Menschen im Laufe ihres Lebens betrifft. In einer Befragung gaben sogar fünfundvierzig Prozent der Liebeskranken zu, Selbstmordgedanken zu kennen.

Wer ist der gefährlichste Mensch auf Erden? Ihr Partner. Genauer gesagt Ihr Ex-Partner. Statistisch gesehen ist die Chance, von jemandem umgebracht zu werden, den man meinte gut zu kennen, viel höher als von einem Unbekannten auf der Straße. Denn die dunkelsten Ecken unserer Seele werden in Trennungssituationen offenbar. Bei Männern ist die Kurzschlussreaktion, aus der eigenen Verletzung andere zu verletzen, anscheinend häufiger als bei Frauen. Man schätzt, dass die Hälfte aller Tötungsdelikte an Frauen auf das Konto von Ehemann, Freund oder Geliebtem gehen – da bekommt das Wort «Ex» eine furchtbar konkrete Bedeutung. Wenn Männer ermordet werden, sind meistens andere Männer die Mörder. Die Ex-Frauen spielen dabei in weit weniger als zehn Prozent der Fälle eine Rolle. Oder sie stellen sich geschickter an. So weit die Statistik von 2011. Ganz neu ist das Phänomen aber nicht: In der griechischen Tragödie *Medea* rächt sich eine Frau an ihrer großen Liebe, indem sie ihm alles nimmt: Sie bringt die Geliebte und die eigenen, gemeinsamen Kinder um. Doch seit der Antike ist das Leben sicherer, Mord ist insgesamt viel seltener geworden, obwohl wir bessere Waffen haben. Wenn alle Menschen mit gebrochenem Herzen töten würden, wäre die Menschheit schon ausgestorben. In der Moderne werden Frauen eher zu Stalkerinnen oder greifen zu Tabletten. Männer verfolgen häufiger andere unbrauchbare Strategien wie Alkohol und Exzesse, um es der Ex heimzuzahlen.

Wie lange hält Liebeskummer an? Dies ist nur auf dem Niveau von Umfragen erhoben worden, die Angaben schwanken zwischen einem halben und drei Jahren.

Was hilft gegen Liebeskummer? Seit Platon kein schöner, aber wirksamer Tipp: Machen Sie den anderen schlecht und treffen Sie ihn nicht mehr. Lenken Sie sich ab, bis die Sehnsucht verblasst. Konkret: Tun Sie etwas, das mit dem anderen nicht möglich war. Wenn der Ex-Partner keinen Abenteuerurlaub zuließ, gehen Sie in den Dschungel. Wenn er nie tanzen lernen wollte, schnappen Sie sich den Salsa-Lehrer mit den beweglichsten Hüften. So fokussiert man nicht nur den Verlust, sondern auch den möglichen Gewinn. Und wie bei einem Drogenentzug gelingt es nur, wenn man sich von der Droge fernhält.

Sobald die erste Phase – «Alles nicht wahr», «Immer ich» und «Das wird dem anderen noch leidtun» – vorbei ist und das Selbstmitleid abebbt, lohnt es sich, einer Frage ins Auge zu blicken: Was konnte mir der andere geben, was ich mir selbst nicht geben kann? Wie viel gesundes Bedürfnis nach Nähe und wie viel übertriebenes Gefühl, von diesem einen für mein Glück abhängig zu sein, stecken hinter dem Herzschmerz?

Eigentlich sollte dieser Zustand nicht als Liebeskummer bezeichnet werden, das klingt so klein und pubertär. Eine Betroffene fand einmal einen anderen Ausdruck stimmiger: Lebenskummer. Denn er gehört zum Leben dazu. Es tröstet ein wenig, wenn man merkt, man ist weder der Erste noch der Letzte und auch nicht das Letzte. «Auf Liebesfreud folgt Liebesleid. Genau wie heut. Genau wie heut.» Davon kann jeder ein Lied singen, aber wenige so schön wie Heinrich Heine in der *Dichterliebe*:

> Ein Jüngling liebt ein Mädchen,
> Die hat einen andern erwählt;
> Der andre liebt eine andre
> Und hat sich mit dieser vermählt.
> Das Mädchen nimmt aus Ärger
> Den ersten besten Mann,
> Der ihr in den Weg gelaufen;
> Der Jüngling ist übel dran.
> Es ist eine alte Geschichte,
> Doch bleibt sie immer neu;
> Und wem sie just passieret,
> Dem bricht das Herz entzwei.

141

Manchmal sieht man den Engel vor lauter Bäumen nicht.

«Der Malte-Laurin hatte die Schippe zuerst, jetzt gib ihm die wieder. Schau, jetzt weint er. Entschuldige dich bei ihm und mach Ei-Ei.» Von Kindheit an wird uns mit viel Mühe beigebracht, dass nicht alles, was wir begehren, uns auch gehört. Und dass wir uns, wenn wir Grenzen überschritten haben, entschuldigen müssen.

Der zweite Lernschritt, der Malte-Laurin noch schwerer fällt als dem Aggressor das «Ei»-Machen: die Entschuldigung auch großherzig anzunehmen. Diese Rituale sind so alltäglich, dass wir uns selten Gedanken darüber machen, was sie alles beinhalten und wie leicht neue Schieflagen entstehen können.

Ein Beispiel: «Ich hab mich doch entschuldigt!» Hier ist Person A sauer, nicht etwa, weil B sich falsch verhalten hat, sondern weil B die Entschuldigung von A offenbar nicht gleich angenommen hat. Die Sache ist nicht «aus der Welt», sie steht immer noch zwischen den beiden. Aber jetzt ist B der Böse. Raffiniert. Man kann sich auch von Schuld entladen, indem man sie auf den Geschädigten schiebt. Persönliche und historische Beispiele dafür gibt es genug. Dann ist es eben nicht die Schippe, sondern der Sand, für den man sich die Köpfe einhaut. Vorausgesetzt, unter dem Sand vermutet man Öl.

Die europäische Kultur betont das Individuum, die asiatische das Team. Wir kennen den Erfinder der Dampfmaschine, aber nicht die des Walkmans. Wir verehren Genies, selten eine Gruppe. Das hat mit dem Entschuldigen doppelt zu tun: Erstens entschuldigt der Geniekult, wenn wir «kein Goethe» sind. Und zweitens sind wir nicht daran interessiert, Fehler im System oder in der Zusammenarbeit zu entdecken. Uns reicht es, wenn wir einen haben, der schuld ist. Und das ist einer der Gründe, warum uns die asiatische Kultur in Zeiten wachsender Komplexität eine Nasenlänge voraus ist. Ich entschuldige mich für das Wortspiel.

In unserem Ritual des moralischen Schlagabtausches von Entschuldigungsbringschuld und heimlich verweigerter Entschuldigungsannahme sitzen wir rasch drei Irrtümern auf: Erstens, Frauen sind nicht die besseren Menschen, weil sie sich häufiger entschuldigen. Zweitens kann eine ausgesprochene Entschuldigung schlechter sein als eine nur in Gedanken. Drittens ist allein schon das Wort «Entschuldigung» völliger Quatsch. Eins nach dem anderen.

Entschuldigen sich Frauen öfter als Männer? Ja und nein. Frauen kommt das Wort «Entschuldigung» tatsächlich leichter über die Lippen. Aber das gilt auch für andere Wörter. Die gängige Erklärung besagt, dass Männer stolzer sind oder einfach feige oder ihr empfindliches Ego schützen wollen. Gut, dass jemand das mal wissenschaftlich untersucht hat. Zwei kanadische Psychologen, ein Mann und eine Frau, forderten ihre Probanden auf, ein Tagebuch zu führen. Vermerkt wurden sowohl «Täter»- als auch «Opfer»-Situationen. Wie oft habe ich mich so verhalten, dass ich mich hätte entschuldigen müssen? Und wann hätte ich eine Entschuldigung von jemand anderem erwartet?

Die erste Überraschung: In rund achtzig Prozent der Situationen, in denen man sich gefühlt entschuldigen sollte, wurde es auch getan. Von Männern genauso häufig wie von Frauen! Es gab keinen Unterschied im Umfang oder in der Qualität der Reue. Die zweite Überraschung: Männer sehen nur viel seltener einen Anlass für eine Entschuldigung. Wenn ein Mann das Gefühl hat, er müsste sich für etwas entschuldigen, tut er das auch.

Aber die Schwelle, ab der ein Verhalten als «Fehlverhalten» eingestuft wird, ist tatsächlich bei Männern deutlich höher als bei Frauen. Die dritte Überraschung: Diese Unempfindlichkeit gilt in beide Richtungen. Dies bedeutet, Männer erwarten auch von Frauen weniger oft eine Entschuldigung als andersherum.

In einer anderen Studie mussten Situationen beurteilt werden wie beispielsweise: «Ich habe jemanden fälschlicherweise nachts um drei Uhr geweckt, weil ich mich in der Nummer vertan hatte.» Männer finden das nicht so schlimm. Gut, sie schlafen auch leichter wieder ein. Oder werden erst gar nicht richtig wach.

Für das häusliche Reue-Karussell heißt das: Wenn Männer sich nicht entschuldigen, steckt nicht automatisch eine böse Absicht dahinter. Es könnte tatsächlich nur an ihrer anderen Wahrnehmung liegen. Und die ist nicht per se «falsch», «unsensibel» oder «lieblos». Wir sind alle keine Gedankenleser. Der einzige Weg herauszufinden, was der andere sich «dabei gedacht hat», ist, ihn zu fragen. Aber, liebe Frauen, seid nicht enttäuscht, wenn die Männer sich auch einfach mal «nichts dabei gedacht haben». Wir können das!

Was passiert eigentlich psychologisch, nachdem eine Entschuldigung ausgesprochen wurde? Ist dann alles wieder gut? Wie viel ist sie wert, und wenn wir sie zu oft aussprechen, wirkt sie irgendwann inflationär? Ein Forscherteam aus Rotterdam entwickelte ein Vertrauensspiel, bei dem die Probanden von einem scheinbaren Mitspieler um eine Geldsumme betrogen wurden. Der «Betrüger» gehörte zum Forscherteam. Ein Teil der Betrogenen sollte sich nach dem Spiel vorstellen – und das war der eigentliche Versuch –, wie sie sich wohl mit einer Entschuldigung fühlen würden. Die Kontrollgruppe erhielt eine echte, eine wirklich ausgesprochene Entschuldigung.

Wer fühlte sich anschließend besser? Das Verblüffende: die erste Gruppe, die sich nur intensiv vorgestellt hatte, es hätte sich jemand bei ihr entschuldigt. Schein wirkte stärker als Sein. Wie kann das sein? Wer sich die Entschuldigung nur innerlich ausmalte, benutzte dazu offenbar zu viel Rosa. Die eigene Großherzigkeit und die Erleichterung durch das Schuldeingeständnis wurden zu hoch eingeschätzt. Eine reale Entschuldigung kam an die idealisierte nicht heran und bewirkte eine deutlich geringere Stimmungsverbesserung und weniger neues Vertrauen als erwartet.

Dieses Phänomen gibt es in vielen Bereichen und nennt sich *affective forecasting error*. Wir Menschen sind eklatant schlecht darin, unsere eigenen Gefühle vorherzusagen. Wir meinen durch mehr Geld, einen anderen Job oder einen anderen Partner endlich glücklich zu werden. Und sind enttäuscht, wenn auch dieses Glück endlich ist. Der Psychologe Daniel Gilbert hat diesen zentralen Selbsttäuschungsmechanismus erst in den letzten zehn Jahren erforscht und in seiner Dimension für unser Wohlbefinden erkannt.

Wenn uns Geld, das wir haben, nicht so glücklich macht, wie wir glauben, wie kompliziert wird erst die emotionale Gemengelage, wenn andere unser Geld haben wie in der aktuellen Schuldenkrise? Es wird komplett unübersichtlich, wer wem was schuldet und wer an dem ganzen Desaster schuld ist. Wer sind «die Banken», «die Märkte» oder «die Griechen»? Und müssten die Griechen nicht ein bisschen mehr «Ei» machen statt Krawall?

Klar ist nur: Keiner ist glücklich, keinem will man mehr trauen, und keiner fühlt sich schuldig. Und selbst, wenn prominente Banker versucht haben, sich mit Sätzen zu entschuldigen wie «Wir müssen wohl die Modelle, die wir zugrunde gelegt haben, anpassen», geht es niemandem danach besser. Es fehlt der entscheidende Schritt, ein ernst gemeintes Zeichen, in Zukunft wirklich etwas anders machen zu wollen als bisher.

Und sollte es eine Inflation von Entschuldigungen geben, dann bei der Bahn. Ich möchte nie mehr hören: «Wir bitten um Ihr Verständnis.» Ich habe kein Verständnis dafür, dass ein vollbesetzter Zug umgeleitet wird und alle tausend Fahrgäste zwei Stunden zu spät kommen, weil «Kinder auf dem Gleis spielen». Der Lokführer soll fünfzig Meter vor der Spielstelle bremsen, und dann nehme ich ihnen eigenhändig die Schippe weg! Und anschließend sollen sie sich bei allen entschuldigen! Selbst wenn es zwei Stunden dauert.

Worüber ich mich auch aufregen könnte: Eine Entschuldigung ist im Wortsinne ein Ent-Schulden, eine Form von Vergebung. Was wir meinen, wenn wir «Entschuldigung» sagen, ist präziser gesagt: Ich bitte dich, mir die Schuld zu erlassen. Aber wir können uns für das, was wir jemandem angetan haben, nicht selbst entschuldigen.

Im Englischen gibt es *to apologize* – um Entschuldigung bitten – und *to excuse*, im Sinne von «jemanden oder etwas entschuldigen». Dies sind zwei unterschiedliche Dinge, das weiß auch die Musikindustrie: Es gibt deutlich mehr Songs mit den Themen «Apologize», «Sorry Seems to Be the Hardest Word» oder «Back for Good» als Lieder über die Reue, jemanden beim U-Bahn-Fahren angerempelt zu haben. Und wenn man diese Schnulzen hört, meist von Männern winselnd vorgetragen, ahnt man, wie viel Leid dahintersteckt. Und wie viel männliches Selbstmitleid. Aber das nutzt, wie ich aus eigener Erfahrung berichten kann, bei Frauen erst recht nichts.

Nur der oder die Geschädigte kann uns von der eigenen Schuld befreien, wir können diesem Urteil nicht entfliehen, **147** nur der andere kann beginnen, uns nichts weiter nachzutragen. Wir können um Verzeihung bitten, auf Gnade hoffen, alles ohne Rechtsanspruch. Und plötzlich blitzt zwischen der Welt der Blumensträuße, der aktiven Reue und Rettungsschirme ein Stück Himmel auf, eine spirituelle Dimension, die ich einmal in einem ganz handfesten Selbstversuch beigebracht bekommen habe.

Probieren Sie es doch gleich selbst aus: Denken Sie an etwas, das Sie noch ärgert, grollen lässt, etwas Unverziehenes. Und machen Sie dazu eine Faust. Je mehr Sie an das denken, was Ihnen angetan wurde, je mehr Sie Ihre Wut spüren, desto kraftvoller drücken Sie Ihre Faust zu. Noch fester, noch stärker, bis die Knöchel weiß werden und die Fingernägel sich in Ihr eigenes Fleisch schneiden. Wenn Sie es kaum mehr aushalten können, stellen Sie sich vor, wie Sie die Tat oder das Unrecht vergeben, entspannen und öffnen Sie dabei die Faust ganz langsam. Spüren Sie, wie das Blut langsam zurück in die Finger strömt, wie wieder Leben in die Hand kommt, wie Sie wieder handlungsfähig werden. Und dann fragen Sie sich: Wem tut es eigentlich gut zu vergeben? Es liegt auf der Hand.

Irren ist menschlich. Noch menschlicher ist es, den Irrtum einem anderen in die Schuhe zu schieben. Aber unfehlbar sind die wenigsten. Also, ich kenne keinen, aber ich bin auch Protestant. Von Martin Luther ist der Ausspruch bekannt: *Peccate fortiter*. Sündige tapfer. Wenn man Fehltritte begeht, dann richtig. Damit man auch etwas daraus lernen kann. Beim halbherzigen Sündigen hat man weder kurzfristige Freude noch langfristige Läuterung.

Briefmarken werden Unikate durch Fehler. Für die blaue Mauritius würde sich kein Schwein interessieren, wäre in der Produktion alles nach Plan verlaufen. Kürzlich habe ich zum ersten Mal das Wort *Humanizer* gehört. Mein Lieblingspianist Christoph Reuter erzählte mir, dass Rechner inzwischen Klaviertöne so gut simulieren, dass ein menschliches Ohr sie nicht mehr sicher von einem wirklichen Klavier unterscheiden kann. Der *Humanizer* ist ein Computerprogramm, welches dafür Sorge trägt, dass künstlich erzeugte Musikaufnahmen wieder so klingen wie von Menschenhand gemacht. Denn Menschen sind zwar so erfinderisch, dass sie Maschinen ersinnen, die ein ganzes Orchester digital ersetzen können, machen dabei aber einen Schönheitsfehler: In der Musik sind zu wenige Fehler enthalten. Der perfekte Klang klingt vor allem eins, langweilig. Da kommt der *Humanizer* ins Spiel, der zufällig mal einen halben Ton danebenliegt, einen Hauch zu spät einsetzt oder einfach etwas vergisst. Nicht auszudenken, wie lange eine Wagner-Oper dauern würde, wenn für jeden kleinen Fehler jeder Musiker sich erst einmal bei den anderen und dem Publikum entschuldigen müsste. Der Computer muss das nicht, er tut nur, was seiner Natur entspricht. Und deshalb können wir wie die Musikliebhaber auch mal ein oder zwei Augen zudrücken und das Chaos genießen. Denn das macht den Tanz des Lebens erst interessant.

Wenn andere nichts gebacken bekommen, selbst backen.

Jetzt heirate ich mich selbst

Auf einer Hochzeitsfeier mit dreißig Freunden und Verwandten hat sich eine Frau aus Taiwan feierlich selbst das Jawort gegeben. «Wir müssen uns selbst lieben, bevor wir andere lieben können», sagte Chen Wei Yi als Begründung. Bei Facebook waren die Pläne der Dreißigjährigen für ihre Selbsthochzeit zuvor auf immense Zustimmung gestoßen. Beim Anstecken des Rings brauchte sie jedoch ein bisschen Hilfe von ihrer Mutter. Immerhin hatte die nichts gegen die Allianz.

Die Selbsthochzeit klingt erst einmal wie ein Witz, dann wie eine Bedrohung. Wenn die Gesellschaft vereinzelt – ist sie dann noch eine? Ist eine Selbsthochzeit der pure Narzissmus, ist die Liebe in den Brunnen gefallen, oder, frei nach Woody Allen, ist Selbstbefriedigung nicht Sex mit jemandem, den man wirklich liebt? Es gibt seit Altherrenzeiten Witze über Verheiratete, ich habe aber noch nie einen Witz über Singles gehört. *Not a single one!* Was hat die junge Frau vor ihrer Hochzeit wohl zu sich gesagt? «Ich habe lange überlegt, aber da ich schon eine Weile mit mir zusammenwohne, habe ich das Gefühl, es könnte mit mir klappen.» – «Die Hochzeitsreise soll eine Überraschung sein, ich habe mir selbst noch nicht verraten, wohin es geht.» – «Wer weiß, wie lang es hält – vielleicht taucht ja noch etwas Besseres auf für mich als ich.»

Unsere Gesellschaft verändert sich rapide. Es gibt immer weniger Kinder und dafür immer mehr Leute, die nicht erwachsen werden. Mit einem anderen Menschen in einer festen Beziehung dauerhaft zusammenzubleiben, halten viele für so wahrscheinlich, wie jemanden auf dem Festnetztelefon zu erreichen. Aber die Sehnsucht bleibt.

Warum Menschen sich trennen, ist relativ banal. Warum sie zusammenbleiben, ist viel schwerer zu erklären. Wenn man sich offenbar leicht «auseinanderlebt», wer erzählt einem, wie man sich «zusammenlebt»?

Laut Forschung sind langfristig Freunde für das persönliche Glück wichtiger als die Familie. Von denen trennt man sich meist auch nicht so dramatisch. Heute wird schon zu Beginn einer Beziehung das Ideal angestrebt, man muss perfekt zueinander passen. Dabei kann man das keinem wünschen. Wenn es schon am Anfang hundertprozentig passt, bedeutet dies, jede Entwicklung, die der eine oder der andere später durchläuft, geht zu Lasten der hundert Prozent. Lieber siebzig Prozent Passung mit Luft nach oben.

Der ganze Hokuspokus mit *Matching Points*, die einem den idealen Partner ausrechnen wollen, hat einen blinden Fleck: die Dynamik, die man erst miteinander entwickelt. Ich weiß doch vor einer Beziehung gar nicht, welche von den vielen Saiten, die in mir möglich und angelegt sind, ein Partner zum Schwingen bringt. Welche von meinen Talenten und Macken durch ihn aktiviert werden und welche weniger ins Gewicht fallen. «Ich liebe dich» ist recht kurz gegriffen, denn es bedeutet eigentlich: «Ich liebe dich nicht nur für das, was du bist, sondern auch für das, was ich bin, wenn ich mit dir bin!» Puuh, das geht nicht so leicht über die Lippen. Sich zu mögen, während man mit dem anderen zusammen ist, gehört für mich zu den wichtigsten Anzeichen, dass da etwas passt.

Es ist gar nicht so einfach, sich selbst zu lieben. Und deshalb ist die Idee der Single-Hochzeit auch weniger absurd, als es auf den ersten Blick den Anschein hat. In der Psychologie gibt es einen Trend, der schwer zu übersetzen ist: *Self-Compassion.* Damit ist eine Mischung aus Selbst-Achtung und Sich-selber-

Annehmen gemeint, die nichts mit Selbstmitleid zu tun hat. Menschen mit *Self-Compassion* überstehen Krisen besser und werden schneller wieder froh. Nach all den Jahren, in denen man versucht hat, mit relativ bescheidenem Erfolg Menschen mit Hilfe der Psychotherapie zu ändern, kristallisiert sich dieser Faktor als entscheidend heraus. Zu lernen, mit sich selbst befreundet zu sein, ist wirksamer, als große Theorien darüber zu entwickeln, warum man ist, wie man ist.

Die Gefahr des *Self-Compassion*-Konzeptes liegt darin, dass Menschen mit psychischen Erkrankungen genug in sich selbst suchen und rühren und nach Verletzungen buddeln. Aber wir sind uns selbst oft sehr schlechte Tröster oder Ratgeber. In einer originellen Studie sollten Menschen sich einen Ratschlag geben und danach überlegen, was wohl jemand anders geraten hätte. Der Wechsel der Perspektive heraus aus der egozentrischen Sicht brachte bessere Resultate! Daniel Gilbert, der Entdecker vieler Glücksfallen und emotionaler Fehleinschätzungen, zeigte, dass es in so manchen Entscheidungssituationen besser ist, andere Menschen zu fragen, als in sich hineinzuhorchen. Denn dort hört man oft nur die eigenen Projektionen, der Blick von außen schätzt uns ehrlicher und hilfreicher ein.

So bleibt bei der Single-Hochzeit ein Rest von Wehmut über die verpasste Möglichkeit, «am Du zum Wir» zu werden. Und zu sich selbst über Bande zu kommen. Ein Paar hat mich einmal sehr erheitert mit der schönen Antwort: «Wie wir uns kennengelernt haben? Indem wir geheiratet haben!»

Das Lied der aktiven Reue «Bésame mucho» auf Deutsch:
«Ich besser mich»

So wird's gemacht:

→ Zur Unterbrechung eines Streits vortragen oder besser noch vorsingen zur Melodie von «Bésame mucho»

→ Die Karaoke-Version zum Üben und Mitsingen gibt's auf meiner Doppel-DVD *Liebesbeweise*

Ich besser mich, ich besser mich wirklich,
Unverzüglich fang ich heute gleich damit an.
Ich besser mich, ich besser mich wirklich,
Ab heute werd ich ein vollkommen anderer Mann.

Hier, mein Schatz, hier ist dein Kaffee,
Ich bring ihn ans Bett dir, grad so, wie du's liebst.
Übrigens: Frühstück ist fertig,
Sobald du die Trägheit der Laken besiegst.

Hast du gemerkt: Ich trag frische Socken,
Die ich mir selber gekauft hab, sind wirklich von heut.
Frisch auch der Slip, so frisch wie die Blumen,
Stell sie ans Fenster, die Nachbarin erblasst vor Neid.

Und heute Nacht, da bin ich dir zu Willen,
Ich hör zu und lerne von dir.
Ich red von mir nur und tiefen Gefühlen,
Die Ratio, die bleibt vor der Tür.

Und solltest du spontan Lust bekommen,
Spiel ich dir Vorspiel vor – lange – bis tief ins Grauen
Des Morgens, an dem ich dich noch mehr respektiere,
Nicht einschlaf, gleich wach bleib, zu dienen für euch Götterfrauen.

Ich besser mich, ich besser mich wirklich,
Unverzüglich fang ich heute gleich damit an.
Ich pinkel im Sitzen und fress Popel nur heimlich,
Spürst du, ich bin schon ein vollkommen anderer Mann!

→ › Aber Achtung, sparsam einsetzen!　　　→ Gutes Gelingen!
› Keine Dauerwirkung garantiert!
› Nicht gemeinsam mit Ironie verwenden!

3. Die Liebe
zu Bauch, Beine, Po

Doktorfische, *nipple confusion*, Körbchengröße,
Paradies, Junk-E-Mails, Botox, Lockstoffe, Zahnarzt

Warum haben Fische Schuppen? Wo sollten sie denn sonst ihre Fahrräder unterstellen? Wer das für einen absurden Witz hält, hat noch nichts von der Fischpediküre gehört. Denn wofür haben Fische einen Mund? Um Menschen damit an den Füßen zu knabbern! Das ist kein Witz, sondern der Wellness-Trend: das Doctor-Fish-Spa.

Aber eins nach dem anderen: Der Roten Saugbarbe geht ein heilender Ruf voraus, was sich sowohl in ihrem lateinischen Namen *Garra rufa* als auch in der englischen Bezeichnung *doctor fish* niederschlägt. Um niemanden auf falsche Ideen zu bringen: Dieser Doktortitel wurde nicht durch eine eigene Dissertation erworben, sondern verdankt sich der Tatsache, dass diese kleinen Karpfenfische in der türkischen Region Kangal in sehr warmen, aber nahrungsarmen Gewässern leben. Aus purer Not knabbern sie praktisch alles an, was ihnen in die Quere kommt, inklusive Menschen. Eine Zeitlang galten die Putzerfische als exotischer Geheimtipp bei Schuppenflechte, einer Hautkrankheit, bei der mehr Haut produziert als gebraucht wird. Aber jetzt ist diese Behandlung auch für gelangweilte Hausfrauenfüße populär geworden. In jeder größeren Stadt gibt es neuerdings Knabberfisch-Studios. Gemäß der alten Anglerweisheit «Der Wurm muss dem Fisch schmecken, nicht dem Angler» werden die Kunden mit dem Versprechen geködert, es werde dabei «die Ausgewogenheit zwischen Natur und Körper» hergestellt.

Wie bitte? Was hat denn bitte schön die Natur davon? Die Fische werden gezüchtet und hungrig gehalten für den einen kurzen Glücksmoment im Leben, überzüchtete Hornhaut abzunibbeln und danach abzunippeln. Laut Werbung geht es um das «samtweiche Fuß-Feeling» und die «Stimulation der Fuß-Reflexzonen». Faszinierend, wie sich die kleinen Viecher die ganzen Meridiane merken können! Im Prospekt steht: «Das macht Spaß» – auch den Fischen?

Wenn Sie mich fragen, ist das eine völlige Verkennung der Nahrungskette. Die Krone der Schöpfung streckt ihre ungewaschenen unteren Extremitäten für dreißig Euro dreißig Minuten in einen Bottich voller armer Kreaturen, die aussehen wie Blutegel mit Flossen. Die Speisung der fünftausend war ursprünglich anders gemeint. Wenn sich höhere Intelligenz durch Werkzeuggebrauch auszeichnet, würde es ein Hornhauthobel für drei Euro drei Minuten auch tun. Aber da fehlt das «Event» – diese seltsame Mischung aus Zierfisch-Spießertum, Käsefuß und Kannibalismus. Fisch oder stirb!

Jeder soll ja nach seiner Fasson glücklich werden. Aber wer darauf steht, dass ihm jemand an den Füßen knabbert, findet doch im Netz genug Fußfetischisten, die das auch für umsonst machen! Aber deshalb gleich nach dem Tierschutz oder einem Verbot schreien? Nein, ich fände es viel wirkungsvoller, die Methode «Russisches Roulette» einzuführen, damit das Event wirklich an Kitzel gewinnt. In jedes sechste Becken keine Doktorfische, sondern Piranhas!

WENN MEIN FREUND ZU MIR SAGT
„MIT DIR KANN MAN SO VIEL SCHEISSE
LABERN "

WEITERE INFOS UND ALLE TERMINE AUF WWW.HIRSCHHAUSEN.COM

Was ist...
gesagt habe oder jemand mir...
haben mich überzeugt, dass es Liebe gibt?

Seit 18 Jahren passt immer noch
des Haustürschlüssel, wenn ich
nach Hause komme

WEITERE INFOS UND ALLE TERMINE AUF WWW.HIRSCHHAUSEN.COM

Ein fremder Mensch hat mich auf der
Autobahn nach einem Unfall gerettet
und sein eigenes Leben in Gefahr
gebracht

Liebes-beweis!

Was ist das Schönste, was ich einmal einem anderen
Menschen gesagt habe oder jemand mir sagte? Welche
Taten oder Erlebnisse haben mich überzeugt, dass es Liebe gibt?

„Seid Du bei mir wohnst,
riecht meine Wäsche viel besser."

,,
Ich hatte dich nie lieb, ich arbeite ehrenamtlich.
,,

,,
Du bist leider nicht der Deckel, der auf meinen Topf passt!
,,

Streit!

Das Schlimmste, was ich schon einmal in einem Streit gesagt oder gehört habe, war ...

,,
Es wäre Zeit, dass wir heiraten, Schatz. Wir würden Steuern sparen.

Kopflose Männer im Hintertreffen.

Alles, was Sie noch nie über Brüste wissen wollten

Wir Männer lieben Brüste. Deshalb heißen sie ja auch sekundäre Geschlechtsmerkmale. Wenn ein Mann welche sieht, wird alles andere sekundär. Woher kommt diese große Faszination? Wahrscheinlich aus einer Zeit, an die wir uns aktiv gar nicht mehr erinnern können: aus der frühesten Kindheit.

Kennen Sie den Begriff *nipple confusion*? Davon spricht man, wenn ein Kind ein bisschen zu früh geboren wird und am Anfang nicht genug Kraft hat, aus der Brust zu saugen. Dann pumpt die Mutter die Milch ab und gibt sie mit der Flasche. Das Baby bekommt also zuerst Kontakt mit einem anatomisch geformten Silikonsauger. Und wenn es dann das erste Mal an die richtige Brust darf, sind manche Babys kurz verwirrt, weil sie nicht wissen, was jetzt Original und was Fälschung ist. Und dieses Phänomen heißt allen Ernstes *nipple confusion*. Können Sie gerne googeln. Aber ich garantiere nicht dafür, welche Seiten Sie dann finden!

Diesen Fachbegriff habe ich in meiner Zeit als Kinderarzt auf der Neugeborenenstation gelernt. Heute weiß man, dass Schnuller und Nuckelerfahrung dem erwünschten Ziel einer guten Still-Beziehung nichts anhaben. Warum erwähne ich das Phänomen dennoch in einem Buch für Erwachsene? Weil ich glaube, dass bei den meisten Männern die *nipple confusion* ein Leben lang anhält. Wir Männer können auch im Erwachsenenalter nicht klar zwischen Silikon und echten Brüsten unterscheiden. Die Faszination bleibt, um nicht zu sagen: Die haben wir mit der Muttermilch aufgesogen.

Sorry, Jungs, aber die bittere Wahrheit lautet: Die besten

Jahre sind vorbei – und zwar für jeden von uns. Genauer gesagt *das* beste Jahr. Das erste Lebensjahr. Da hattest du Chancen bei Frauen, diese Zeit kommt nie wieder. Du hattest keine Haare auf dem Kopf und einen entspannten Kugelbauch, aber alle Frauen sagten auf den ersten Blick: «Ach, wie ist der süß!» Wenn du rülpsen musstest, haben sich alle gefreut: «Ein Bäuerchen!» Tun wir das heute, heißt es sofort: «Du Bauer!» Ein Pups in die Windel, und die Umwelt war überzeugt: «Oh, er verdaut schon alleine, wahrscheinlich hochbegabt!» Was würden wir heute für einen Bruchteil dieser Anerkennung geben.

Und *last, but not least*: Im ersten Jahr hattest du freien Zugang zu prallen Brüsten. Es war das Paradies. Ernsthaft glaube ich, dass unsere diffuse Vorstellung von einem Himmel oder Nirwana aus dieser frühen Zeit stammt, in der wir noch kein Ich-Bewusstsein hatten. Wir spüren nur – im günstigen Fall –, wir werden angenommen, wie wir sind. An der Brust hast du Wärme, Nähe, Nahrung, Herzschlag, bist aufgehoben in einer weichen kuscheligen Wolke der Wollust und des Wohlseins.

Freud behauptete, der Mensch wolle psychologisch zurück in den Uterus. So ein Quatsch. Was will ich denn in der Gebärmutter? Da kann man ja nicht mal rausgucken. Wir wollen nicht in den Bauch, sondern auf den Bauch, mit freiem Blick nach oben. Zurück an den Busen, oder? Wenn ein Baby schreit, reißen sich die Frauen sofort die Bluse auf – wenn erwachsene Männer schlechte Laune haben, passiert genau das Gegenteil. Sie bleiben zugeknöpft. Und wenn wir heute nachts wach werden, weil wir nicht mehr auf dem Bauch liegen wollen oder können, wird erwartet, dass wir uns von allein wieder in den Schlaf bringen. Verkehrte Welt.

Klar, Frauen wurden als Mädchen auch gestillt. Aber sie bekommen selbst Brüste und überwinden so das Trauma der kindlichen Abhängigkeit irgendwann. Männer nie. Wobei ich sagen muss, es ist schon alles von der Natur richtig eingerichtet. Wenn Männer Brüste hätten, wären sie mit der Doppelbelastung komplett überfordert. Wir würden die ganze Zeit in der Ecke sitzen und damit spielen. Wir wären zu nichts anderem zu gebrauchen.

Und dennoch hat der Mann Brustwarzen. Warum? Sie sind ein Überbleibsel, eine kleine Erinnerung daran, dass der Mann von der Frau abstammt. Denn wir sind in den ersten Wochen erst mal alle Frauen, nach Bauplan des Embryos. Das stimmt, ist jetzt nur ein bisschen kompliziert zu erklären. Der «normale» Weg der Entwicklung ist die weibliche Form. Wenn aber ein Y-Chromosom vorhanden ist, das signalisiert, hier soll ein Junge entstehen, werden die weiblichen Anlagen entsprechend umgebaut. Kurzum: Alle Menschen haben im Mutterbauch schon Brustwarzen, die sogenannte Milchleiste. Die bleibt bei den Jungs zeitlebens im Rohbau, funktionslos.

Warum ist evolutionär diese Anlage nicht ganz verschwunden? Wahrscheinlich übernehmen die Brustwarzen beim Mann noch eine rudimentäre Orientierungsfunktion, damit er im Vollrausch an seinem Körper erkennen kann, wo vorne und wo hinten ist. Aber das ist nur meine private Spekulation.

Wie ja auch überhaupt nicht eindeutig ist, wofür außerhalb der Stillzeit die Brüste gebraucht werden. Unsere nächsten Verwandten, die Schimpansen, bilden die Brustdrüse aus, wenn sie Kinder haben, und sonst nicht. Die kämen auch nicht auf die Idee, sich in der Zwischenzeit Silikon implantieren zu lassen. Bei ihnen ist der viel aussagekräftigere Teil ihr Hintern. Dort wird Paarungsbereitschaft signalisiert. Wenn der Schimpanse rot sieht, findet er das schön. Wir Männer schauen auch gerne auf Popos, aber seit uns der aufrechte Gang dazwischengekommen ist, braucht es ein weiteres Signal, das über größere Distanzen gut sichtbar ist. Und so wurden die Brüste zur Dauer-Ausstellung! Der nonverbale Lockruf ist also eine Etage höher gewandert. Streng genommen können wir froh sein, dass wir keine Nippel auf den Pobacken haben. Oder Brüste zwischen den Beinen wie die Kuh. Nur Elefanten, Affen und Menschen haben die Brust zwischen den vorderen Extremitäten. Wobei das Wort «vordere Extremität» auch schon wieder doppeldeutig ist. Es ist nicht einfach, über diese Dinge zu schreiben, der Anteil von Fettnäpfchen beim Thema Milchproduktion liegt über 3,5 Prozent!

Die nächste Frage, die sich aufdrängt: Warum nur zwei? Wenn es stimmt, dass Männer Schweine sind, warum haben Frauen dann nicht sechs oder acht Zitzen? Bin ich eine Sau, wenn ich so eine Frage stelle? Ich bin auch nur ein Säugetier! Fakt ist: Bei der Anzahl der Milchdrüsen gibt es eine enorme Bandbreite. Sie reicht von zwei bis zu vierundzwanzig bei der Nagetierfamilie mit dem bezeichnenden Namen Vielzitzenmäuse.

Aber was bestimmt die Anzahl der Milchdrüsen bei Mensch und Tier? Um endlich auch einmal eine Frau zu diesem Thema zu Wort kommen zu lassen und weil ich es nicht poetischer ausdrücken kann, zitiere ich Sabine Wenisch vom Institut für Veterinär-Anatomie an der Justus-Liebig-Universität Gießen: «Die Anzahl der Zitzen ist bei Säugetieren an die durchschnittliche Wurfgröße angepasst.»

Als grobe Faustregel verdoppelt die Zitzenzahl die durchschnittliche Zahl der Jungtiere. Eine Vielzitzenmaus bekommt mit einem Schlag zwölf Minimäuse und hat dementsprechend vierundzwanzig Zitzen. Pferd oder Ziege, die durchschnittlich nur ein Junges werfen, haben demnach nur zwei Stationen an der Milchbar. «In dieses Prinzip gliedert sich eben auch der Mensch ein», sagt Wenisch. Nur in etwa 1,2 Prozent der Fälle kommt es zu einer Zwillingsgeburt.

Aber selbst beim Menschen sind in der Embryonalentwicklung mehrere Brustwarzen eingeplant, tauchen für ein paar Wochen auf und verschwinden für gewöhnlich bis auf zwei. Bilden sie sich nicht ganz zurück, sieht man unter der regulären Brustwarze selten eine «akzessorische Mamille», sozusagen das Reserverad für die Drillingsgeburt. Wenn Sie sich das nächste Mal im Freibad langweilen, können Sie ja mal danach gucken, erst bei sich und dann bei den anderen. Und wenn Sie das nächste Mal online sind: Im Netz kann man mehrere Fotos des US-Schauspielers Mark Wahlberg mit freiem Oberkörper finden, auf denen am unteren Rand des sehr gut trainierten Brustmuskels eine Extra-Brustwarze zu sehen ist, die man gern mit einem Leberfleck verwechselt. Ist aber sehr klein.

Kommt es bei Brüsten auf die Größe an? Ja – die männliche *nipple confusion* ist messbar. Der französische Sozialpsychologe Nicolas Guéguen wollte es genau wissen und stellte eine zwanzigjährige Studentin zum Trampen an die Straße. Gemessen wurde, wie viele Autos anhielten, sowohl männliche als auch weibliche Fahrer. Die Studentin trug einen elastischen BH, dessen Inhalt variabel auszupolstern war, sodass ihre optischen Reize zur Versuchsvariablen wurden. Und – ich schwöre, ich denke mir das nicht aus – der vorgetäuschte Vorbau zog die Autofahrer magnetisch an. Sie gingen in die Eisen und waren wahrscheinlich schwer enttäuscht, als sie erfuhren, dass sie allein weiterfahren mussten – im Dienste der Wissenschaft. Während sich die Anzahl der bremsenden Frauen nicht vom Brustumfang des Lockvogels beeinflussen ließ, hielten mit jeder weiteren Körbchengröße mehr männliche Autofahrer. Und hätten die Forscher nicht nach eintausendzweihundert Probanden den Versuch beendet, wäre es wohl ab «Doppel-D» zu Massenauffahrunfällen gekommen. Eigentlich sollten Männer zu einem Aufkleber am Heck verpflichtet werden: «Ich bremse auch für Brüste.»

Das gleiche Experiment wurde in einer Bar wiederholt. Der weibliche Lockvogel nahm gezielt keinen Augenkontakt auf und ließ jeden Mann, der sich ihr näherte, mit dem Hinweis abblitzen, gleich käme ihr Freund. Achtzehn Männer näherten sich, wenn sie A-Körbchen trug, achtundzwanzig bei B, und bei C? Ich schäme mich fast, es zu sagen: sechzig! Die Antwort auf die Dolly-Buster-Frage «A, *Bäh oder C?*» steht also seit Beginn der menschlichen Evolution fest: die mit den größten Reserven für die Brutpflege. Man kann sich als Mann im wahrsten Sinne des Wortes nie «satt sehen».

Ich habe dazu eine Theorie: Wir Männer haben uns als Babys nicht die absolute Größe der Mutterbrust eingeprägt, sondern die Proportion. Du hast als inneres Bild gespeichert: So groß war mein Kopf, so groß war die Brust im Verhältnis. Und wir ignorieren komplett, dass unser Kopf in der Zwischenzeit deutlich gewachsen ist, und suchen somit unbewusst immer noch nach diesen Proportionen.

Warum ich das alles schreibe: Ich versuche ein bisschen Verständnis für die Männer zu generieren. Also, liebe Frauen, wenn wir euch manchmal nicht pausenlos in die Augen schauen, dann nicht, weil wir geil oder egoistisch wären oder euch auf Äußerlichkeiten reduzieren. Ganz tief drinnen denken wir schon an die nächste Generation, für die wir nur das Beste wollen.

Lachfalten sind sexy! Wenn ich eine Frau sehe, die älter als fünfundzwanzig Jahre ist und keine Fältchen um die Augen hat, dann frage ich mich nicht: Was hat sie für eine Creme? Ich frage mich: Was hat sie für eine Lebenseinstellung? Mit der möchte ich nicht im Fahrstuhl stecken bleiben, wenn Sie wissen, was ich meine.

Was aber tut die moderne Frau? Sie spritzt sich eine der giftigsten Substanzen, die die Menschheit kennt – Botulinumtoxin –, in die Stirn und denkt, sich und anderen damit einen Gefallen zu tun. Zu Risiken und Nebenwirkungen fragt man den Arzt oder Apotheker. In diesem Fall fragt man aber am besten auch einmal den Psychologen, denn der weiß schon lange, dass neben den Worten unser wichtigster Kommunikationskanal die Mimik und Körpersprache sind. Aber noch gar nicht lange weiß man, dass wir unsere eigenen Gefühle wahrnehmen, indem wir unsere Körpersignale überwachen. Wir schauen uns sozusagen von innen ins Gesicht, und das Gehirn fragt: Wie geht es uns denn heute? Und wenn ich merke, dass ich gerade die Mundwinkel hochziehe, gibt es die Statusmeldung «Heiterkeit».

Diesen Effekt kann man testen, indem man sich einen Bleistift zwischen Oberlippe und Nase klemmt. Es sieht bescheuert aus, aber nach einer Minute fühlt man sich besser, weil man gar nicht anders kann, als die Mundwinkel hochzuziehen. Und wenn einen dabei die Menschen im Büro beobachten, pflanzt sich die Heiterkeit auf ihren Gesichtern fort und kehrt wieder zu uns zurück. Denn auch die Gefühle anderer nehmen wir wahr, indem wir sie spiegeln. Wer sich schon immer fragte,

Erkenne dich selbst.

warum Lachen so ansteckend ist: Wir können gar nicht anders, als unsere Gesichtsmuskulatur in Millisekunden dem Gesicht unseres Gegenübers anzupassen, wenn es ein starkes Gefühl ausdrückt. Und dann lesen wir an unserem Gesicht ab, wie sich der andere fühlt. Dieser Kreislauf von Spiegeln, Nachspielen und Nachempfinden der Gefühle via Gesichtsausdrücke wurde erst in den letzten Jahren verstanden und beforscht.

Der amerikanische Wissenschaftler David A. Havas und seine Kollegen luden vierzig Personen, die zur Glättung ihrer Stirnhaut eine Behandlung mit Botox planten, zu einem Experiment ein. Wenn wir Gefühle in Gesichtern lesen, spielen viele Faktoren eine Rolle, zum Beispiel Geschlecht, Sympathie, Ähnlichkeit. Um all diese auszuschließen, wurde getestet, ob die Probanden Gefühle auch beim Lesen richtig lesen konnten. Kurz vor und vierzehn Tage nach der Gesichtsglättung sollten sich die Testpersonen mit angenehmen, traurigen oder ärgerlichen Texten beschäftigen. Sobald sie eine Aussage verstanden, sollten sie einen Knopf drücken. Wer brauchte wie lange, um die emotionale Botschaft eines Textes herauszulesen? Bei angenehmen Sätzen gab es vor und nach der Behandlung mit Botox keinen Unterschied. Doch bei Sätzen mit einem ärgerlichen oder traurigen Inhalt brauchten die Botox-Behandelten länger als vorher, da sie nicht mehr die Stirn runzeln oder die Augenbrauen zusammenziehen konnten. Ihnen fehlte das Instrument, ihre eigene Gesichtsklaviatur, um sich auf die Gefühle einzustimmen und sie so zu entschlüsseln.

Sprache ist nichts rein Abstraktes. Wir sind zum Verständnis von Emotionen auf den Körper als Antenne angewiesen. Wenn wir kein Gesicht vor Augen haben, liegen wir schon ohne Botox oft genug falsch. Gerade beim E-Mail-Schreiben, wenn keine Stimme signalisiert, in welcher Stimmung oder Absicht etwas geschrieben worden ist, kommt es oft zu Missverständnissen. Und auch die ganzen Emoticons wie ;-), Smileys oder Kürzel wie LOL (*Laugh Out Loud* – lach mich tot) täuschen nicht darüber hinweg, dass wir komplexe Dinge am besten von Angesicht zu Angesicht besprechen sollten. So hilfreich ein Pokerface beim Verhandeln sein mag, wollen wir auf Gefühle und ihre Interpretation im sonstigen Leben ungern verzichten. Wir möchten hinter die Fassade schauen: des Gegenübers und hinter unsere eigene. Wird sie jedoch zu stark gelähmt, übertüncht oder gar eingerüstet bis zur Unkenntlichkeit, erkennen wir uns selbst nicht mehr wieder. Das ist un-schön. Ich hoffe, Sie können darüber schmunzeln. Oder die Stirn runzeln. Geht's noch?

Ob jemand versteht, was ein anderer sagt, erkennt man am Gesichtsausdruck. Mit Botox wirkt man vielleicht auf den ersten Blick fünf Jahre jünger. Aber sobald man anfängt, sich zu unterhalten, auch dreißig IQ-Punkte dümmer. Da sagen viele Männer: Das ist es mir wert. Ich wäre damit vorsichtig.

Ich kenne niemanden, der sich schlecht fühlt, weil er meint: Meine Milz ist zu klein. Oder mein Intellekt. Aber wie viele Frauen fragen sich: Was stimmt an meinem Gesicht nicht? Oder: Sind meine Beine zu kurz, und ist mein Busen zu flach? Die Frage ist doch immer: für wen? Den meisten Männern ist dies wirklich nicht wichtig.

Die Männer wiederum denken unisono: Mein Penis ist zu klein. Und viele Frauen denken: Das macht mir nichts aus – solange es nicht mein Mann ist.

Liebe Frauen – ihr seid schön, wenn ihr lacht. Perfektion ist langweilig, das gilt für das Gesicht wie für den ganzen Körper. Beine haben die richtige Länge, wenn beide bis auf die Erde gehen. Und Männer, ein Penis hat die richtige Länge – wenn er nicht bis auf die Erde geht.

Spam, Sperm und Maiglöckchen

Kennen Sie Susie Arkhipova, Letitia Balsamo oder Julianne Oharahines? Ich kenne sie nicht. Aber die kennen anscheinend mich. Mit der Ersten bin ich angeblich zur Schule gegangen, die Zweite hat eine Erbschaft gemacht, die sie gerne mit mir teilen möchte, und die Dritte hat zu viele Medikamente gekauft und erst zu spät gemerkt, dass sie die alle gar nicht gebrauchen kann. Neuerdings geben sich die Versender sogar Mühe, die E-Mails korrekt zu formulieren, und benutzen Adressen echter Freunde. Doch als ich las, dass ausgerechnet die Britta eine Reise durch «Schkotland» gemacht hat und dabei alles «gestollen» wurde, überzeugte mich nicht der Hinweis: «Lass mich wissen wenn du angaben zur meiner person brauchst (Name, Vorname …) mich das Geld schicken zu können.» Bei Freunden in Not erinnere ich mich meistens auch an ihre Namen.

Warum gibt es Spam-Mails? Wer glaubt ernsthaft, dass es Menschen gibt, die so bescheuert sind, Erbschaften in Nigeria, Ölfunde oder Verluste von Daten zu glauben, Geschichten, die ich noch nicht mal im Vollrausch einem meiner besten Freunde abkaufen würde? Meine These: Die Erklärung dieses Phänomens ist rational und liegt dennoch unter der Gürtellinie. Mir fiel irgendwann die Analogie zwischen *spam* und *sperm* auf. Nicht nur lautmalerisch sind sich die beiden ähnlich. Auch im engeren Sinne. Ich behaupte einfach einmal, dass wir die Plage der Spam-Mails dem Abkupfern eines biologischen Vorbilds verdanken: der Jagd der Millionen Spermien nach der Eizelle.

Das könnte auch erklären, warum es in den meisten dieser unerwünschten Nachrichten um fortpflanzungsfördernde Medikamente geht. Meine Mutter, die sich gerade ihre erste

E-Mail-Adresse eingerichtet hatte, erzählte mir, dass sie die entsprechenden Angebote freundlich beantwortet hätte mit dem Hinweis, dass in ihrem Fall kein Bedarf für irgendeine Verlängerung bestünde und weiter gehende Verkaufsangebote doch besser an Männer zu richten seien.

Jeder versierte User löscht diesen Unsinn natürlich, aber dem Spammer reicht es, wenn unter allen Empfängern auch nur ein einziger Ahnungsloser darauf hereinfällt. So wie es auch nur eine ahnungslose Eizelle ist, die aus der Millionen-schar an Spermien nur ein einziges einlässt – und der ganze Kraftakt hat sich gelohnt. Dann gibt es bei allen Streuverlusten einen Hauptgewinn: neues Leben. Die Analogie ließe sich wei-terführen: Was ist ein Diaphragma anderes als ein Spam-Fil-ter? Ein Kondom anderes als eine Mischung aus Firewall und Gummizelle für die um ihre Aufgabe betrogenen Samenzellen, die verzweifelt gegen die Wand laufen? Und lauert nicht in bei-den Fällen bei ungeschütztem Verkehr die Gefahr von Viren?

Wie Spam-Mails ihren Weg vom Absender auf den hei-mischen Rechner finden, ist bekannt. Bis heute ist es jedoch ein Rätsel, woran sich Spermien orientieren. Wie finden sie sich in der fremden Umgebung zurecht? Wem sollen sie folgen, außer ihren genauso verwirrten Kumpels? Sie haben ja kein Navi-gationssystem – und das bei Distanzen, die in menschliche Dimensionen umgerechnet das Durchqueren des Ärmelkanals weit in den Schatten stellen.

Der einzige Ausweg: Geruchsstoffe! Und tatsächlich ver-strömt die Eizelle, wie man seit einigen Jahren weiß, einen Wohlgeruch, der in seiner Struktur an den Duft von Maiglöck-chen erinnert. Aus ihrem Versteck im Eileiter flötet sie: «Fang mich, ich bin der Frühling!», und die Spermien folgen dem Lockruf. Zusätzlich stimuliert das weibliche Geschlechtshor-

Wenn Erdbeeren zu sehr lieben.

mon Progesteron die sogenannten CatSper-Ionenkanäle und treibt die flinken Gesellen zu Höchstleistungen an. Wonach das Progesteron für die Spermien riecht? Wissen wir nicht. Aber die haben ja eh den Kopf mit anderen Dingen voll: In welchen Eileiter schwimme ich? Nach rechts oder nach links? Einmal falsch abgebogen, und das Rennen ist gelaufen. Eine echte Lebensentscheidung! Und diese treffen sie mit Hilfe einer Differenzialgleichung. Geringste Unterschiede in der Konzentration des Lockmittels werden an den Rezeptoren verrechnet und daraufhin die Schwimmaktivität verändert. Ist das nicht irre? Die kleinen Dinger können etwas, was wir maximal in der Oberstufe kurz begreifen und dann für den Rest des Lebens wieder vergessen! Fazit: Spermien sind zwar schwanzgesteuert, aber mit Köpfchen.

Eine Beobachtung, die zu der Theorie passt: Männer, die für bestimmte Geruchsstoffe wie Maiglöckchen «nasenblind» sind, haben auch vermehrt Schwierigkeiten, Kinder zu zeugen. Denn der Bauplan für den Geruchsrezeptor ist in der Erbsubstanz jeder Körperzelle hinterlegt. Und fehlt er an der einen Stelle, fehlt er auch an der anderen. In diesem speziellen Fall stimmt der Spruch: Wie die Nase eines Mannes …

Der weltweit führende Geruchsforscher Hanns Hatt erzählte mir, dass wir noch ganz am Anfang stünden, zu begreifen, wie viele Geruchsstoffe im Körper eine Funktion haben. Neueste Versuche bestätigen beispielsweise ein altes Hausmittel. Der Duft von Lavendel hat den Ruf, beruhigend zu wirken. Und tatsächlich finden sich am Herzen Andockstellen für Lavendelduft, die den Pulsschlag besänftigen, und Duftstoffe sind über Lunge oder Haut blitzschnell im Blut. Münchner Wissenschaftler fanden sogar im Dickdarm Rezeptoren für den Duft einer frischen Meeresbrise. Wofür dieser von der Natur dort vorgesehen ist, bleibt zu erforschen. Aber die Tatsache, dass Geruchserleben und Fortpflanzung eng zusammenhängen, hat jeder schon erfahren, wenn er jemanden «nicht gut riechen konnte». Da mochte er noch so nett sein, da half auch kein Deo oder Parfum.

Betrunkene versuchen oft auf dem Heimweg, die Alkoholfahne mit Pfefferminz zu übertünchen. Das überzeugt so wenig wie ein Dixi-Klo mit Duftbäumchen. Erst recht fällt darauf keine Frau herein, die bekanntlich die feinere oder zumindest die geübtere Nase hat.

Viele Männer denken bei Parfum: Viel hilft viel, und mit dem richtigen Duft laufen einem Frauen nach wie Katzen dem Fischverkäufer. Aber beobachtet man Menschen in einer Parfümerie, fällt einem schnell auf: Alle verzweifeln bei der Frage, welcher Duft es denn sein soll. Alan Hirsch, Direktor der Smell and Taste Treatment and Research Foundation in Chicago, wollte sich bei der Frage «Wie gefällt dir mein Parfum?» nicht auf den subjektiven Eindruck der Damen verlassen. Deshalb erfasste er das untrüglichste Zeichen für aufregende Gerüche: den erhöhten Blutfluss ins Becken. Die Geruchsproben wurden auf OP-Masken geträufelt und den Testerinnen direkt vor die Nase gehalten. Um auszuschließen, dass sie Doktorspiele mit OP-Masken erregend fanden, gab es auch einige ohne jeden Geruchsstoff. Das ist Wissenschaft!

Das Resultat ist ernüchternd: Die getesteten Männerparfums brachten keinen zusätzlichen Pulsschlag unter der Gürtellinie. Im Gegenteil, die Blutgefäße zogen sich zusammen! Die kreativen Forscher testeten daraufhin die Düfte von Lebensmitteln, deren Wirkung angeblich aphrodisierend sei. Kirscharoma turnte ab, und sogar der allermännlichste Geruch seit Urzeiten, der von gegrilltem Fleisch, versagte. Was machte die Frauen tatsächlich an? Der Geruch von Gurken. Dieser erhöhte die unsichtbare Durchblutung um dreizehn Prozent. Und wie gesagt, es wurde nur der Geruch der Gurke getestet.

Bevor es funkt, muss die Chemie stimmen, man muss sich riechen können. Ohne dass wir willentlich dagegensteuern, sagen uns bestimmte Gerüche, wer genetisch gut zu uns passt. So wenig wie die Alkoholfahne mit Mundwasser lässt sich unser eigener Geruch mit Duftwässerchen frisieren. Es ist eine Illusion, sich mit Limonenfrische einen spritzigen Geist aufzusprühen oder sich mit Moschus geruchstechnisch tieferzulegen. Die Einzigen, die darauf hereinfallen, sind wir Männer selbst. Frauen wollen nicht an der Nase herumgeführt werden. Sie schätzen es, wenn man sich gewaschen hat – und keinen Angstschweiß in ihrer Nähe ausströmt. Denn diesen wittern sie zehn Meilen gegen den Wind. Aber vielleicht probiere ich demnächst anstatt Parfum eine Gurkenmaske. Dank der Forschung verstehe ich jetzt zumindest, warum es weder für Frauen noch für Männer ein Deo mit Grillfleisch-Duft gibt.

Der Zahn der Zeit

Zahnarztbesuche sind eine seltsame Mischung aus Jüngstem Gericht und Nervenkitzel. Mit zunehmendem Alter entwickelt sich zum Dentisten ein ähnlich intimes Verhältnis, wie ich es bei Frauen zu ihrem Friseur und Gynäkologen vermute. Meinen Urologen kenne ich aus dem Studium, daher fehlt mir der Vergleich.

Aber zum Zahnarzt müssen wir alle, uns alle legt er aufs Kreuz, und wir würden gerne die Zähne zusammenbeißen, aber genau das dürfen wir ja nicht. Die wichtigste Frage lautet vorneweg: Privat oder Kasse? Wobei es nicht fair ist, dass fünfundneunzig Prozent der Zahnärzte allen anderen so einen schlechten Ruf eintragen.

Ich spreche aus Neid, denn der «Zahni» ist der natürliche Feind des Humanmediziners, weil in der ambulanten Versorgung für einen recht übersichtlichen Teil des menschlichen Körpers annähernd so viel Geld ausgegeben wird wie für den Rest. Da denkt auch der Laie: Ist das wirklich fair? Dabei jammern die Zahnärzte am lautesten: «Wir leben von der Hand in den Mund ...» Ja, das ist auch euer Job! Augen auf bei der Berufswahl.

Wenn es aber noch Respekt vor einem Halbgott in Weiß gibt, dann auf dem Stuhl, auf dem alle Menschen gleich sind. Jetzt rächen sich die Sünden: der Süßspeisen, der Nächte ohne Zähneputzen und der halbseidenen Versuche, sich mit Zahnseide interdental aufzuhübschen. Was den Pobacken der Stringtanga, ist den Backenzähnen die Zahnseide – in Ästhetik und Funktion von Anfang an zum Scheitern verurteilt.

In ungelenker Handhaltung mit absterbenden Fingerkuppen poliert man sich an schwer zugänglichen Stellen, nur für diesen einen Moment beim Zahnarzt – denn außer ihm gibt es niemanden, der die Zahnzwischenräume zu würdigen wüsste. Und ich weiß genau: Auch diese Säuberungsversuche werden vor seinen Lupen-Augen keinen Bestand haben. Er wird mit seinen Instrumenten noch irgendwo eine Zahnfleischtasche entdecken und aus ihr Ananasfasern, Splitter gebrannter Mandeln oder Reste unverdaulicher Rouladenfäden hervorziehen und sie triumphierend präsentieren, wie ein Magier das Kaninchen aus dem Hut zaubert. Und auch ohne Geräte im Mund würde ich keine vernünftige Erklärung dafür geben können, außer: «Ich weiß auch nicht, wer die da vergessen hat!»

Wir sind zur Karies verdammt! Sie ist eine der häufigsten Infektionskrankheiten weltweit. Und die Summe der kleinen Löcher reißt ein großes Loch in die Gesundheitsbudgets. Dabei haben wir doch geputzt! Und extra die teure Zahnpasta gekauft! Ein vergeblicher Ablasshandel. Denn was zählt, ist die mechanische Reinigung. Hängt ein Stückchen Keks oder – für Bakterien genauso lecker – ein Stückchen Chip noch an der Rückwand des Zahnes, feiern die Fäulniserreger die ganze Nacht durch. Und da ist es ihnen völlig egal, ob die Vorderseite gerade mit der Zahnpasta für den Abend oder für den Morgen beschmiert wurde.

Es klingt vielleicht albern, aber ich habe ein ernstes Problem mit meiner Zahnpasta. Meine Zähne sind empfindlich, und neulich ließ ich mich im Drogeriemarkt hinreißen, eine Zahnpasta zu kaufen, die angeblich speziell auf meine Bedürfnisse abgestimmt ist – für Menschen über vierzig. Aber eines meiner wichtigsten Bedürfnisse ignoriert diese Zahnpasta vollkommen: nicht ständig auf mein Alter angesprochen zu werden. Ich will es nicht täglich in den Mund gelegt bekommen. Schon gar nicht von mir selbst. Jetzt habe ich dreimal am Tag Midlife-Crisis. Toll. Und ich habe noch nicht einmal die Gewissheit, dass es mir beim nächsten Zahnarztbesuch angerechnet wird.

Beim Zahnarzt hört man so viel Ärztelatein und obskure Ziffern wie sonst nirgendwo mehr in der Medizin. Während er den Befund seiner Helferin diktiert, klingt es für die gespitzten Patientenohren wie eine Mischung aus Schiffeversenken und Teufelsaustreibung. «Okklusal» hört sich schwer okkult an, und «palatinal», mutmaßt man in seiner wehrlosen Rückenlage, wird wohl die höchste Steigerungsstufe der Terminologie sein. Nach dem kleinen und großen Latinum kommt nur noch das «Palatinum». Quatsch, ich weiß ja eigentlich, dass okklusal «zur Kaufläche hin» heißt und palatinal «zum Gaumen». Aber in dem Moment ist mein ganzer Kopf leer, bis auf die vielen Geräte, die da auch nicht wirklich hingehören.

Ich versuche, mich beim Zahnarzt zu konzentrieren und an etwas Schönes zu denken, klappt jedoch nicht immer. Zum Lesen kommt man nicht, und zu hören gibt es nichts Erfreuliches. Alle Versuche, durch Musik die Stimmung während der Behandlung positiv zu beeinflussen, scheitern an der Tatsache, dass der Kieferknochen das Bohrgeräusch besser und direkter ins Innenohr leitet als der Kopfhörer die Beatles.

Die Gedanken sind auch nicht frei, vom Körper ganz zu schweigen. Dieser Multifunktionsstuhl macht jede aktive Bewegung unmöglich. Ich bin noch auf den eigenen Beinen hergekommen, aber ab jetzt gelte ich als Vollgelähmter, der in jede Position nur per Knopfdruck und Elektromotor gebracht werden kann. Ein bisschen bin ich froh darüber, denn mein Körper ist nicht mehr wirklich beweglich, sondern verharrt zwischen durchgedrückter Angstspannung und Totenstarre. **181**

Während ich so liege, versuche ich zu entspannen, denke kurz, ich bin doch entspannt, bis ich merke, dass meine Beine leicht in der Luft schweben.

Aristoteles hat sich schon vor Tausenden von Jahren Gedanken über die Wurzeln der Zähne gemacht. Er fand die Welt sinnig, denn die Natur sorge dafür, dass man genau dann seine Zähne verliert, wenn man sie bald ohnehin nicht mehr braucht. Höchstens um mit ihnen ins Gras zu beißen. Der Philosoph wusste noch wenig von Prothetik. Heute gilt: Einen Zahn zuzulegen, ist nicht mehr eine Frage der Geschwindigkeit, sondern des Geldbeutels und der Zusatzversicherung und folgt den Rhythmen des Lebens. Morgenstund hat Amalgam im Mund, der Mittag Gold, der Nachmittag Inlays und der Abend Vollkeramik. Aber egal, wie sehr wir uns anstrengen, an uns herumdoktern lassen und uns dagegen wehren: Der Zahn der Zeit nagt an uns allen, und am Ende gewinnt doch immer der Zahn.

Dazu ein dummer Witz mit zeitloser Weisheit: «Kommt ein Skelett zum Zahnarzt. Der Zahnarzt schaut in den Mund und sagt: Die Zähne sind super – aber das Zahnfleisch!» Das Einzige an unserem Körper, dem der Tod nichts anhaben kann, sind die Zähne, so respektlos das klingen mag. Denn ihr Gegner ist nicht der große Sensenmann, das sind die kleinen Bakterien, die an ihnen knabbern. In der Mundhöhle sind mehr Bakterien versammelt als am anderen Ende des Verdauungskanals. Und egal, wie oft und wie lange wir die Zähne putzen, unsere Millionen Mitesser werden wir zeitlebens nicht los.

In meiner Kindheit sah ich im Salzkammergut einmal ein «Beinhaus». Aus Platzmangel hatte man ein paar Jahre nach der Bestattung die Überreste wieder ausgebuddelt und fein säuberlich Schädel auf Schädel gestapelt. Alle besaßen immer noch gut erhaltene Gebisse. Dieser makabre und gleichzeitig schaurig-schöne Anblick hat mich tief beeindruckt. Heute weiß ich: Calcium und Phosphat bilden den Zahnschmelz, der nie schmilzt. Die härteste Substanz des menschlichen Körpers kann nur von Säure angegriffen werden, die Bakterien beim Verdauen unserer Nahrungsreste bilden. Deshalb atmen die Zähne auf, wenn wir das Leben aushauchen. Nie wieder Chips, Karamell oder Petersilienreste – kein Futter, kein Wachstum, Ende der bakteriellen Plaquerei. Dann überdauern die Zähne unbeschadet Jahrhunderte. Es ist unfair: Wir können schlecht ohne Zähne. Aber sie sehr gut ohne uns.

Alte Liebe rostet nicht.

Was ist das Schönste, was ...
Menschen gesagt habe oder jemand mir sagte? Welche
Taten oder Erlebnisse haben mich überzeugt, dass es Liebe gibt?

Mein Mann ist vom FC Köln-
Fan zum S04 Fan geworden!
Dann konnte er in
die Familie endlich
integriert werden ☺

Ich freue mich jeden Morgen wenn ich
erwache und mein Schatz liegt neben
mir, alternativ kann es aber auch
der Hund sein!

Liebesbeweis!

Was ist das Schönste, was ich einmal einem anderen Menschen
gesagt habe oder jemand mir sagte? Welche Taten oder Erlebnisse
haben mich überzeugt, dass es Liebe gibt?

Als wir mit dem Chor im Gfängnis aufgetreten
sind und die Knackis bei unserer Musik
feuchte Augen bekamen.

ALTER   PLZ   EMAILADRESSE
Willst Du mit mir mailen? ☐ JA ☐ NEIN ☐ VIELLEICHT
NAME
ANMELDUNG ZUM NEWSLETTER

Als meine Frau nach unserem
gemeinsamen Kampf gegen ihre Depression
das 1. Mal aus vollem Herzen
Lachen konnte.

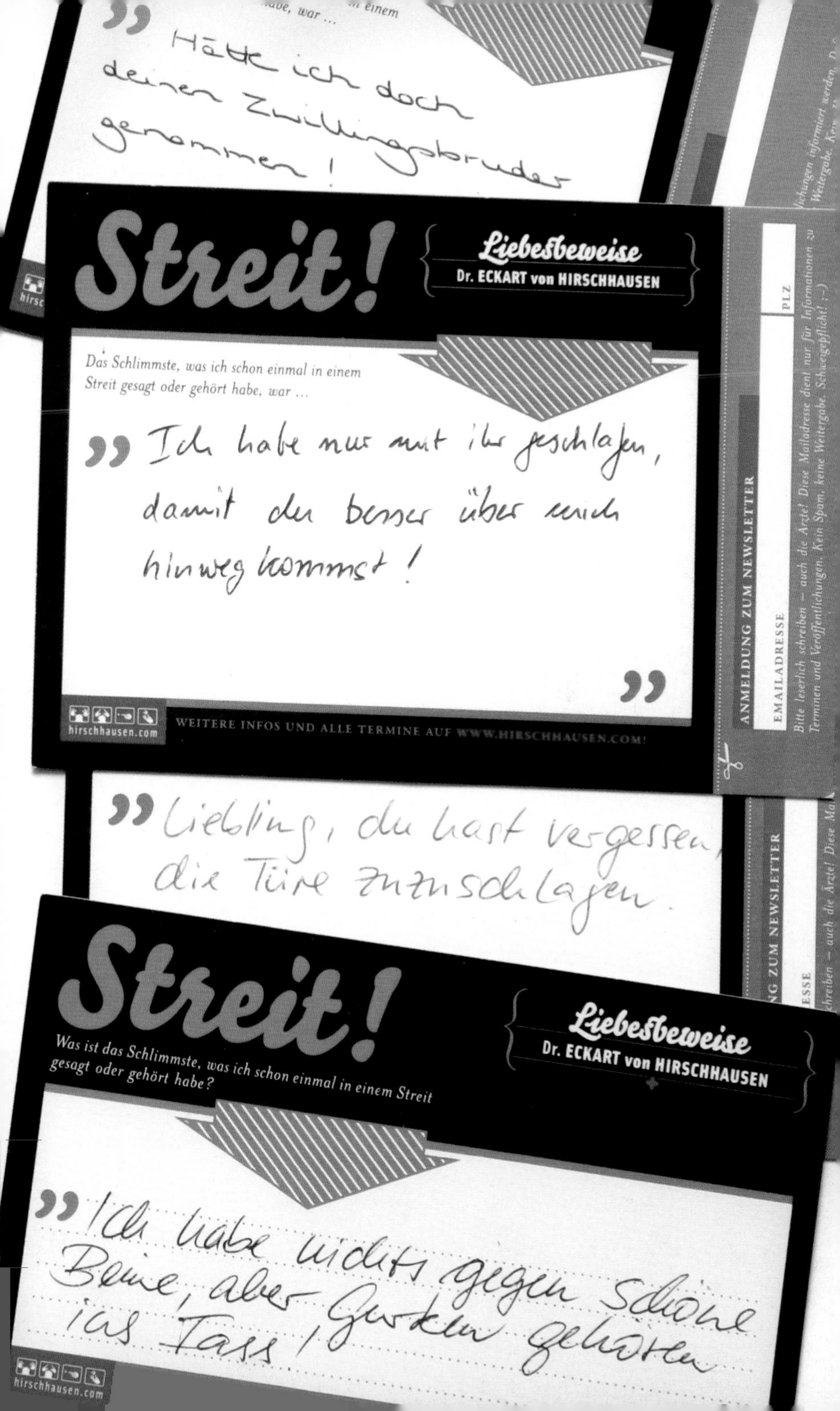

Hätt ich doch deinen Zwillingsbruder genommen!
Streit!
Liebesbeweise
Dr. ECKART von HIRSCHHAUSEN
Das Schlimmste, was ich schon einmal in einem Streit gesagt oder gehört habe, war …
Ich habe nur mit ihr geschlafen, damit du besser über mich hinwegkommst!
hirschhausen.com
WEITERE INFOS UND ALLE TERMINE AUF WWW.HIRSCHHAUSEN.COM!
ANMELDUNG ZUM NEWSLETTER
EMAILADRESSE
PLZ
Bitte leserlich schreiben – auch die Ärzte! Diese Mailadresse dient nur für Informationen zu Terminen und Veröffentlichungen. Kein Spam, keine Weitergabe. Schweigepflicht! ;-)
Liebling, du hast vergessen, die Türe zuzuschlagen.
Streit!
Was ist das Schlimmste, was ich schon einmal in einem Streit gesagt oder gehört habe?
Liebesbeweise
Dr. ECKART von HIRSCHHAUSEN
Ich habe nichts gegen schöne Beine, aber Gurken gehören ins Fass!
hirschhausen.com

Der erste neurobiologisch korrekte

Liebessong

Als ich

Dich dort

Drüben stehen sah,

War mir auf fünf Meter klar:

Du bist mein Schicksal,

Mein Los in der Genlotterie.

Was ich spür, ahnst du nie.

Tief im Hypothalamus enthemmt,

Dein Taille-Hüfte-Quotient.

Die Endorphinsynthese, ich find dich,

Ich muss es gestehn – Östrogen.

Dopaminaldintestosteronalfatryptophan,

Oxytocin, Libido liegt in der Luft,

Hebst du nur den Arm.

Alle diese Drogen, hausgemacht,

Wollen eins nur – dass es kracht.

Ich schau dir in die Augen,

Du wartest, jetzt muss

Es geschehn.

Und ich

Sag:

«Big-Mac-Sparmenü mit Cola, bitte!»

4. Die Liebe
zu Sinn und Sinnlichkeit

Ohren abkauen, Heul doch, Respekt, Multitasking,
Geld, Lästern, Bauchrednereffekt, Langzeitbeziehung,
Mitgefühl, gefühlte Temperatur

Was quatschst du mich von der Seite an?

Wie gewinnt man einen Menschen für sich? Männer meinen oft, interessant zu wirken, wenn sie tolle Dinge von sich erzählen. Falsch. Interessant wirkt man, wenn man Interesse zeigt. Und am besten auch hat. Also Fragen stellen und zuhören! Schlaue Männer wussten schon immer: Die wichtigste erogene Zone der Frau liegt zwischen ihren Ohren. Dass aber rechtes und linkes Ohr unterschiedlich «erregbar» für emotionale Botschaften sind – darauf muss man erst mal kommen.

Die Einsicht, dass unsere Gehirnhälften unterschiedliche Aufgaben haben, hat sich bis zu jedem Volkshochschulkurs herumgesprochen. Wie so oft ist es bei genauerer Betrachtung komplizierter. Aber grob zusammengefasst, ist die linke Hirnhälfte, was das Aufschlüsseln der Sprache angeht, näher bei den Wörtern, die rechte näher bei der Melodie eines Satzes. Und weil sich die meisten Nerven im Kopf auch noch kreuzen, kommen Impulse vom rechten Ohr stärker in der linken Hirnhälfte an und umgekehrt.

Die Wissenschaft empfiehlt daher, Liebesbotschaften stets in das linke Ohr zu flüstern, damit sie in der emotionalen, rechten Hirnhälfte sicher landen. Dort, wo nicht der Inhalt, sondern die Stimme zählt. Nicht nur zärtliche Worte, sondern auch musikalische Akkorde und ganze Melodien werden besser mit links aufgenommen.

Wollen Sie aber eine Zigarette schnorren, sollten Sie den erwählten Spender über das rechte Ohr ansprechen. Dann landet die Bitte in der linken, der sprachbegabteren Hirnhälfte, und die Chance, erhört zu werden, steigt.

Diesen Zusammenhang meinten Daniele Marzoli und Luca

Tommasi entdeckt zu haben, als sie Kontaktaufnahmen in der lauten Atmosphäre italienischer Nachtclubs untersuchten. Sie beobachteten fast dreihundert Diskothekenbesucher, die sich in diesem Milieu miteinander unterhielten. Rund drei Viertel dieser Gespräche liefen dabei über die rechte Seite des Zuhörers. Zufall?

Dann schickten sie einen weiblichen Lockvogel vor. Dieser trat mit einem unhörbaren Gemurmel an einhundertsechzig Nachtschwärmer heran und wartete ab, welches Ohr ihm zum besseren Verständnis angeboten wurde. Zum Nachhorchen wandten achtundfünfzig Prozent ihr rechtes Ohr zu, zweiundvierzig Prozent das linke. Betrachtet man nur die Frauen, dann zeigte die große Mehrheit eine Rechts-Präferenz.

Im dritten Schritt baten die Forscher Clubbesucher gezielt am rechten beziehungsweise am linken Ohr um eine Zigarette: Von rechts erhielten sie deutlich mehr Zigaretten. Aber will man nun wirklich Feuer oder viel lieber Feuer entfachen?

Die Forscher sind stolz, weil «unter alltäglichen Verhaltensbedingungen bislang kaum Veröffentlichungen über diese sogenannte hemisphärische Asymmetrie vorlagen». Viel asymmetrischer wäre der Versuch doch gewesen, wenn nur ein Mann sich mit unhörbarem und belanglosem Gemurmel Frauen genähert hätte. Gut, die kennen es nicht anders.

Nein – mit solchen Studien kann man das eigentliche Rätsel der Frauen nicht ergründen und nicht ansatzweise die Differenzierungsleistung ihrer Ohren würdigen. Eine Frau ist in der Disko bei einhundertzwanzig Dezibel fähig, gleichzeitig für die Stimme, die ihr gerade etwas ins Ohr brüllt, auf Durchzug zu schalten und trotzdem dem Gespräch ihrer beiden Freundinnen am anderen Ende der Bar Wort für Wort zu folgen. Und alles, ohne dass einer der Beteiligten es merkt.

Als ich mich das erste Mal mit meinem Freund traf und er ein Pfefferkuchenherz um den Hals hatte mit der Aufschrift: Schnauze halten, einfach küsssen!

Liebesbeweis!

Was ist das Schönste, was ich einmal einem anderen Menschen gesagt habe oder jemand mir sagte? Welche Taten oder Erlebnisse haben mich überzeugt, dass es Liebe gibt?

DIE HANDTASCHE DURCH GANZ KÖLN TRAGEN

Ich erinnere mich noch immer an ein schönes Kompliment dass ich mit 16 von einem französischen Austauschschüler bekam: „In deinem Kopf ist es schön"

NAME   ALTER   PLZ   EMAILADRESSE

ANMELDUNG ZUM NEWSLETTER   Willst Du mit mir mailen? ■ JA ■ NEIN ■ VIELLEICHT

Mein Sohn: Mama ich lieb Dich mehr als Papa ich kenn' Dich auch besser:

Von innen und von außen

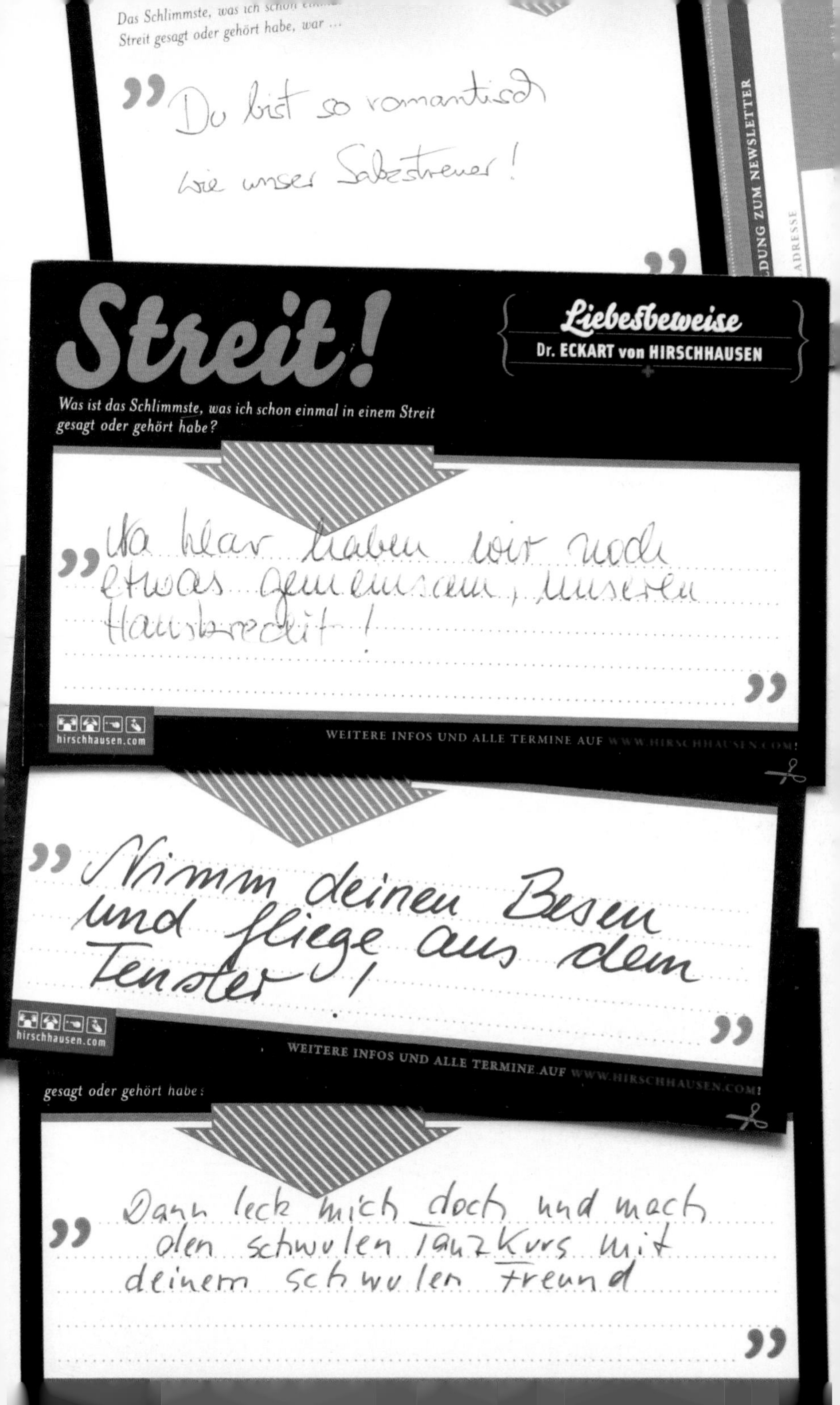

Das Schlimmste, was ich schon ...
Streit gesagt oder gehört habe, war ...
„Du bist so romantisch wie unser Salzstreuer!"
Streit!
Liebesbeweise
Dr. ECKART von HIRSCHHAUSEN
Was ist das Schlimmste, was ich schon einmal in einem Streit gesagt oder gehört habe?
„Na klar haben wir noch etwas gemeinsam, unseren Hauskredit!"
hirschhausen.com
WEITERE INFOS UND ALLE TERMINE AUF WWW.HIRSCHHAUSEN.COM!
„Nimm deinen Besen und fliege aus dem Fenster!"
hirschhausen.com
WEITERE INFOS UND ALLE TERMINE AUF WWW.HIRSCHHAUSEN.COM!
gesagt oder gehört habe?
„Dann leck mich doch und mach den schwulen Tanzkurs mit deinem schwulen Freund"

Da sagt der Masochist zum Sadisten: «Quäl mich!»
Antwortet der Sadist: «Nö.»

Druck mit der Tränendrüse

Weinen Männer und Frauen unterschiedlich? Warum weinen Menschen überhaupt? Und sind die Augen wirklich der Spiegel unserer Seele? Es ist zum Heulen, aber keiner weiß genau, warum nur Menschen so tränenreich Abschiede und Trennungen erleben. Zwiebelschneiden gilt nicht. Das ist rasch durch die chemische Reizung erklärt. Und meine Versuche, beim Enthäuten der Zwiebel männlich meine Bindehäute trocken zu halten, scheiterten trotz Einsatz einer Taucherbrille. Die Dakryologie – die Tränenkunde – steckt in den Kinderschuhen.

Zwar ist Weinen angeboren, aber bereits Kinder in verschiedenen Kulturen heulen unterschiedlich viel. In Amerika mehr als in Japan, Leonardo di Caprio mehr als ein Zen-Mönch. Durchschnittlich vergießt jeder Deutsche im Laufe seines Lebens siebzig Liter Tränen – genug, um eine Badewanne zu füllen. Aber da ist einem doch Meersalz als Badezusatz lieber.

Übrigens: Bis zum dreizehnten Lebensjahr weinen Jungen und Mädchen etwa gleich häufig. Ausgewachsene Männer weinen sechs- bis siebzehnmal pro Jahr, Frauen drei- bis fünfmal so viel und dann auch im Schnitt drei Minuten länger als die Männer. Und es klingt auch anders, denn bei den Frauen geht das Weinen zu fünfundsechzig Prozent in Schluchzen über, aber nur bei sechs Prozent der Männer. Damit wirkt weibliches Weinen automatisch dramatischer. Frauen heulen am ehesten, wenn sie sich schwer lösbaren Konflikten ausgesetzt fühlen, aber auch, wenn sie sich vergangener Lebensepisoden erinnern. Männer hingegen weinen häufig aus Mitgefühl oder wenn die eigene Beziehung gescheitert ist. Das erklärt ja schon mal die sechs- bis siebzehnmal pro Jahr.

Der berühmte «reinigende» Effekt der Tränen ist umstritten. Wer sich richtig ausheult und meint, sich damit etwas Gutes zu tun, ist im Tal der Tränen womöglich auf dem Holzweg. Nach dem Weinen geht es den Menschen vor allem nur besser, wenn der Anlass für ihre Tränen auch vorüber ist. Kunststück! Klar ist nur: Weinen ist sozial, in Gruppen wird mehr geweint als allein. Denn es ruft Helfer und Tröster auf den Plan. Weinenden Frauen eilt man eher zu Hilfe als weinenden Männern. Die Frage ist also, ob Männer weniger weinen, weil sie Männer sind oder weil sie gelernt haben, dass es eh nicht viel bringt.

Tränen offenbaren Gefühle, gleichzeitig wird aber auch verborgen, wohin man schaut und wohin man nicht schauen will. Und diese mögliche Funktion des «Verschleierns» durch Tränen ist typisch menschlich.

Was unterscheidet uns denn vom Tier? Das Besondere am Menschen ist den Psychologen erst in den letzten Jahren wie Schuppen von den Augen gefallen: Es ist das Weiße im Auge! Bei Menschenaffen ist der Augapfel nicht weiß. Na und? Just dieses unscheinbare Detail bietet enormen kommunikativen Mehrwert: Ich weiß, wohin jemand gerade mit seinen Augen blickt – durch das Weiß! Was guckst du? Bei einem Affen ist schwer zu sagen, worauf er gerade seine Aufmerksamkeit richtet. Das menschliche Auge ist leichter zu durchschauen. Nicht nur, wenn man frisch verguckt ist. Deshalb sind uns Gestalten mit dunklen Sonnenbrillen auch unheimlich, der Zugang zu ihrer Seele ist versiegelt und verspiegelt. Diese Menschen wollen cool sei und wirken auf uns nur kühl.

Gemeinsam in eine Richtung zu schauen, ist so entscheidend für uns Menschen, dass wir es üben, sobald wir von der Brust weg sind und auf Augenhöhe getragen werden. Indem man einfach nur in die Luft guckt und so tut, als gäbe es dort etwas Spannendes zu sehen, kann man einen Volksauflauf erzeugen. Fast jeder wird neugierig und guckt selbst hoch, um zu schauen, was es denn dort zu entdecken gibt. Auch ein Menschenaffe? Das testete der Professor für Entwicklungspsychologie Michael Tomasello: Ein Untersucher saß einem Menschenaffen gegenüber und blickte nach oben, entweder mit dem ganzen Kopf oder nur mit den Augen. Die Aufmerksamkeit des Affen wurde nur erregt, wenn sich der menschliche Kopf sichtbar bewegte. Einjährige Menschenkinder dagegen hatten aber bereits geblickt, dass es viel mehr auf die Bewegung der Augen ankommt, und waren mit zwölf Monaten schon sozialer als ein Schimpanse mit siebenundzwanzig.

Diese revolutionäre Idee der «kooperativen Augen» macht uns Menschen so erfolgreich: Ist dem einen etwas ins Auge gefallen, bleibt es nicht dort, sondern erreicht in dem Augenblick alle, die ihn «respektieren» – «Respekt» heißt «Zurückschauen» von re-spectare. Auf gut Deutsch: sehen und gesehen werden und sehen, dass der andere einen sieht. Ein komplexer Vorgang. Dazu gehören immer zwei. Mindestens. Deshalb ist auch das Schlimmste, wegzuschauen oder jemanden nur mit dem Hintern anzuschauen. Das ist rücksichtslos, schließlich haben wir ja da keine Augen. Zuweilen Ohren, aber darum geht es gerade nicht.

Einer der häufigsten Sätze von Kindern lautet: «Guck mal!» Wer sich auf Dauer nicht gesehen, respektiert oder ausgeguckt fühlt, dem bleiben nur die Tränen – oder die Sonnenbrille. Und so lernen wir früh, uns mit Blicken und Tränen Aufmerksamkeit zu verschaffen. Und besser als jedes Krokodil manipulieren wir und drücken auf die Tränendrüse, wenn es sein muss. Denn sobald einer seelische Schwäche zeigt, darf der andere keine körperliche Stärke mehr zeigen, sofern er einen Funken

Anstand hat. Raffiniert. Weinende und Brillenträger schlägt man nicht. Gilt das eigentlich auch für Kontaktlinsenträger? Das ist noch ungeklärt. Unser komplexes Sozialverhalten ist doch immer wieder für eine Überraschung gut, wenn eine Träne auf Forschungsreisen geht.

Übrigens kann man auch vor Lachen weinen. Unsere Tränendrüse liegt unter dem Oberlid am Auge, um die Bindehaut feucht zu halten. Beim echten Lachen zieht sich der Ringmuskel um die Augen zusammen und drückt sprichwörtlich auf die Tränendrüse. Daher mein letzter Tipp an dieser Stelle: Lachen Sie, was das Zeug hält, denn die Tränen, die Sie lachen, müssen Sie nicht mehr weinen.

Eins nach dem anderen

Ein Mann kommt in die Notaufnahme mit zwei verbrannten Ohren. Der Arzt will wissen, wie das passiert sei:

«Meine Frau war weg, ich hab versucht, das eine schreiende Kind zu beruhigen und mit dem zweiten Kind auf dem Arm mein Hemd für mein Vorstellungsgespräch zu bügeln. Und dann hat auch noch das Telefon geklingelt, und ich hab mir in der Aufregung das Bügeleisen ans Ohr gehalten.»

«Und wie ist das mit dem anderen Ohr passiert?»

«Ich hab versucht, Sie anzurufen!»

Wir Männer hören nicht gerne, dass uns das gleichzeitige Erledigen von Dingen, das sogenannte Multitasking, nicht in die Wiege gelegt wurde. Wir verweisen darauf, dass wir gleichzeitig auf einer Straße geradeaus laufen und dabei Kaugummi kauen können. Aber sobald auf der anderen Straßenseite eine attraktive Frau auftaucht, ist der Arbeitsspeicher überfordert, und *zack* – rennt man als Typ gegen die Laterne.

Aber ist das wirklich so geschlechterspezifisch? Der Eindruck, Frauen seien bessere Multitasker, beruht maßgeblich darauf, dass sie zu einer Tätigkeit, die sie bereits «im Schlaf beherrschen» noch eine andere ausüben können. Aber das können Männer auch, beispielsweise im Schlaf noch schnarchen und Bettdecke klauen.

Wie ist es aber, wenn Männer und Frauen in einer identischen Situation getestet werden? In einem Fahrsimulator wurden Versuchspersonen durch permanentes Telefonieren abgelenkt. Sie sollten auf die Straße schauen und mussten auf plötzlich auftauchende Hindernisse reagieren. Die bittere

Wahrheit: Der Bremsweg verlängerte sich bei den Männern um ein Vielfaches. Und – Überraschung – bei den Frauen genauso! Es gab keinen relevanten Geschlechterunterschied.

Ich fahre am liebsten Fahrrad oder Bahn. Fahrrad mit Helm. Bahn mit Zeitpuffer. Schwierig ist die Kombination von einem telefonierenden Radfahrer mit einem telefonierenden Autofahrer und einer sich gerade schließenden Bahnschranke. Ich spreche aus Erfahrung. Ich habe mir einen Arm gebrochen, als ich auf dem Fahrrad telefonierte und ein überschneller Autofahrer noch über einen Bahnübergang zischen wollte. Ich hatte trotz des wichtigen Telefonates ein gesteigertes Interesse, weder der Bahn noch dem Auto direkt im Wege zu stehen. Das wurde mir aber durch meinen belegten Arbeitsspeicher erst einige Sekunden später klar, als gut gewesen wäre. Ich versuchte also, mein Rad zum Stehen zu bringen, dummerweise mit Hilfe der Hand, die das Vorderrad bremste. Ich beendete das Telefongespräch ohne weitere Höflichkeitsfloskeln, aber mit eindeutigen Lauten und stieg über den Lenker ab. Seitdem telefoniere ich im Gehen. Und solange keine attraktive Frau auf der anderen Straßenseite auftaucht, auch in ganzen Sätzen.

Eine der erstaunlichsten Leistungen des Arbeitsgedächtnisses und der Konzentration erlebte ich zu meiner Zeit als Moderator des *Think Theatre* bei meinem Freund Bernhard Wolff. Er ist Rückwärtssprecher. Er kann ganze Sätze, die jemand normal vor sich hin sagt, phonetisch im Kopf umdrehen und rückwärts aussprechen. Aber auch er muss dabei die Augen schließen, um sich voll darauf zu konzentrieren. Eigentlich müsste man ihn mal in einen Scanner legen, denn seine Sonderbegabung widerspricht allem, was bei normalen Menschen passiert, wenn sie mit so einer Aufgabe konfrontiert werden. Als diagnostischen Test für die mentale Fitness lässt man

Rätsel/Frauen

Können Frauen wirklich so viele Dinge gleichzeitig?
Rätsel sein und Rätsel lösen.

Patienten gerne von 1000 jeweils 7 abziehen. Sie müssen dann laut vorrechnen: 993, 986, 979 und so weiter. Versuchen Sie das einmal. Selbst ohne gleichzeitige andere Anforderungen ist man spätestens bei 700 reif für die Psychiatrie. Als Kinder hatten wir schon immer Spaß dabei, wie wild irgendwelche anderen Zahlen dazwischenzurufen, wenn einer von uns etwas vorwärts abzählen musste. Es ist extrem schwierig, sich dann beim Zählen nicht zu vertun. Aber sehr lustig. Für die anderen.

Wenn wir bei etwas unterbrochen werden, bemühen wir uns, den Faden nicht zu verlieren. Hirnscans bei Multitasking-Aufgaben zeigen: Was wir umgangssprachlich mit «Hinterkopf» bezeichnen, wo eine kurz unterbrochene Handlung aufs Wartegleis geschoben werden kann, ist in Wirklichkeit die andere Hirnhälfte. In einer Studie mussten Testpersonen einzeln auftauchende Buchstaben zu einem Wort zusammenfügen. Das aber rückwärts. Dazwischen wurden nicht passende Buchstaben als Störer eingeblendet. Die Menschen lagen in einer MRT-Röhre, und damit sie nicht einfach an etwas ganz anderes dachten, gab es für die einzelnen Aufgaben verschiedene Geldprämien. Unterschiedlich hohe Beträge wurden sichtbar in höhere Hirnaktivierung «umgemünzt». Wenn während einer «billigen» Aufgabe eine «lukrativere» mehr Aufmerksamkeit bekam, ließ sich direkt beobachten, was im Kopf passierte: Der «Entscheider» im Hirn, der Präfrontalkortex, schaltete von der einen zur anderen Hirnhälfte um, je nachdem, wo die größere Belohnung winkte. Unsere Aufmerksamkeit ist käuflich – aber eben nicht unbegrenzt teilbar.

Sobald wir drei Dinge gleichzeitig machen, werden wir keinen Deut effektiver. Wir erledigen jede der Aufgaben schlechter und brauchen insgesamt länger! Auch das bestätigte sich im Experiment deutlich: Kam zu zwei Buchstabenreihen eine dritte Aufgabe dazu, konnten die Probanden den Sinn der Rückwärts-Wörter nur noch erraten.

Wenn wir uns allein durch unsere Hirn-Hardware schon so schwertun, drei Ziele, Aufgaben oder Möglichkeiten gleichzeitig im Kopf durchzuspielen, ist das vielleicht der Grund, warum wir so gerne schwarz-weiß denken? Kommt daher unsere Neigung, die Welt immer in Polaritäten aufzuteilen? Gut/böse, richtig/falsch, schuldig/unschuldig. Der Kopf ist rund, damit das Denken die Richtung ändern kann? Von wegen. Mein Hirn, das hat zwei Hälften, zwei Hälften hat mein Hirn … Versuchen Sie das einmal zu der Melodie von «Mein Hut, der hat drei Ecken» zu singen, dabei auf einem Bein zu stehen und laut aus diesem Buch vorzulesen. Probieren Sie es aus, und wenn einer das besser kann als ein anderer, hat das nichts mit dem Geschlecht zu tun, sondern mit Übung. Viel Vergnügen, auch Ihren Zuschauern!

Und was bedeutet es für die Praxis, wenn weder Männer noch Frauen Multitasker sind? Dass uns alle diese Selbstüberschätzung teuer zu stehen kommt. Mindestens zehn Prozent aller Autofahrer sind ständig am Telefonieren. Nachweislich übersehen sie dabei die Hälfte der relevanten Informationen aus ihrer Umgebung. US-Behörden schätzen, dass knapp ein Drittel aller Unfälle darauf zurückgehen.

Aber um der wissenschaftlichen Korrektheit Genüge zu tun: Es gibt auch tatsächlich die sogenannten Supertasker. Sie sind anders als wir. Sie brauchen die Herausforderung. Getestet wurden sie in einem Hirn-Triathlon: Sie sollten am Telefon mathematische Aufgaben lösen, parallel andere Dinge memorieren und dabei Auto fahren. Durchschnittsmenschen waren sofort überfordert, brauchten zwanzig Prozent mehr Zeit, bis sie bremsten, und die Rechenleistung und das Abspeichern ließen spürbar nach. Die Supertasker hingegen konnten sich sogar besser erinnern, wenn sie gleichzeitig noch anderweitig gefordert waren. Das gibt es. Aber es sind weniger als drei Prozent der Menschen. Das Problem auf deutschen Straßen: Hundert Prozent der Autofahrer zählen sich zu diesen drei Prozent. Also lesen Sie bitte dieses Buch nicht beim Autofahren. Ich bin mit dem Rad unterwegs. Und falls Sie einmal zu Fuß unterwegs sind, empfehle ich Ihnen die New Yorker Lebensweisheit: «Bevor du über die Straße gehst, schau nicht nach der Ampel, schau nach den Autos!»

Ein Atemzug nach dem anderen, wobei: Stillsitzen ist sehr viel leichter, wenn man eine Statue ist.

Zähl nach!

Wer sich geliebt fühlt, dem werden materielle Dinge unwichtiger. Gleichzeitig geben Männer mehr Geld aus, wenn es nur wenige Frauen in ihrer Umgebung gibt und sie angeben wollten. Großes Herz oder dicke Hose – was macht Geld mit uns? Und was machen wir am besten mit dem Geld, wenn es uns glücklich machen soll?

Zwei Studenten stellten sich an eine Straßenkreuzung in San Francisco. Der eine zeigte den Autofahrern, dass er über den Zebrastreifen gehen wollte. Der andere beobachtete verdeckt, wie sich die Autos verhielten. Genauer gesagt, die Fahrer der Autos. Siehe da: Die Art des Autos ließ Voraussagen über das Verhalten des Fahrers zu. Die mit den dicksten Karossen verhielten sich am unsozialsten. Was man in der Versuchsanordnung jedoch nicht erheben konnte: War der Fahrer auch der Besitzer des Wagens, und hatte er das Auto geliehen, gekauft oder geerbt? Wir sehen schon: Die Wirkung von materiellen Dingen auf unser Verhalten zu untersuchen, hat viele methodische Tücken. Meine These wäre: Nicht Geld verdirbt den Charakter, sondern übermotorisierte Mietwagen.

Hat vielleicht Skrupellosigkeit Einfluss darauf, wie viel Geld man verdient? Und ob! In einer großen amerikanischen Studie zeigte sich erwartbar, dass Frauen weniger verdienen als Männer. Aber der noch größere Unterschied existierte zwischen den «harten» und den «weichen» Jungs. In der Persönlichkeitspsychologie nennt man das «Verträglichkeit». Die «Netten», die *nice guys*, die sich stärker um gute zwischenmenschliche Beziehungen bemühen, kooperativer und hilfsbereiter sind und daher auch bei anderen beliebter, machen

Linke u. Rechte
Ausfahrt Tag u. Nacht
← freihalten ! →

Und was ist mit den Piraten?

weniger steile Karrieren. Sie bleiben eher Teamplayer und werden deshalb schlechter bezahlt als die «harten» Karrierefrauen.

Das hat man nun davon, wenn man als Mann die so oft beschworenen Faktoren «emotionale Intelligenz» und *soft skills* mitbringt.

Und macht Geld uns wiederum «härter»? Ja. Geld ist richtiggehend ein Schmerzmittel. Es macht unempfindlicher für körperliche, aber vor allem für seelische Pein. Eine Studie zeigte: Wer zur Übung Geldscheine zählte, hielt danach mehr Schmerzen aus und war auch «immunisiert» gegen soziale Zurückweisung. Normalerweise tut es uns weh, wenn wir von anderen abgelehnt werden oder auch nur einen kleinen Korb kassieren.

Die Forscherin Kathleen Vohs meinte, Männer sollten doch ihr Geld zählen, bevor sie eine Frau ansprechen, weil sie dann selbstbewusster aufträten. Liebe Frau Vohs, warum denn vorher? Währenddessen! Das erinnert mich an italienische Machos, die für jeden zu zahlenden Espresso mit einem breiten Grinsen die fette Geldklammer aus der Brusttasche ziehen. Hat was. Wenn es bei dem einen Kaffee bleibt, tut es ihm nicht weh. Außerdem gibt man nachweislich weniger Geld aus, wenn man in Alltagssituationen bar bezahlt. Ist es Zufall, dass Depressionen und die Verschuldung der Privathaushalte in jenen Ländern besonders häufig sind, in denen viel mit Kreditkarte bezahlt wird?

Für die aktuelle Finanzkrise finde ich an den Versuchen von Frau Vohs interessant, dass es noch nicht einmal das eigene Geld sein musste, das gezählt wurde! Unsere Finanzminister schützen sich offenbar vor sozialer Zurückweisung, indem sie ständig Geld hin und her zählen, das ihnen nicht nur nicht gehört – es ist noch nicht einmal gedruckt!

Ich habe einmal einen Cartoon gesehen, der lauter Vögel auf verschieden hohen Stangen hockend zeigte, oben nur einer, unten viele, die klassische Pyramidenform einer Hierarchie. Offenbar sitzen diese Vögel schon eine ganze Weile auf ihrer Position, denn bis auf den obersten haben alle auf Kopf und Gefieder die weißen Flecken der Exkremente von dem darüber. Und zur Erklärung steht unter dem Cartoon: «Wenn der Chef von oben nach unten schaut, sieht er nur Mist. Aber wenn die von ganz unten hochschauen, sehen sie nur Arschlöcher.» Es ist einsam an der Spitze.

Dazu passen interessante experimentelle Beobachtungen: Denn Geld macht auch einsam. Bahnt man bei Versuchspersonen nur den unterbewussten Gedanken an Geld, werden sie automatisch weniger hilfsbereit und bitten selbst weniger um Hilfe, auch wenn sie diese bräuchten. Zudem entscheiden sie sich eher dafür, ihre Freizeit allein zu verbringen als in Gesellschaft. Geld stinkt nicht, aber sein purer Anblick macht einen stinkig. Wer an Geld denkt, rückt physisch von den anderen ab. Wenn sie sich einen Sitzplatz aussuchen durften, setzte sich die Geldgruppe weiter weg von anderen Menschen als die Vergleichsgruppe. Eine spannende Parallele zu der Beobachtung, dass Reiche so gern am Rand von Städten leben. Und eine weitere interessante Erkenntnis: Gemeinschaften, die auf hohe Stabilität und Gegenseitigkeit bauen, arbeiten oft ehrenamtlich oder verzichten, beispielsweise in einem Kloster, auf direkte monetäre Belohnung.

Aber bevor zu viel Sozialromantik aufkommt – meine Oma meinte immer: «Geld macht nicht glücklich, aber es beruhigt!» Und auch das stimmt nur zur Hälfte, denn Geld kann glücklich machen! Dafür ist es jedoch günstig, wenn man zuerst sehr wenig davon hat und das zusätzliche Geld somit einen spürbaren Unterschied für die Sicherung der Grundbedürfnisse nach Essen, Wohnen und gesellschaftlicher Teilhabe macht. Ich würde aber einmal frech behaupten, dass jeder, der dieses Buch in die Hand nimmt, zu dem reichsten Prozent der Weltbevölkerung gehört. Sie sorgen sich gerade offenbar nicht um Ihre Existenz, sondern lesen. Aber sollten Sie einmal überlegen, wofür es sich wirklich lohnt, Geld auszugeben, dann hat die Glückforschung ein paar konkrete Tipps:

Geld macht glücklicher, wenn man es für andere ausgibt – also lieber einem lieben Menschen eine Pizza ausgeben als allein Austern schlürfen. Ebenfalls wahr, obwohl es komisch klingt: Geld macht am meisten Spaß, wenn es weg ist! Auch wenn unsere Eltern meinten, wir sollten etwas von «bleibendem Wert» kaufen, sind bleibende Erinnerungen die bessere Investition. Ein Urlaub mit neuen Bekanntschaften bringt mehr Freude als ein Auto einer noch so bekannten Marke. Und im Gegensatz zu Aktien sind Aktionen und die Erinnerungen daran krisenfest und inflationssicher in unserem Gedächtnis angelegt. Sie verzinsen sich emotional und gewinnen an Wert, je länger sie zurückliegen. Legen Sie Ihr Geld in Fotoalben an, das ist pures Erinnerungsgold!

Vielleicht verdirbt Geld nicht den Charakter, sondern bringt ihn nur zum Vorschein. Dass Reiche automatisch egoistischer werden, klingt gut, ist zum Glück aber nicht so simpel. Der Sozialpsychologe, der die Studenten an die Straße stellte, hat über einhundert verschiedene Faktoren und Situationen untersucht. Veröffentlicht wurden aber nur sechs, in denen die Reichen ein schlechtes Bild abgaben. Das ist billig. Wenn man schon über die Psychologie des Geldes forscht, sollte man nicht bestechlich sein, noch nicht einmal von den eigenen Vorurteilen.

Über die positive Psychologie des Geldes ist, verglichen

mit dem Aufwand, den wir betreiben, um Geld anzuhäufen, immer noch sehr wenig bekannt. Im Labor wird Spielgeld verwendet und vergleichsweise künstliche Situationen geschaffen. Einer meiner ersten Fernsehauftritte war in einer Sendung namens *Casino Royal,* die völlig zu Recht in Vergessenheit geraten ist: Die Grundidee war, die knisternde Atmosphäre eines Spielkasinos in ein Fernsehstudio zu übertragen. Allein – es knisterte nicht. Erst zu spät wurde allen Beteiligten klar: Es macht einen großen Unterschied, ob man echte Menschen sieht, die ihr echtes Geld verzocken, oder ob man Prominenten dabei zuschaut, Gummipunkte für einen guten Zweck zu sammeln.

Wir sind also alle noch am Lernen, wie reales und virtuelles Geld unser Denken verändert. Auf eBay ereignete sich folgender wunderbarer Fall: Ein Einkaufsgutschein im Wert von fünfzig Euro wurde ersteigert – für zweiundsechzig Euro. Und ich wette, der Typ hatte noch einen Moment lang das Gefühl, er habe ein tolles Schnäppchen gemacht.

Alles, was ich bislang über die Finanzkrise, Aktien und die Psychologie des Geldes verstanden habe: Wenn jemand behauptet, er wisse, wie man mit Geld vernünftig umgeht – dann hat er überhaupt nichts verstanden.

Ein befreundeter Arzt verriet mir, dass selbst in der Psychotherapie der Einsatz von Bargeld unmittelbare Wirkung zeigen kann: Phobiker, die Angst vor Spinnen haben, werden nach Lehrbuch über mehrere Sitzungen langsam mit Spinnenfotos konfrontiert, dann mit Gummispinnen, bis sie sich schließlich trauen, eine echte Spinne zu berühren. Der Therapeut kostet pro Sitzung achtzig bis einhundertzwanzig Euro. Mein Kollege sagte: «Drückt man einem Spinnenphobiker einmalig fünfzig Euro in die Hand, berührt er die Spinne sofort.» Wenn das die Krankenkassen wüssten.

Der Preis ist Schweiß!

Lieben Sie es zu schwitzen? Ich bin einmal im Dienste der Wissenschaft mit einem rohen Ei in die Sauna gegangen. Fünfundneunzig Grad. Das ist mehr als ein rechter Winkel. Wie lange bleibt man da aufrecht? Nach zehn Minuten bei dieser Temperatur war das Ei fix und fertig – sprich hart. Ich nicht. Ich war härter im Nehmen, blieb feucht, aber geschmeidig. Warum?

Der zentrale Unterschied: Der Mensch kann höchst effektiv schwitzen. Kaum etwas kühlt so schnell und günstig wie verdunstendes Wasser. Das Ei hätte rechnerisch nur 3,5 Milliliter Schweiß bilden müssen, um ebenfalls seine Körpertemperatur konstant zu halten. Kann es aber nicht. Ein Ei kann sich nicht mal für die Sauna allein pellen. Da sind ihm von Natur aus die Hände gebunden.

Dass wir Menschen uns über so etwas überhaupt Gedanken machen können, verdanken wir der perfekten Klimaanlage in unserer Haut. Denn unser Gehirn kann nur funktionieren, wenn es nicht überhitzt. Bei drei Grad über Betriebstemperatur gibt es schon den Geist auf. Nur dank seiner Kühltechnik konnte sich der Mensch in der Evolution zu einem Hochleistungsrechner entwickeln.

Wo gehobelt wird, fallen Späne, und wo gedacht oder sonst wie Energie umgesetzt wird, gibt es Abwärme. Das gilt auch in anderen Bereichen: Das Hauptproblem bei großen Computeranlagen ist, wie man sie vor dem Überhitzen schützt. Auch ein Auto kann die Motorleistung nur abrufen, solange die Kühlung funktioniert. Und das Gehirn verbraucht zwanzig Prozent der gesamten Energie unseres Körpers, ist also ein mentaler Durchlauferhitzer. Auch die Muskeln geben beim Verbrennen von Fett und Kohlehydraten jede Menge Wärme ab. Ohne Schweiß heizen bereits dreißig Minuten Fitnessprogramm den Körper hoch auf fieberhafte vierzig Grad. Genau die Temperatur, ab der wir anfangen, zu halluzinieren und im Fieberwahn zu dämmern. Und ab zweiundvierzig Grad fällt das Hirn komplett aus. Böse Zungen behaupten, das würde im Fitnessstudio nicht weiter auffallen. Okay, aber es reichen auch ein paar Stunden direkte Sonneneinstrahlung, und wir bewegen uns auf der evolutionären Leiter rasch wieder abwärts Richtung Pavian und Ballermann. Wer hätte das gedacht: Die Krone der Schöpfung wurde Ihnen präsentiert von der Schweißdrüse!

Und was ist mit dem König der Tiere? Der Löwe führt die meiste Zeit ein unfreiwilliges Schattendasein, denn ihm fehlen die Schweißdrüsen. Und sobald er einmal kurz der Antilope hinterhergesprintet ist, überhitzt er und muss sich wieder lange abkühlen. Er ist zur Ruhe gezwungen.

Wir dagegen könnten uns sogar in der prallen Sonne in ein Restaurant setzen, uns ein Antilopensteak bestellen und dabei noch auf einem Flachbildschirm weltweit Männern dabei zusehen, wie sie schwitzend einem Ball nachjagen. Dabei verlieren diese als Stellvertreter der ganzen Nation bis zu fünf Liter in neunzig Minuten und manchmal auch noch das Spiel. Ohne Schweiß kein Preis!

Von wegen: Schwitzen wie die Tiere. Hunde können nur hecheln, Katzen sich sträuben, und die Fische, aus Frust darüber, dass sie nicht schwitzen können, beschlossen, das Wasser nie zu verlassen. Dass wir am oberen Ende der Futterkette stehen, ist kein Zufall. Ohne die Evolution der Schweißdrüse wäre der Mensch auch nie in der Lage gewesen, so etwas zu erfinden wie Deos oder Rasierklingen. Gut, er hätte das alles dann auch nicht gebraucht – kein Tier rasiert sich schließlich, obwohl viele es, weiß Gott, nötig hätten – abgesehen vom Nacktmull. Von den Gerüchen wollen wir gar nicht erst anfangen.

Als Medizinstudent war ich für ein Praktikum in Südafrika. Eine Frau dort hat mich nachhaltig beeindruckt. Sie war Krankenschwester und lief ständig mit einer Wasserpistole herum, nicht um die Kinder zu amüsieren, sondern um sich selbst zu besprühen. Denn sie konnte nicht schwitzen. *Anhidrosis* heißt diese seltene Laune der Natur, bei der einem die Schweißdrüsen fehlen. Und deren unsichtbare Höchstleistung musste sie ersetzen, indem sie sich selbst befeuchtete. Sie nahm es mit viel Humor.

«Brot kann schimmeln – was kannst du?» Ab heute kann jeder stolz sagen: Ich kann schwitzen, einen kühlen Kopf behalten und dafür dankbar sein. Schließen wir ins heutige Nachtgebet die Schweißdrüse einmal mit ein. Und die vom kranken Nachbarn auch. Schweiß ist die coolste Erfindung der Evolution. Der Rest der Tierwelt beneidet uns drum.

Wer meint, er braucht kein Netzwerk, spinnt.

Was du nicht sagst!

Wenn man sichergehen will, dass auf einer Party über einen geredet wird, muss man nur eins tun: nicht hingehen. Menschen lieben Tratsch. Männer genauso wie Frauen. Jeder tut es, jeder verdammt es. Wo immer Menschen zusammenkommen, wird über die geredet, die gerade nicht da sind. Nach vorsichtigen Schätzungen geht es bei zwei Dritteln aller Gespräche zwischen Erwachsenen um andere, die sich in dem Moment nicht dagegen wehren können.

Die Definition ist schwierig. Was ist Tratsch, was ist Klatsch, was sind Gerüchte und was wertvolles Insiderwissen? Das hängt von der Perspektive ab: Wenn es andere machen, ist es Lästern, wenn wir es selbst machen, Informationsabgleich. Ich verwende der Klarheit halber die Begriffe alle durcheinander, denn mich interessiert etwas ganz anderes: Welche Macht steckt dahinter? Warum ist der Tratsch so ein Milliardenmarkt für Telefonanbieter, Verlage und Internetportale? Und warum gibt es beim Mobilfunk so viel mehr Funklöcher als beim Flurfunk? Wer tut nie etwas in die Kaffeekasse, wer hat, als er noch in der anderen Abteilung arbeitete, die Kollegen verpetzt, wer hat was mit wem und darf nie erfahren, dass es längst alle wissen?

Auch wenn jeder gerne so tut, als wenn ihn das ganze Gerede nicht interessieren würde: Klatsch ist die Grundlage der menschlichen Gesellschaft! Es ist der soziale Klebstoff. Denn unser Miteinander basiert auf Vertrauen. Und beim Tratsch erfahre ich – ganz im Vertrauen –, wem ich vertrauen kann und wem nicht. Gute Informationen sind Beziehungsgold, es ist die Tauschwährung, die uns gegen Täuscher wappnet. Oft täuschen sich die Täuscher selbst, wie gut sie Dinge geheim halten können. So banal die meisten «Neuigkeiten» daherkommen, so fundamental ist ihre Bedeutung.

Der Evolutionsanthropologe Robin Dunbar geht sogar so weit zu sagen: Es war in der Menschwerdung der Wunsch, effektiver tratschen zu können, der maßgeblich unsere Sprachentwicklung vorangetrieben hat. Das kann man sich gut vorstellen, wenn man mal einer typischen Tratsch-Konversation lauscht.

Der sicherste Weg einer weiten Streuung ist der eröffnende Hinweis: «Aber streng vertraulich.» Dann setzt sich die Multiplikationsmaschine in Gang: «Weißte, was ich gehört hab?» – «Nee.» – «Kommst du nie drauf.» – «Nu sag schon.» – «Darf ich nicht, ist echt privat.» – «Komm, ich schweig wie ein Grab.» – «Na gut: Also die Frau von dem Dings soll ja mit dem Bums …» – «Ich glaub's nicht.» – «Das hätt' ich gerade von der so nie gedacht.» – «Die hat doch gestern noch mit dem gelacht.» – «Ganz schaurig, so traurig.» – «Jetzt, wo du's sagst, macht alles einen neuen Sinn – das Vertrauen ist hin.» – «Wenn erst der Dings das mal erfährt.» – «Also von mir erfährt der schon mal gar nichts.» – «Es sei denn, er hat's schon gehört, dann macht's ja auch nichts.» – «Das ist ja gar nichts gegen das, was man von dir hört.» – «Das wirst du doch nicht etwa glauben. Das ist doch nur Tratsch!»

Der größte Sprengstoff im Zusammenleben der Menschen liegt darin, dass es so oft verführerischer ist, egoistisch nach dem eigenen Vorteil zu schielen, als moralisch zu handeln; gerade dann, wenn man meint, es bekomme kein anderer mit. Andererseits sind wir als soziale Geschöpfe immer von anderen abhängig, müssen Vertrauen erwecken und gleichzeitig darauf achten, dass unser Vertrauen nicht missbraucht wird.

Nun hat aber jeder seine Macken, Abgründe und Geheimnisse, die nicht unbedingt jeder wissen sollte. Der beste Weg, diese geheim zu halten, ist, sie einzutauschen gegen ein bisschen Gewissensbisse von jemand anderem: Ich sage dir etwas Peinliches von mir und du dafür etwas von dir. Das Prinzip des besten Freundes oder der besten Freundin, der man «alles» erzählt. Hat man gegenseitig viel belastendes Material in der Hand, haben beide ein gesteigertes Interesse daran, dichtzuhalten und nicht «alles» weiterzuerzählen, also nur andeutungsweise und auch nur der nächstbesten Freundin.

Männer wollen immer von ihren Heldentaten berichten und erzeugen so Neid und Langeweile. Frauen reden über ihre Fettnäpfe und kleinen Sünden und schaffen so Nähe und Interesse. Peinliches als vertrauensbildende Maßnahme. Und für alles noch Schlimmere gibt es Beichtstühle, Psychotherapeuten und Ärzte mit Schweigepflicht. Die Sorge um den eigenen Ruf geht sogar so weit, dass man alles dafür tut, andere nicht wissen zu lassen, dass man beim Pfarrer, Therapeuten oder Urologen war. Geschweige denn, warum.

Wie sähe eine Welt ohne Tratschen aus? Wäre es eine bessere? Wohl kaum. Denn die Angst, seinen guten Ruf zu verlieren, und das dazugehörende Gefühl von Peinlichkeit verhindern, dass wir uns komplett danebenbenehmen und so gegen gemeinsame Werte unserer Gruppe verstoßen. Nur wenn es auch eine Bestrafung durch beispielsweise Rufschädigung gibt, hält sich die Mehrheit an die gemeinsamen Regeln. Wer etwas anderes glaubt, hat nie in einer größeren Wohngemeinschaft gelebt, in der man sich darauf geeinigt hat, «dass jeder einfach irgendwie mit drauf achten soll, dass alles Geschirr gespült wird».

Das ist auf der politischen Ebene genauso. Warum sollten sich Länder an die Haushaltsregeln halten, wenn das Schlimmste ist, was passieren kann, dass Mutti Merkel sauer wird? Rauswerfen kann sie einen nicht. Und der aus dem anderen Zimmer hat auch nicht seinen Teil beigetragen. Nationen haben gegenüber Einzelnen allerdings den Vorteil, dass sie kein gemeinsames Gesicht haben, das sie verlieren können. Sie können nur «abgestuft» werden. Und ist der Ruf erst ruiniert, lebt es sich ganz ungeniert.

Zurück zu einer überschaubaren Gruppe. Unser Sozialverhalten wurde geprägt und ausgelegt für unseren Klan. Rund hundertfünfzig Menschen kann man in ihren Beziehungen miteinander noch im Überblick behalten. Und innerhalb dieser Einheit macht es auch Sinn, dass nicht jeder seinen Egotrip durchzieht, sondern man sich arrangiert und sozial verhält. Das lässt sich im Gehirn nachweisen. Unser Belohnungssystem spendiert uns gute Gefühle, wenn wir Gutes tun.

Und was passiert bei Bosheit? Die Arbeitsgruppe um Ernst Fehr an der Universität Zürich hat diese Frage im «Ultimatumspiel» für zwei Personen versucht zu beantworten. Einer bekam hundert Euro, musste dem anderen aber davon etwas abgeben und konnte entscheiden, wie viel. Akzeptierte der Partner die angebotene Summe, durfte jeder seinen Anteil behalten. Der Clou: Der Beschenkte hatte ein Vetorecht. Lehnte er das Angebot komplett ab, war das ganze Geld futsch, für beide.

Rein ökonomisch gedacht, hätte der Geldnehmende mit jedem Betrag zufrieden sein müssen, denn auch fünf Euro sind besser als nichts. Das Verrückte: Selbst ein Angebot von fünfundzwanzig Euro lehnten die meisten ab. Die dachten sich wohl: «Dem Egoisten zeig ich es aber, damit kommt er bei mir nicht durch! Dass dem das nicht peinlich ist …»

Die Bestrafung des Geizhalses war wichtiger als der eigene

Vorteil, einfach den angebotenen Betrag zu nehmen und zu gehen. Wir erziehen andere einfach gerne, sogar dann, wenn wir sie nie wiedersehen werden und selbst dadurch benachteiligt werden. Im Klan galt: «Man trifft sich immer zweimal.» Das steckt noch immer als Gerechtigkeitsempfinden in uns drin. Langfristig haben auch heute alle in der Gesellschaft etwas davon, wenn Rowdys und Egomanen zurechtgewiesen werden und ein rabiater Nutznießer befürchten muss, dass alle von ihm bald die Nase voll haben. «Mir doch egal, was die anderen über mich sagen»? Von wegen! Das stimmt nur für Psychopathen. Alle wollen, dass gut über sie geredet wird, sogar Mafiosi. Die Eintrittskarte für den inneren Kreis ist angeblich ein Mord, denn damit hat jeder etwas gegen den anderen in der Hand, was die Gruppenzugehörigkeit verstärkt. Alle wissen voneinander «zu viel». Wenn einer quatscht, wird dafür gesorgt, dass er das nicht mehr lange macht. Und da geht es nicht mehr nur um Rufmord.

Klare Regeln machen Gruppen erfolgreich. Wie der Psychologe Jonathan Haidt belegt hat, ist eine kooperative Gruppe langfristig immer stärker als jeder Einzelkämpfer. Im Guten wie im Bösen. Menschen sind für Haidt die «Giraffen des Altruismus». So wie Giraffen lange Hälse bekamen, um zu überleben, entwickelten Menschen moralische Gedanken, die ihren Gruppen halfen, besser aufeinander zu achten und sich gegenseitig zu helfen. Und etwaigen Trittbrettfahrern verbal vor das Schienbein zu treten.

Einer der großen *Gossip*-Forscher weltweit ist Robb Willer, Professor der Soziologie in Berkeley, USA. Er konnte zeigen, wie nah uns egoistisches Fremdverhalten auch körperlich geht. Willer arrangierte seinen Versuchsaufbau so, dass Probanden scheinbar zufällig mitbekamen, wie ein Mitspieler (in Wirklichkeit einer vom Forscherteam) sich auf Kosten der anderen bereicherte. Wer ihn «ertappte», bekam buchstäblich Herzrasen und war physisch gestresst. Der Puls beruhigte sich erst wieder, wenn die Probanden den nächsten Spieler vor dem Betrüger warnen konnten. Sie waren sogar bereit, Geld dafür zu zahlen, nur um ihr Geheimnis über den vermeintlichen Übeltäter loszuwerden.

Wo ist die Grenze zwischen sozial nützlichem Warnen und eigennützigem Streuen von Gerüchten, um selber besser dazustehen? Wahrscheinlich hat Lästern deshalb so einen schlechten Ruf, weil man schnell über das sinnvolle Maß hinaus sinnlos den Ruf und damit bisweilen auch die Existenz von Menschen vernichtet.

Denn gerade weil Gerüchte sich wie ein Lauffeuer verbreiten, hinterlassen sie oft verbrannte Erde. Gerüchte folgen eigenen Gesetzen, von denen das fieseste lautet: Im Zweifel gegen den Angeklagten. Vor Gericht führt «Mangel an Beweisen» zum Freispruch. Bei einem Gerücht führt «Mangel an Beweisen» dazu, dass man es glaubt. Eine unglaubliche Geschichte ...

Wie die Gerüchteforscher herausfanden, macht eine offensichtliche Übertreibung eine Geschichte weniger glaubhaft. Und auch in der Gerüchteküche gilt: Nichts wird so heiß gegessen, wie es gekocht wird. Ein ganz «heißes» Gerücht verliert bei jeder Weitergabe ein Drittel der Brisanz. Die Tücke bleibt jedoch, dass wir Gerüchten mehr glauben als unserer eigenen Wahrnehmung, vielleicht weil sie scheinbar die «Weisheit der vielen» repräsentieren. Dabei sollte jeder noch aus dem Kindergarten wissen, dass bei «Stille Post» das, was am Ende herauskommt, wenig mit der Anfangsgeschichte zu tun hat. Sie können es selbst einmal testen: Setzen Sie ein abstruses Gerücht in die Welt und warten Sie, bis es über drei Ecken wieder bei

Ihnen landet. Sie werden kurz das Gefühl haben, dass da doch was dran sein muss!

Es ist ein schmaler Grat, leicht kippt der Kitt der Gruppe und wird zum Gift der Ausgrenzung. Erst recht in Zeiten des Internets, in denen Verleumdungen und übler Nachrede kaum Grenzen gesetzt sind. Denn auch wenn etwas Unwahres über jemanden behauptet wird, ist es stets spannender als die meist unspektakulärere Wahrheit. Und es bleibt immer ein Nachgeschmack.

Worin besteht der Reiz all der Regenbogenblätter, die über Menschen berichten, die man nie persönlich kennengelernt hat? Zu William und Kate, zu Boris und Lilly, zu Stefanie Hertel und Roberto Blanco besteht eine Nähe, weil wir sie schon einen Teil ihrer Karriere begleitet haben. Sie gehören irgendwie mit zur Familie, zumindest zum Klan. Und wenn man alle, die einem so einfallen, durchzählt, kommt man wahrscheinlich wieder auf die hundertfünfzig. Wir haben bei den prominenten Mitgliedern unserer Familie gefühlt den Anspruch zu erfahren, wie es ihnen geht. Wo wir doch schon so viele gute Ratschläge in ihre Entwicklung investiert haben, von denen komischerweise die wenigsten befolgt wurden.

Ich bin da anders. Ich will gar nicht alles über das Privatleben der Stars wissen und erst recht nicht über das unserer Politiker. Noch nicht einmal alle Details der eigenen Familie. Wenn über jeden privaten Absturz, Fehltritt und Furz berichtet wird, kann das nicht mehr im Sinne der Gemeinschaft oder der Demokratie sein. Denn dann werden sich die halbwegs besonnenen Charaktere mehr als bisher überlegen, ob sie sich in diese Arena begeben, wo sie im Blitzlichtgewitter zerfleischt werden, nur um zu entdecken, dass auch Politiker Menschen aus Fleisch und Blut sind. Und es werden noch mehr Selbstdarsteller und Narzissten in die Politik gehen, und man wird sie nehmen müssen, weil sonst keiner mehr dazu bereit sein wird. Daher besteht kurioserweise ein übergeordnetes öffentliches Interesse daran, nicht alles öffentlich zu machen.

Wenn Sie nicht gerade Friseur sind, können Sie ganz viele dieser Zeitschriften entsorgen und brauchen sich über viele der Figuren darin auch keine Sorgen mehr zu machen. Werden Sie lieber selbst interessant. Und erzählen Sie probehalber doch heute einmal nur etwas Nettes über andere weiter. Stefanie Hertel zum Beispiel ist wirklich sympathisch. Aber das nur im Vertrauen. Und das sag ich auch wirklich nur Ihnen. Glauben Sie mir, das steht in den anderen Exemplaren dieses Buches nicht drin. Habe ich schon gesagt, dass dieses Buch ganz hervorragend zu Ihrer Frisur passt? Bei der Dings ja nicht so. Ob der das keiner sagt?

Du wirst immer mein bester Freund sein, du weißt einfach zu viel.

Das Auge liest mit

Warum sagt man für «sich verlieben» auch «sich in jemanden vergucken»? Sosehr alle beteuern, auf die inneren Werte käme es an, ist ausgerechnet der Sehsinn der anfälligste unserer sieben Sinne, der, auf den wir hereinfallen. Es heißt ja auch im Englischen *to fall in love* – «in Liebe fallen». Oder auf Deutsch: Liebe macht blind, noch schöner: Man sieht nur mit dem Herzen gut. Zumindest in der Verliebtheitsphase gilt es deshalb als Zeichen praktizierter Romantik, möglichst bei jeder Gelegenheit, bei der man mit seinem Schatz allein ist, die Augen zu schließen, sogar im Kino. Wir wollen halt mit allen Sinnen genießen. Aber was, wenn die Sinne sich widersprechen? Eine erschütternde Einführung in die Skandale der Informationsverarbeitung im Gehirn:

Wann haben Sie das letzte Mal geblinzelt? Sie erinnern sich nicht? Sehen Sie: Wir blenden das Ausblenden total aus! Zehnmal pro Minute gehen unsere Augen kurz zu und gleich wieder auf. Das heißt: Ein guter Teil der Zeit mit offenen Augen sind diese gar nicht offen! Mal angenommen, bei der Übertragung eines Fußballspieles käme zehnmal pro Minute Schwarzbild – da würden sich die *Public Viewer* doch schwarz ärgern! Wieso nur merken wir beim *Private Viewing* nix davon, wenn wir die Verdunklung selbst verursachen? Warum wird es für uns nicht immer wieder zappenduster?

Das Geheimnis liegt nicht im Auge, sondern im Gehirn. Wie in jeder größeren Organisation wird nach oben hin der Bericht beschönigt, das heißt, der Chef – in diesem Fall das Bewusstsein – erfährt nie die ganze Wahrheit. Das Auge – sozusagen der Außendienstmitarbeiter – ist zuständig für das Anliefern

der Bewegtbilder. Dummerweise ist alle paar Sekunden Total-
ausfall der Empfangsstation. Aber wenn der Chef fragt, wie es
an der Basis aussieht, hört er immer: «Jaja, alles in Ordnung.
Wir sind live auf Sendung!» Wir beschummeln uns sehenden
Auges jedes Mal, wenn wir ein Auge zudrücken!

Unser Gehirn ist mehr als nur eine Leinwand, auf die die
Bilder von außen projiziert werden. Es ist eine sehr komplexe
Bearbeitungssoftware, die aus allen Informationen, die ange-
liefert werden, versucht, sich ein halbwegs stimmiges Bild von
der Welt zu machen. Wenn vor und nach dem Blinzeln ein ähnliches Bild vom Auge gesendet wird, besteht kein Grund zur
Beunruhigung. Wenn vor einer Sekunde noch eine Flasche vor
mir auf dem Tisch stand und nach dem kurzen Blackout auch,
ist es zweckmäßig anzunehmen, dass sie die ganze Zeit da war,
auch wenn ich es nicht genau beobachten konnte. Trickreich,
aber irgendwie auch naiv.

Ein kleines Kind glaubt noch, wenn es sich die Hände vor
die Augen hält, dass in dem Moment, in dem es selbst nichts
mehr sehen kann, es auch für andere unsichtbar wird. Mit etwas mehr Lebenserfahrung geht man später davon aus, dass
die Welt weiterexistiert, wenn man kurz mal nicht hinschaut.
Ob die Welt weiterexistiert, wenn wir für immer die Augen
schließen, ist auch für Erwachsene schwer zu beantworten. Jedenfalls vorher. Aber das ist auch eine andere Frage.

Obwohl der Sehsinn sich offensichtlich sehr leicht täuschen
lässt, benimmt er sich innerhalb der Sinne äußerst selbst-
bewusst, um nicht zu sagen machomäßig. Unsere Sinne sind
ja dazu da, aus der Welt um uns herum Sinn zu fertigen. Nur,
wenn Auge und Ohr unterschiedliche Informationen liefern –
wem wird geglaubt? Dem Auge! Das schlagendste Beispiel sind
Bauchredner. Unser Verstand weiß eigentlich, dass die Puppe

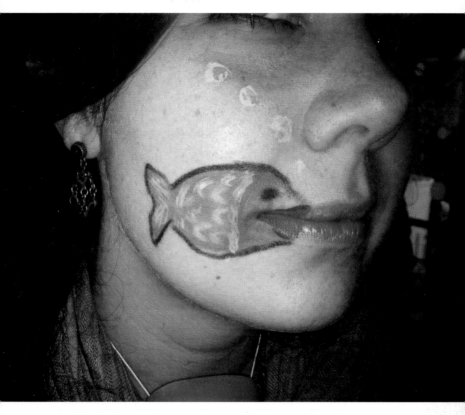

... und das Tollste: Er kann sprechen – sogar lippensynchron!

auf dem Arm nicht sprechen kann. Das Ohr meldet: quakende Töne aus dem Kehlkopf des Sprechers, woher auch die normale Stimme kommt. Aber egal, wie schlecht der Bauchredner ist, wir hängen nicht an seinen Lippen, sondern an denen der Puppe, nur weil sich diese deutlicher bewegen. Die Rechtsprechung im Gehirn ist nicht blind. Sie entscheidet: Im Zweifel für das Auge. Und so sprechen wir einer Stoffpuppe als erwachsene Menschen eigenes Leben zu. Absurd. Sie müssen nicht ins Varieté gehen, um das zu überprüfen. Kino geht auch!

Obwohl während eines Dialogs beide Schauspielerstimmen aus ein und demselben Lautsprecher in der Mitte der Leinwand kommen, «orten» wir sie bei den jeweiligen Mündern rechts und links. Wieder muss die Info vom Ohr sehen, wo sie bleibt. Das Auge setzt seine Sichtweise immer durch. So drückt das Gehirn auch bei schlecht synchronisierten Filmen ein Auge zu. Statt des zweisilbigen *Fuck off* im englischen Original lautet bisweilen die deutsche Übersetzung: «Gehen Sie dorthin, wo der Pfeffer wächst, Sie Schuft.» Ein paar mehr Silben, der Mund des Schauspielers ist schon lange zu, aber egal. Wir fallen drauf rein.

Sie können den Bauchrednereffekt im Notfall auch für sich nutzen. Dann, wenn Ihr Bauch tatsächlich einmal peinlicherweise redet, während Sie zwischen vielen Menschen stehen. Alle haben es gehört, nur weiß noch keiner sicher, wessen Verdauung sich da ins Gespräch eingemischt hat. Nur Sie als Verursacher wissen es. Da heißt es: Cool bleiben und einen entsetzten Blick auf jemand neben Ihnen werfen, dem dann von allen nachträglich das Geräusch in die Schuhe geschoben wird. Oder eine Etage höher. Wie gesagt, bitte nur im diplomatischen Notfall anwenden.

Liedtext
zur Melodie von
«Just the way
you look
tonight»

Loblied auf die Langzeitbeziehung

Ich wach neben dir heut auf,
Du bist nicht gut drauf,
Doch das überrascht mich keinesfalls,
Ich kenn dich nur mit so 'nem Hals.

Ich mag dich, du alter Pessimist,
Ich hätt' dich sonst vermisst,
Wärst du für mich nicht so unwiderstehlich,
Widerborstig Tag für Tag.

Was ich so an dir mag,
Ist die Beständigkeit,
Leidenschaft, die vergeht,
Doch unser Leiden bleibt.

Ich mag dich so grimmig, wie du bist,
Ich hätt' mich längst verpisst,
Wärst du nicht so dermaßen unausstehlich,
Hauptsache, du stehst auf mich.

Ich mag dich, du hast immer recht,
Die Welt ist wirklich schlecht,
Darum wünsch ich mir,
Du sollst so bleiben.

Schlimmer wird's von ganz allein.

5. Die Liebe
zu Speis und Trank

Gerste, Monogamie, Käsewürfel, positive Ziele,
Symmetrie, Kalorien, Cowboys

Für unsere kleinen Gäste:

Bratwurstscheiben mit Pommes und Ketchup Euro 4,8
Schweineschnitzel mit Pommes, Ketchup Euro 7.50

Und nach dem Essen die Empfehlung:
… Marillenbrand direkt vom Bauernhof
2 Cl. Euro 3,80

Früh übt sich!

«Was kommt dabei heraus, wenn man die Gene eines Iren mit denen eines Deutschen kreuzt? Jemand, der zu betrunken ist, um Befehle zu befolgen!»

Alkohol ist Teil unserer Kultur. So weit, so gut. Aber vielleicht sogar die Grundlage? Es gibt ernstzunehmende Anthropologen, die sagen: Der wichtigste Beweggrund in der Menschheitsentwicklung, sesshaft zu werden und Ackerbau zu betreiben, war nicht das Korn, sondern der Korn! Nachweislich ist die Gerste eine der frühesten Getreidesorten, die kultiviert wurden. Wie man aber noch heute mit Produkten aus dem Bioladen überprüfen kann, ist reine Gerste schwer verdaulich – es sei denn, man braut daraus etwas!

Der Mensch wurde also sesshaft, weil er nicht mehr stehen konnte. Der älteste Nachweis für die Existenz von Bier stammt aus dem Vorderen Orient. 8000 v. Chr. war Bier in Mesopotamien schon Alltagsgetränk. Tatsächlich wurde bis in die Neuzeit auch in Mitteleuropa wesentlich mehr Alkohol getrunken als heute. Man schätzt beispielsweise, dass die Kölner im 15. Jahrhundert pro Kopf zwischen zweihundert und dreihundert Liter Bier im Jahr konsumiert haben! Bier galt damals sogar als geeignetes Getränk für Kinder: Es stellte sie ruhig, es hatte Kalorien, und vor allem war es keimfrei im Gegensatz zum Wasser. Seitdem haben sich Ernährungslage und Saufgelage geändert. Unser Wasser ist trinkbar geworden und sogar das alkoholfreie Bier.

Aller Globalisierung und europäischer Vereinheitlichung zum Trotz hat jede Nation ihre eigenen Trinkgewohnheiten. Eine große Studie versuchte herauszufinden, wie die verschiedenen nationalen Lebensarten mit den ländertypischen Todes-arten zusammenhängen. Konkret verglich man die Trinkge-wohnheiten in Belfast mit denen in drei französischen Städten. Und so stand ausgerechnet im renommierten *British Medical Journal* ein Lob auf das französische *savoir-vivre*! Es sei gesün-der als der irische *lifestyle*.

Im Angelsächsischen werden Bier und Schnaps bevorzugt und vor allem am Feierabend und an den Wochenenden ge-trunken, dann aber exzessiv. In Frankreich dagegen gehört ein gutes Glas Rotwein zu jeder Mahlzeit, als Grundlage oder Grundrauschen. Sturzbetrunkene Menschen sieht man in Frankreich seltener, obwohl Komasaufen unter Jugendlichen auch dort in den letzten Jahren, wie in Deutschland, zum erns-ten Problem geworden ist. Saufen ohne Punkt zum Koma hat einen hohen Preis: In Nordirland sterben zwei- bis dreimal so viele Menschen an einem Herzinfarkt, obwohl sie in der Sum-me nicht mehr, sondern sogar etwas weniger Alkohol zu sich nehmen als die Franzosen. Wann die Pumpe nicht mehr will, hat offenbar nicht nur mit der Gesamtmenge, sondern auch mit der Geschwindigkeit des Betankens zu tun. Denn in Belfast bechert jeder zehnte Erwachsene exzessiv, so als ginge es mit jedem Guinness darum, ins gleichnamige Buch zu kommen. In Frankreich ist nur jeder Hundertste so ein *Binge*-Trinker, was man mit «Sturz-Trinker» übersetzen könnte. Übrigens ist die häufigste Todesursache durch Alkohol gar nicht der Leberscha-den, sondern der Hirnschaden, verursacht durch tückische Treppenstürze oder andere Abstürze ins Bodenlose.

Dass die Grande Nation nicht so recht für ihre Ernährungs-sünden mit Rotwein und Gänseleber büßt, ist der Forschung als *french paradox* schon lange ein Dorn im Auge. Aber para-doxerweise kein Anlass, über unsinnige und genussfeindliche

Leitlinien nachzudenken. Nicht die Dosis allein macht das Gift, wichtig ist auch die Verteilung. Die Deutschen gehören beim Thema Alkohol in Europa zu den Geberländern, genauer gesagt zu den Sich-die-Kante-Geber-Ländern. Unser Pro-Kopf-Verbrauch verbietet eigentlich den Ausdruck «pro Kopf». Der Klügere kippt nach? Und warum sind wir dann auch noch eine der dicksten Nationen der Welt? Ist Wein gesünder als Bier? Warum spricht man so viel öfter von einem Bierbauch als von einer Weinwampe?

Es stimmt, dass Alkohol Kalorien enthält, aber ein Bier hat weniger Kalorien als die gleiche Menge Apfelsaft oder Milch. Schuld am Übergewicht ist nicht das flüssige Brot allein, sondern die Schweinshaxe mit Pommes, die man dazu isst, weil Bier den Appetit anregt. Wer zu viel Alkohol trinkt, verhärtet zudem seine Leber; das venöse Blut staut sich und presst Flüssigkeit in die Bauchhöhle. So gluckert im Bierbauch kein Bier, sondern «Bauchwasser». Alles nicht schön.

Weil wir uns schon so sehr an den Anblick von Menschen gewöhnt haben, die mehr trinken, als ihnen guttut, gibt es sogar ein unbewusstes Vorurteil gegenüber Menschen mit einem Drink in der Hand. In einer Studie wurde gezeigt: Wer mit einer Flasche in der Hand gesehen wird, wird selbst für eine Flasche gehalten. Selbst wenn man Probanden nur das Bild einer Flasche zeigt und sie danach jemanden auf seine Intelligenz einschätzen sollen, wird dieser für dümmer gehalten, nur weil er unbewusst mit Alkohol assoziiert wird. Die Forscher raten deshalb, bei einem Bewerbungsessen niemals ein Glas Wein zu bestellen, auch wenn es kultiviert wirken soll. Wassertrinker wirken klüger.

Verrückterweise ist Alkohol das einzige Lebensmittel, von dem eine lebensverlängernde Wirkung sicher nachgewiesen ist. Und das ohne Tierversuche! Es gab genug Menschen, die zu Selbstversuchen bereit waren. Und es gibt sogar Hinweise, dass Alkohol in geringen Mengen vor geistigem Abbau schützt. Was lernen wir aus alledem? Genießen lernen! Langsam, mit Freunden, und lieber kontinuierlich als unkontrolliert und heftig. Warum sollte man im christlichen Abendland den Alkohol verteufeln, wenn Jesus selbst ihn in einem Wunder erzeugte? Schließlich hat Jesus Wasser in Wein verwandelt und nicht umgekehrt. Der Meister hätte ja aus Wasser auch Apfelschorle machen können. Oder Bionade. Aber der Rausch gehörte schon damals zum Feiern. Und das Wunder des Körpers besteht jedes Mal darin, aus dem Wein wieder Wasser zu machen. Zum Wohl!

Die Qual der Wahl.

Was Männern der Sex, ist Frauen das Essen

Essen und Sex sind die Urtriebe des Menschen. Kurioserweise sind sie aber bei Frauen und Männern unterschiedlich stark ausgeprägt, sodass beide Geschlechter wenig Mitleid mit den Neigungen des anderen haben. Vom griechischen Philosophen Diogenes wird erzählt, er habe auf dem Marktplatz onaniert. Darauf angesprochen, soll er gesagt haben: «Wie schön wäre es doch, wenn man ebenso einfach auch durch das Reiben des Bauches das Hungergefühl vertreiben könnte!» Die Crux der verschiedenen Gelüste besteht darin, dass der durchschnittliche Mann gern Sex mit vielen Frauen hätte, die meisten dieser Frauen aber keinen Sex mit ihm. Und seine Frau will das erst recht nicht. Aber schick essen gehen?

Der Psychologe Roy Baumeister belauschte ein Jahr lang informell verschiedene Gruppen von Männern und Frauen. Bei zwei Gesprächsthemen traten signifikante Geschlechtsunterschiede auf: Essen und Sex. Die weiblichen Unterhaltungen übers Essen waren reich an exquisiten Details. Lebhaft beschrieben die einen Teilnehmerinnen eine leckere Mahlzeit oder einen köstlichen Nachtisch, während die anderen wehmütig lauschten und die Wonnen in ihrer Phantasie nachlebten.

Den Männern dagegen reichte es, sich kurz darüber auszutauschen, wo es die beste Currywurst gibt. Wenn sie von Restaurantbesuchen erzählten, dann meistens von der Bedienung. Und wenn es um die besten Rezepte ging, dann selten darüber, wie man einen Salat anmacht. Klingt alles sehr pauschal, aber es ist was dran: Bei Frauen geht Liebe durch den Magen, bei Männern geht sie tiefer.

KÜSTEN GOLD

ÄPFEL von der FACHHOCHSCHULE

sortiert je Kg nur:

1,69€

Taste:14

1 Kiste   15,00€

Noch besser als «mittlere Reife»?

Männer erzählen gern lang und breit von Rundungen und Eroberungen, detailliert und ohne Blatt vor dem Mund. Sie finden das primitiv? Selbst bildungsnahe Schichten machen es nicht anders. Am Rande einer Fachkonferenz habe ich einmal erlebt, wie Wissenschaftler ungehemmt darüber spekulierten, wie bestimmte Frauen, die gerade einen Vortrag hielten, wohl im Bett seien. Echtes Fach-Simpeln! Auch Frauen reden bisweilen gern *dirty*, aber eher in amerikanischen Serien als in der europäischen Wirklichkeit. Wenn sie lüstern von «Sünde» sprechen, meinen sie oft Sahne zum Kuchen.

Das versöhnlich stimmende Fazit des Psychologen: «Vielleicht würde es den Frauen helfen, die Schwierigkeiten der Männer mit der Monogamie zu verstehen, wenn sie die Nahrungsanalogie berücksichtigten. Die monogame Ehe ist für Männer ähnlich, als würde er seine Lieblingsspeise jeden einzelnen Tag für den Rest seines Lebens verzehren. Natürlich will man das, auch gerne oft, aber hin und wieder wäre etwas anderes nett.»

Wie viel Kalorien und wie viel Sex braucht man, um glücklich zu sein? Frauen wie Männer haben ständig das Gefühl, zu kurz zu kommen, ob nun bei Kalorien- oder bei Sexbomben. Warum? Weil wir vergleichen, ohne zu wissen, wie es bei anderen auf der Tisch- und unter der Bettdecke wirklich zugeht. Alle Umfragen dazu sind gelogen. Männer geben nämlich gern an, wenn sie gefragt werden, Frauen geben ungern zu. Noch viel unangenehmer als Zugeben ist ihnen Zunehmen. Wenn man wirklich nichts gegessen hat, nimmt man auch wirklich nicht zu. So weit die Fakten. Aber es sind nicht die Fakten, die uns unglücklich machen, sondern die empfundene Notwendigkeit, sich zu zügeln, verbunden mit dem Glauben, dass andere ihren Begierden ungezügelt nachgeben können.

Unser Glückssystem ist eine ständig aktive Suchmaschine und produziert irrsinnige Annahmen darüber, was uns glücklicher machen würde. So wie uns die Wiese auf der anderen Seite des Zauns grüner erscheint, finden wir auch automatisch den Nachbarn oder die Nachbarin attraktiver als das Gewächs an unserer Seite. Aber statt sich ewig mit dem Gedanken zu quälen, wie es wäre, mit jemand anderem zusammen zu sein, sollte man das Szenario zu Ende denken. Spätestens nach zwei Jahren auf der anderen Seite des Zauns würde uns unser ehemaliger Partner wieder begehrenswert erscheinen – also kann man auch gleich dort bleiben, wo man sich gerade befindet, und sich so viel Ärger und Kosten ersparen.

Gibt es ein Glücksrezept, um ein Bratkartoffelverhältnis scharf zu machen und warm zu halten? Nur in Schürze kochen? Mehr Tabasco? Gönnen können? Ich weiß es doch auch nicht. Um mit der Kölner A-cappella-Gruppe Basta zu sprechen: «Sex wird überschätzt. Lauch auch.»

Im Grunde können wir froh sein, dass der Konflikt zwischen Tisch und Bett beim Menschen nicht so konsequent zu Ende geführt wird wie im Fall der Gottesanbeterin. Das Männchen darf ihr beim Essen näher kommen. Von hinten. Aber sobald es seine biologische Pflicht erfüllt hat, dreht sie sich um und verspeist es. Kopf zuerst. Noch ehe der Kerl darüber nachdenken kann, wie einmalig der Sex mit ihr war, bleibt er das auch. Nachspeise statt Nachspiel. Von wegen Gottesanbeterin. Welcher Biologe da wohl bei der Benennung auf ihre fromme Fassade hereingefallen ist? Kurzum: Seien Sie als Mann dankbar, wenn Ihre Frau nur sagt: «Schatz, ich hab dich zum Fressen gern.»

«Imagine» ist eines der größten Lieder von John Lennon. «You may say, I'm a dreamer. But I'm not the only one.» Und dazu diese schöne langsame, melancholische Musik, die einen immer wieder dazu bewegt, sich eine bessere Welt wenigstens vorzustellen. Wer weiß, vielleicht haben auch die Wissenschaftler der Carnegie Mellon University an diesen Song gedacht, als sie ihre Studie entworfen haben. Mit dem kleinen Unterschied, dass die Testpersonen sich keine bessere Welt vorstellen sollten, sondern M&M's. Was für mich ehrlich gesagt auf das Gleiche hinausläuft. An eine Welt ohne Ländergrenzen, ohne Religion und ohne Himmel könnte ich mich leichter gewöhnen als an eine Welt ohne schokoladenummantelte Erdnüsse. Im Hellen kaufe ich immer nur die kleinen Tütchen, aber wozu gibt es Kinos, wenn nicht für den hemmungslosen Konsum von Junkfood in Eimern und im Dunkeln? Dort kann ich ohne Mühe ein Kilo von dem Zeug verspeisen – bevor der Hauptfilm überhaupt erst begonnen hat. Mir läuft jetzt schon wieder das Wasser im Munde zusammen, wenn ich daran denke.

Aber Wissenschaft heißt ja, nicht von sich auf andere zu schließen, sondern von vielen anderen auf sich. So wie in dieser Studie, die in *Science* veröffentlicht wurde. Der Reihe nach: Die drei Wissenschaftler Carey Morewedge, Young Eun Huh und Joachim Vosgerau testeten in einer Reihe von Experimenten, ob man sich «satt denken» kann. Sie wollten prüfen, was nach der Phase, in der einem der Mund wässrig wird, passiert, wenn man immer weiter an das spezifische Essen denkt. Bekommt man dann mehr Appetit oder irgendwann weniger?

Dazu mussten sich die Probanden dreiunddreißigmal hintereinander ganz genau vorstellen, wie sie ein M&M verzehren. Aber nur in Gedanken. Die Kontrollgruppe musste sich auf etwas ganz anderes konzentrieren, sie sollte imaginativ dreiunddreißigmal eine Münze in einen Waschautomaten einwerfen. An etwas Langweiligeres kann man schwerlich denken. Und dann noch so oft hintereinander.

Anschließend bekamen beide Gruppen eine echte Schale mit M&M's vorgesetzt, aus der sie so viele essen konnten, wie sie wollten. Verrückt, aber wer sich bereits in Gedanken dreiunddreißigmal ein Schokobonbon in den Mund geschoben hatte, aß im Schnitt nur noch halb so viele wie jemand aus der Gruppe mit dem gedanklichen Dauerwaschgang. Was genau löste diese Reaktion aus? Reicht es, nur mit dem Essen im Geiste zu hantieren? In einem weiteren Experiment sollten die Teilnehmer sich vorstellen, wie sie das Schokobonbon nicht in den Mund, sondern nur von einer Schale in eine andere legen. Das bloße Rumspielen, ohne gedanklich zu schlucken, erhöhte die Lust auf das reale Essen. Sobald die richtige Schale da stand, griff diese Gruppe kräftig zu.

Funktioniert das auch mit anderen Speisen, die nicht süß sind? Bei Käsewürfeln stellte sich derselbe Effekt ein. Wer schon gedanklich dreiunddreißig Käsewürfel intus hatte, wollte anschließend weniger echte Käsewürfel verzehren. Hatte die Käsefraktion aber keinen Käse, sondern Schokolade vor sich, zeigte sich, dass die Sättigung nicht übertragbar war. Der Appetit auf Schokolade war nicht vermindert. Käse mag den Magen schließen, aber nicht den Mund, vor allem nicht für Süßes. Auch umgekehrt führte das Phantasie-Schokolade-Essen nicht dazu, weniger Käse zu essen. Man wird also nicht wirklich durch die Gedankenübung satt, nur weniger neugierig auf das reale Essen, weil es eben nicht mehr neu ist. Nicht berichtet

Richtung Elisabethen KKH

Schneller ins Krankenhaus mit Fastfood.

wurde leider, wovon die Probanden in der nächsten Nacht geträumt haben. Ich vermute mal, von Waschmaschinen, die ungehemmt Käse und Schokolade in sich reinstopfen.

Der gedankliche Ansatz ist revolutionär: Statt sich etwas zu verbieten, stellt man es sich so oft vor, bis der Reiz verschwindet. Dieses Phänomen nennt sich Habituation, und bekanntlich gewöhnt man sich so ziemlich an alles. Entdeckt wurde die Habituation bei dem Paradetier der Hirnforscher, der Meeresschnecke Aplysia. Stupst man sie an, zieht sie sich im Schneckentempo zusammen. Nach einer Weile traut sie sich wieder, sich zu rekeln, und breitet sich aus. Stupst man sie erneut, kontrahiert sie sich wieder, aber schon nicht mehr so energisch. Und stupst man dreiunddreißigmal, lässt sie sich von dem Reiz, der ihr zuvor noch Respekt eingejagt hatte, überhaupt nicht mehr aus der Ruhe bringen. Habituation heißt also: gelernte Langeweile.

Die spielt beim Menschen eine große Rolle, gerade beim Essen. Wenn Sie nicht wissen, was ich meine, müssen Sie nur einmal in eine Kantine, ein Altenheim oder ein Krankenhaus gehen und beobachten, wie gelangweilt Menschen im Essen herumstochern können. Vom Einheitsbrei isst man nur gerade so viel, dass man satt wird. Wer jeden Tag Eintopf vorgesetzt bekommt, wird sich nicht überessen. «Abwechslungsreich» ist das Zauberwort, damit Essen Spaß macht und wir dabei bleiben. Wenn man Gäste einlädt, gibt es aus ebendiesem Grund verschiedene Gänge, die sich möglichst stark in Textur, Geschmack, Temperatur und allem, was die Sinne reizt, unterscheiden. Das Dinner ist die Kampfansage der Zivilisation an die Habituation! Aber auch daran kann man sich leider gewöhnen. Selbst bei Langusten können Langeweile oder Sättigungsgefühle aufkommen. Aber an der Lernkurve unseres Nervensystems kommen wir schlecht vorbei: Der erste Bissen bleibt der beste. So wie der erste Schluck Wasser nach einer Bergtour auch köstlicher ist als der dreiunddreißigste.

Warum können wir dann trotzdem mit Kartoffelchips nicht aufhören, obwohl uns der Geschmack zum Ende der Tüte hin wahrlich nicht mehr überraschen kann? Warum stopfen wir sie uns geistesabwesend so lange in den Mund, bis keiner mehr übrig ist? Ich erinnere mich, wie ich in Portugal an einem Sprachkurs teilnahm und es in meiner Gastfamilie zu Mittag auf die Schnelle statt Bratkartoffeln Chips gab. Aber nicht aus der Tüte, sondern auf dem Teller. Das kam mir sehr absurd vor, obwohl es ja auch Bratkartoffeln auf eine Art sind. Aber ich aß davon viel weniger! Wenn Sie abnehmen wollen, probieren Sie aus, ob das auch bei Ihnen funktioniert. Füllen Sie eine Portion Chips auf einen Porzellanteller und zelebrieren Sie jeden einzelnen – mit Messer und Gabel!

Chips aus der Tüte sind so fies, weil jeder einzelne nicht ins Gewicht fällt. Ein Chip. Das klingt in der Einzahl schon so absurd wie der Gedanke, man könnte nach einem auch aufhören. Oder nach drei. Zu Forschungszwecken färbten Ernährungspsychologen einzelne Chips mit roter Lebensmittelfarbe und sortierten diese in einen Chips-Stapel ein, sodass jeder zehnte eine auffällige Markierung hatte. *Zack*, aßen die Testpersonen nur noch die Hälfte, weil ihnen plötzlich auffiel, wie viel sie schon gemampft hatten.

Mit echtem Hunger oder echter Sättigung hat das alles wenig zu tun. Oft versucht man, eine innere Leere zu bekämpfen, mit dem einzigen Erfolg, dass die Tüte danach leer ist und man sich mies fühlt, weil man zum schlechten Gewissen nun auch noch diese schlechten Fette mit sich herumträgt. Ein echtes körperliches Sättigungsgefühl kann sich ja überhaupt erst einstellen, wenn das Essen im Darm aufgeschlüsselt wurde und die Einzelteile über das Blut im Gehirn ankommen und signalisieren: Es reicht. Und wie jeder weiß, kommt dieses Signal aus den Darmwindungen immer zu spät in den Hirnwindungen an, um rechtzeitig aufhören zu können. Hunger signalisiert der Körper viel differenzierter als Sättigung, was evolutionär betrachtet auch Sinn machte. Für das Überleben war früher entscheidend, dass wir etwas zum Essen gesucht haben. Heute allerdings ist für das Überleben entscheidend, dass wir das Essen vor uns verstecken.

Deshalb ist die neue Idee, uns mit den eigenen Mitteln des Gehirns zu überlisten, so spannend. Was man schon lange weiß: Verknappung macht das Essen nur verführerischer. Sind zwei Kekse in einer großen Dose über, finden Testpersonen, dass diese viel besser schmecken, als wenn die Dose noch voll ist, obwohl es die gleichen Kekse sind. Nachts in der Disko sieht man bisweilen Menschen, die nach der Kekstheorie vorgehen. Sie denken offenbar: Wenn wir zwei die Letzten sind, die übrig bleiben, geschieht die Verführung von allein. Und da ist es wieder, das Dilemma von Theorie und Praxis.

Wenn die «Denk dich satt»-Imaginationsforscher recht haben, dann dürfen Sie, liebe Leser, endlich alle Diätbücher wegschmeißen. Lesen Sie nur noch Koch- und Backbücher, am besten diejenigen mit ganz vielen Bildern und echter Butter. Aber: Nicht blättern, sondern jeden Tag dreiunddreißigmal dieselbe Seite angucken! Dann stellen Sie sich im Detail vor, wie Sie alles zubereiten und viele Male auf der Zunge zergehen lassen. O. k., zwischendurch werden Sie wegen des erhöhten Speichelflusses mit dem Schlucken nicht hinterherkommen und sich diesen Absauger vom Zahnarzt wünschen. Aber dann verlieren Sie den Appetit. Theoretisch.

Das Einzige, was die Diätbücher erreicht haben, ist, dass jedes Mal, wenn ich mit anderen Leuten etwas essen gehe, mir von jedem Anwesenden eine andere Komponente meines Essens madig gemacht wird. Man gönnt sich nicht mehr die Butter auf dem Brot, den Zucker im Kaffee oder das Salz in der Suppe. Und meint es doch gut! Zu jedem Phänomen gibt es dann wieder ein Buch, das als Erstes klarstellt, warum bislang alle Experten falschgelegen haben. Mal sind es Blutgruppen, dann Äpfel und Birnen, oder man hat bei «Schlank im Schlaf» nicht den ganzen Winter durchgeschlafen wie die Bären, bei denen es tatsächlich so funktioniert. «DIE DIÄT, BEI DER SIE ALLES ESSEN DÜRFEN!» – und wenn man beim Kleingedruckten angekommen ist, steht da: «Sie dürfen alles essen – nur nicht runterschlucken.» Irgendeinen Haken gibt es doch immer!

Was sind die vier schwierigsten Phasen einer Diät? Frühling, Sommer, Herbst und Winter.

Der Arzt Gunter Frank und eine wachsende Zahl kritisch denkender Kollegen meinen: Nicht, was wir essen, macht uns dick, sondern das Wie! Es gibt Menschen, die unter Stress abnehmen, die allermeisten aber nehmen unter Stress zu. Ausgerechnet die Hormone der Angst mobilisieren erst Energie, dann setzen die Reserven doppelt an. Wer ständig mit schlechtem Gewissen schaufelt, tut sich darum keinen Gefallen, im Gegenteil. Die Lösung heißt: Gefallen am Essen zu finden, herausschmecken, was dem Körper guttut, unabhängig von Diäten und Ideologien. Wenn die Bauchdecke durch Kummerspeck spannt, helfen Entspannungsverfahren mehr als Hüttenkäse! Kann es sein, dass die Menschen in Kreta nicht nur durch die Oliven auf dem Tisch so gesund alt werden, sondern dank der Tischgemeinschaft? Kumpane heißt wörtlich: «der,

Was ist das Schönste, was ich einmal einem anderen
Menschen gesagt habe oder jemand mir sagte? Welche
Taten oder Erlebnisse haben mich überzeugt, dass es Liebe gibt?

dass mein Mann mir eigenhändig

eine "Wärmflaschenhülle"

genäht hat. ☺

Nur für Liebesbeweise!

...jemand mir sagte? Welche
Taten oder Erlebnisse haben mich überzeugt, dass es Liebe gibt?

Als sie mich beim zweiten Date
~~wollte~~ an der Wohnungstür in
Empfang nahm und wortlos ins
Schlafzimmer schob...

Nur für Liebesbeweise!

Liebesbeweis!

Was ist das Schönste, was ich einmal einem anderen Menschen
gesagt habe oder jemand mir sagte? Welche Taten oder Erlebnisse
haben mich überzeugt, dass es Liebe gibt?

Ich denke an dein warmes rosanes Fleisch, wenn ich dich mit
meinem Mund berühre, träume ich, wie du auf der Zunge
zergehst, so knusprig, wie du aussiehst. Du mein
geliebter Rostbraten!

Nur für Liebesbeweise!

Was ist das S...
anderen Menschen gesagt habe oder jemand mir...
Welche Taten oder Erlebnisse haben mich überzeugt,
dass es Liebe gibt?

"Könnten wir "DU" zueinander
sagen – ich glaube nämlich,
ich habe mich in Sie verliebt."

Nur für Liebesbeweise!

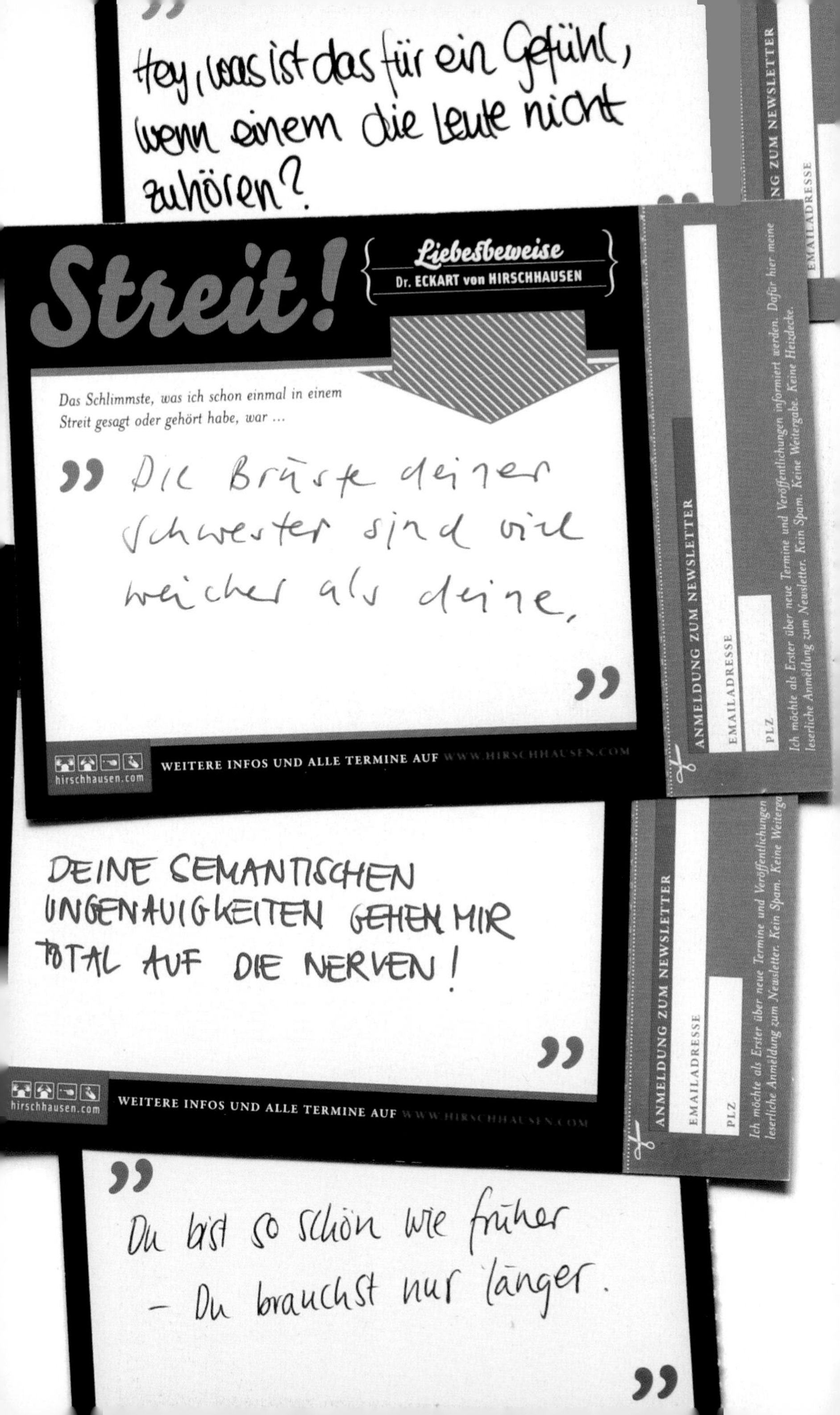

Hey, was ist das für ein Gefühl, wenn einem die Leute nicht zuhören?
Streit!
Liebesbeweise
Dr. ECKART von HIRSCHHAUSEN
Das Schlimmste, was ich schon einmal in einem Streit gesagt oder gehört habe, war …
Die Brüste deiner Schwester sind viel weicher als deine.
hirschhausen.com
WEITERE INFOS UND ALLE TERMINE AUF WWW.HIRSCHHAUSEN.COM
ANMELDUNG ZUM NEWSLETTER
EMAILADRESSE
PLZ
Ich möchte als Erster über neue Termine und Veröffentlichungen informiert werden. Dafür hier meine leserliche Anmeldung zum Newsletter. Kein Spam. Keine Weitergabe. Keine Heizdecke.
DEINE SEMANTISCHEN UNGENAUIGKEITEN GEHEN MIR TOTAL AUF DIE NERVEN!
hirschhausen.com
WEITERE INFOS UND ALLE TERMINE AUF WWW.HIRSCHHAUSEN.COM
ANMELDUNG ZUM NEWSLETTER
EMAILADRESSE
PLZ
Du bist so schön wie früher – Du brauchst nur länger.

mit dem ich mein Brot teile». Und dann sind auch mal die Kohlehydrate egal, wenn ich mit Kumpels zusammensitze, lache und schmatze, weil es schmeckt und das Leben schön ist. In Deutschland wird zunehmend allein gegessen. Und zunehmend zugenommen. Zeit umzudenken, denn wenn nach dreißig Jahren «Ernährungsberatung» alle die Faxen dicke haben, aber keiner sein Fett wegkriegt, gilt der große Tipp von Paul Watzlawick: Wenn etwas nicht funktioniert, probiere es doch mal anders.

«Ich denke, also bin ich – satt?» Mich faszinierte dieser Ansatz so, dass ich einen der Forscher anschrieb. Er erzählte mir von weiteren, noch unveröffentlichten Tests. Echter Hunger hatte keine Auswirkung auf den Habituationseffekt. Dazu mussten die armen Testpersonen schon vor dem Frühstück an die Käsewürfel denken! Und obwohl sie wirklich hungrig waren, verging ihnen die Lust auf das Käseessen noch stärker, als wenn sie vorher gefrühstückt hätten. Verrückt. Beim Lesen der Mail des Forschers wurde mir auch klar, warum wir uns seit der ersten Veröffentlichung seiner Erkenntnisse nicht alle einfach schlank gedacht haben. Es gibt eine Nebenwirkung des mentalen Stopfens: Die Lust auf Speisen, die zum gedachten Lebensmittel passen, wird nicht etwa auch gebremst, sondern gesteigert! Wer sich Käsewürfel vorstellte, aß zwar danach weniger Käse, aber dafür mehr Weintrauben. Die Langeweile war also nur spezifisch und nicht übertragbar. Im Gegenteil: Die Testpersonen stürzten sich umso vehementer auf die Alternativen. Damit einem der Appetit komplett vergeht, reicht das Häppchen-Denken nicht.

Das erinnert an die alte Heizdeckenverkäufer-Weisheit: «There is no such thing as a free lunch.» Es gibt kein Essen umsonst – man zahlt immer einen direkten oder versteckten Preis.

Und so reizvoll der Gedanken-Diätansatz zunächst wirkt, man kommt an den Programmen in unserem Gehirn-Belohnungssystem nicht ohne weiteres vorbei. Grips oder Chips? Unsere Möglichkeiten, mit Willensstärke der Kartoffelstärke etwas entgegenzusetzen, sind arg begrenzt. Und wie Psychologen wie Roy Baumeister untersucht haben, ist die Willensstärke auch kein Muskel, der mit jedem Üben besser wird. Vielmehr ist sie eine endliche Ressource, bei der man jeden Bemühungsimpuls nur einmal ausgeben kann. Ist der Willen durch Nebensächlichkeiten erlahmt, haben die großen Versuchungen leichtes Spiel. Nach meiner Erfahrung ist der beste Weg, abends keine Chips zu essen, tagsüber keine einzukaufen. Denn so groß der Reiz einer angebrochenen Packung ist – wenn ich keine im Haus habe, vermisse ich sie auch nicht. Und selbst wenn ich Lust auf Junkfood bekomme, hält mich zum Glück mein innerer Schweinehund davon ab, nur zum Chipskaufen noch einmal vor die Tür zu gehen, geschweige denn an die Tanke zu fahren. Das ist doch mal ein gelungenes Beispiel dafür, wie man Schwächen mit Schwächen bekämpfen kann.

Ähnliches beobachte ich bei Party-Rauchern, die selten allein vor die Tür gehen, aber wenn jemand mitgeht, rauchen beide mehr, als sie sich vorgenommen hatten. Und was ist mit den anderen Freuden? Wird unser Trieb stärker oder schwächer, wenn wir uns «das eine» dreiunddreißigmal vorstellen? Das ist bislang nicht systematisch untersucht worden, aber der Forscher gab zu, dass es spannend wäre. Die Antworten der Religion und Kultur sind unterschiedlich, machen aber oft die Verknappung und nicht das Überangebot zum Gebot. Die Käse-Studie sagt ja nicht: «Denk einfach nicht dran», «Führe dich nicht in Versuchung» oder gar: «Zwinge alle Käsewürfel in deiner Umgebung, sich zu verhüllen.» Gerade das wiederholte

Vorstellen der befriedigenden Tätigkeit dämpfte den Vollzug, selbst wenn sich ungehindert Möglichkeiten boten. Nun kann man Männern nicht vorwerfen, zu selten an Sex zu denken. Wohl aber häufen sich die Hinweise, dass gesamtgesellschaftlich nicht mehr so viel Sex vollzogen wird. Was bedeutet es, wenn wir per Mausklick alle Phantasien gestochen scharf auf dem Bildschirm aufrufen und durchspielen können, sodass alles, was im Nebenzimmer wartet, dagegen verblassen muss? Früher hieß es etwas spießig: Appetit holen ist erlaubt, aber gegessen wird zu Hause. Was, wenn einem im Computerzimmer zu Hause schon der Appetit nicht entfacht, sondern genommen wurde? Dann bleibt die Küche kalt. Und das Bett auch. Keine schöne neue Welt.

Abwarten: Noch sind wir nicht ausgestorben. Darauf einen Käsewürfel!

Nur die Harten kommen in den Garten.

Von Nichtrauchern und Nichtschwimmern

«Haste mal Feuer?» – dieser Anmachspruch im ureigensten Sinne hat jahrhundertelang so gut funktioniert, dass man sich gar nicht vorstellen mag, wie sich Menschen vor der Beherrschung des Feuers kennengelernt haben. Unbeherrscht? Und was soll man heute sagen, wenn die Anzahl der Menschen, die in Deutschland noch bekennende Raucher sind, langsam, aber stetig sinkt? «Haste mal Interesse, dich einfach so mit einem Nichtraucher zu unterhalten?» Klingt komisch. Als Gentleman versuche ich, wenn mich jemand um Feuer bittet, es zu besorgen. Als Arzt habe ich meistens noch mehr geleistet als das, worum ich gebeten wurde. Ich empfahl aufzuhören. Es gibt in der Medizin keine Operation, kein Medikament, keine Maßnahme, die einem Menschen mehr gesunde Lebensjahre schenken kann als die Entscheidung, mit dem Rauchen aufzuhören. Noch gesünder ist nur, erst gar nicht anzufangen.

Es lohnt sich nicht nur für die eigene Lebenszeit, sondern auch für die Beziehung! In einer umfangreichen Analyse von Faktoren, die eine Trennung beschleunigen, liegt das Rauchen weit vorne. Beziehungen, in denen nur einer raucht, zerbrechen doppelt so häufig, wie wenn beide Nichtraucher sind. Erstaunlich: Rauchen beide Partner, so liegt die Trennungsrate noch einmal um rund zwei Prozentpunkte höher. Keine Ahnung, was hier Ursache und was Wirkung ist. Vielleicht liegt es aber auch daran, dass, wenn beide in der Wohnung rauchen, man sich seltener sieht.

Früher war Rauchen cool, aber das Selbstbewusstsein der Raucher hat gelitten. Heute gelten die Helden von einst eher als charakterschwach. Das erkennt man in der Gesellschaft daran, dass Raucher sich für ihr Verhalten meist schon vorauseilend entschuldigen. Ein Raucher muss erklären, warum er raucht. Beim Trinken ist es umgekehrt. Man gerät in Erklärungsnöte, wenn man keinen Alkohol trinkt, und in Verdacht, entweder Ex-Alki zu sein oder schwanger. Wenn alle wissen wollen, warum man nichts Alkoholisches trinken möchte, ist die beste Antwort: «Aus religiösen Gründen.» Da traut sich keiner mehr nachzufragen. Die meisten Raucher trinken gerne Alkohol und umgekehrt. Ob sie auch anderen «Lastern» näher sind, weiß ich nicht. Ich kenne nur den Spruch: Wer mit dem Rauchen aufhört, muss nach dem Sex reden.

Für alle, die dennoch damit aufhören wollen, eine frohe Botschaft aus der Wissenschaft: Sport kann das unmittelbare Verlangen nach Nikotin senken. Schon ein fünfzehnminütiges intensives Training auf dem Fahrrad reicht, um die Gier nach Zigaretten deutlich zu verringern. Aber Vorsicht, eine Viertelstunde *Tour de France* im Fernsehen zu schauen, gilt nicht! Wie ich in meinem Buch *Glück kommt selten allein* beschrieben habe, kämpfen in unserem Gehirn verschiedene Hormone und Belohnungssysteme um die Herrschaft über unser Verhalten. Und deshalb folgen wir so oft einer absurden inneren Logik statt unserem Verstand. Mein liebstes Beispiel: Die Zigarette entspannt nicht, sie lindert bei einem Nikotinabhängigen nur die Nervosität durch den Schmacht, also im Prinzip die Entzugssymptome. Damit kann sich der Raucher nach der Zigarette kurzfristig wieder so fühlen wie ein Nichtraucher den ganzen Tag.

Was günstiger den gefühlten Entzug vom Belohnungshormon Dopamin ausgleicht, ist Ausgleichssport. Sport hilft auch Ex-Rauchern, nicht zuzunehmen, es sei denn, sie steigen auf Schokoladenzigaretten um. Die Angst, dick zu werden, ist bei vielen ein Grund weiterzurauchen. Ein gewichtiger. Aber auch Quatsch, weil die meisten nach einer Phase der Gewichtszunahme langfristig genauso viel wiegen, als hätten sie nie geraucht. Viele von den Extrakilos haben gar nichts mit dem fehlenden Rauchen zu tun, sondern mit der Tatsache, dass auch Nichtraucher mit vierzig mehr wiegen als mit zwanzig. Weil Nikotin tatsächlich das Hungergefühl unterdrückt, darf man sich nicht mit seinem Gewicht vergleichen, als man anfing zu rauchen, sondern mit dem, was man ohne Rauchen inzwischen wiegen würde. Wer aufhört zu rauchen, holt also nur gewichtstechnisch mit seiner Altersgruppe etwas auf. Das fühlt sich kurzfristig dramatisch an, aber beobachtet man Ex-Raucher länger als zehn Jahre, sieht man, dass sie nicht immer dicker werden. Und dass viele aus falsch verstandener Statistik wieder anfangen zu rauchen. Erzählen Sie es weiter!

Die meisten Raucher wollen aufhören. Und alles, was ein bisschen Motivation und Verständnis statt schlechtes Gewissen bringt, sollte sich so schnell verbreiten wie Zigarettenrauch. Ich schmunzele immer, wenn mir ein Raucher auf einer Terrasse gegenübersitzt und durch magische Kräfte der Rauch grundsätzlich zu den Nichtrauchern zieht, als ob dieser spüren würde, wo er am meisten nerven kann. Dann beginnen die Raucher, die schon so höflich waren, vor dem Anzünden nach Erlaubnis zu fragen, hektisch mit den Armen zu wedeln oder, noch besser, um einzelne Schwaden eine Faust zu machen und sie gen Boden zu schleudern, so als ob man damit ernsthaft die Ausbreitung der Schadstoffe beeinflussen könnte.

Raucher tun mir leid. Mit etwas aufzuhören, ist gefühlt erst einmal ein Verlust, eine Unsicherheit, nichts, worauf man sich freut. Das geht schon mit dem Wort «Nichtraucher» los! Das ist kein positives Ziel. Es ist eine Verneinung. Es klingt so, als hätte man es nicht mehr bis zum Raucher geschafft. Da schwingt persönliches Versagen mit, und so kommt der Nicht-Raucher gefühlt gleich nach dem Nicht-Schwimmer.

Wenn man etwas verändern will, reicht es nicht, gegen etwas zu sein. Viel besser gelingt es, wenn ich ein positives Ziel habe. «Gegen» ist im wahrsten Sinne kontraproduktiv. Statt abstrakt «runter mit den Kilos» konkret «zweimal die Woche rauf aufs Rad». Und die Zeit, die man strampelt, raucht man schon mal nicht. Und danach meistens automatisch weniger. Abstrampeln bis zum Abgewöhnen. Statt Kippe anzünden lieber Kalorien verbrennen. Statt große Vorsätze denken einfach mal vorsätzlich handeln.

Der beste Grund aufzuhören ist die Liebe. Wenn es jemanden gibt, der sagt: Ich möchte mit dir alt werden! Dann ist mit diesem Wunsch auch ein Appell verbunden. Sorg so gut für dich, dass du alt wirst! Der andere starke emotionale Grund aufzuhören ist eine Schwangerschaft. Wenn die Frau merkt, dass sich etwas unterm Herzen bewegt, bewegt sie das oft auch, der Lunge mehr Luft zu lassen. Und damit dem Kind. Das kann ja nicht raus. Noch günstiger ist übrigens, mit dem Rauchen aufzuhören, bevor man schwanger wird. Denn erstens klappt es dann auch leichter, schwanger zu werden. Und zweitens passiert beim Baby sehr viel, bevor die Mutter überhaupt ahnt, dass sich neues Leben formt. Absurderweise schädigt Rauchen während der Schwangerschaft ausgerechnet die Lungenfunktion des werdenden Kindes, obwohl das im Fruchtwasser ja gar nicht atmen kann. Auch steigt das Risiko für plötzlichen Kindstod, Allergien und Hirnschäden. Einen Teil der schädlichen Effekte kann man abpuffern – wenn die Raucherin schon nicht aufhören kann –, indem sie fünfhundert Milligramm Vitamin C täglich einnimmt. Ich habe in meiner Zeit auf der

Neugeborenenstation Frühchen gesehen, die gezittert haben und unglaublich schreckhaft waren durch Nikotinentzug. Sie hatten sich an den Pegel gewöhnt, denn sie kannten es all die Monate nicht anders. Und es dauerte immer viele Tage, bis der kleine Körper sich an das Leben ohne Gift gewöhnt hatte.

Früher ritten in der Werbung Cowboys in die Abendsonne – natürlich mit einer Zigarette in der Hand. Was man nie sah: Was passiert eigentlich eine halbe Stunde später? Die Sonne ist weg, der Cowboy friert irgendwo in der Pampa und wünscht sich nur, er wäre jetzt im Saloon mit einem Kamillentee. Tja, um die Spätfolgen des Coolseins sorgt man sich notorisch zu spät. Heute wird sogar in der Zigarettenwerbung gar nicht mehr geraucht. Und das Image hat sich grundlegend gewandelt.

Nach dem fünfundzwanzigsten Lebensjahr beginnt praktisch niemand mehr ernsthaft mit dem Qualmen. Da haben sich Selbstbild und Synapsen schon sortiert, das Suchtpotenzial sinkt. Aber in der Pubertät hält sich jeder für unsterblich. Ein Jugendlicher fürchtet nicht, mit fünfzig an Lungenkrebs zu sterben – im Gegenteil: Er fürchtet, jemals so alt zu werden! Und deshalb macht alles Gefährliche, durch das man seine unbändige unsterbliche Jugend beweisen kann, in dem Alter auch so viel Spaß: S-Bahn-Surfen ist unter Fünfzigjährigen kein Thema mehr!

Statt auf Behörden reagieren Menschen weitaus stärker auf andere Menschen, ab der achten Klasse vor allem auf Gleichaltrige. Wenn der oder die Coolste raucht, rauchen die Mitläufer mit. Sind die Anführer eher sportlich, prägt das die Atmosphäre, das Rollenbild und die Motivation in der *peer group* viel mehr als Lehrer, Eltern und Minister. Erfolgreiche Schulprogramme wie «Be smart – don't start!» nutzen diesen positiven sozialen Druck und belohnen Klassen, wenn weniger als zehn Prozent der Schüler rauchen. Es wirkt. In Klassen, die sich an diesem Programm beteiligt haben, rauchen tatsächlich weniger!

Was tut die Politik? Sie beratschlagt immer wieder über wirkungslose Ekelbildchen, will aber nichts unternehmen, was die Tabaksteuereinnahmen ernsthaft gefährdet. Mein Kabarettkollege Vince Ebert hat einen guten Vorschlag: «Wenn die Bundesregierung wirklich etwas gegen das Rauchen tun möchte, dann sollte sie es möglichst uncool machen, indem gerade die farblosesten Politiker in der Öffentlichkeit zur Kippe greifen!» Da fallen einem doch viele ein. Wenn diese vor dem Reichstag interviewt würden, im Regen, auf einer gelb schraffierten Fläche, mit gelben Fingern, gelben Zähnen und schwarz-gelber Gesinnung – so sähe für Jugendliche glaubhafte Abschreckung aus.

Und warum gibt es unter Ärzten immer noch so viele Raucher? Die sagen sich: «Mal ganz unter uns, was soll denn daran schädlich sein? Ist doch rein pflanzlich.»

Das Unschöne am Schönsaufen

«Der Teufel hat den Schnaps gemacht, um uns zu verder-
ben.» Erinnern Sie sich noch an diesen Schlager? Udo Jürgens
hat ihn 1978 mit der damaligen Fußballnationalmannschaft
aufgenommen. So ambitioniert volksaufklärerisch der Song
auch gemeint war, er ist eigentlich nur im Vollrausch zu ertragen. In welchem Zustand er von den Fußballern gesungen
wurde, lässt die Aufnahme nur erraten. Von der Zurechnungs-
fähigkeit des besungenen Mannes ganz zu schweigen, der
meint, eine Frau von der Heilsarmee abschleppen zu können.
Das Tragikomische am Rausch sind für mich drei Teufelskreise,
in denen der Alkoholisierte schnell Gefahr läuft, sich zu verlieren: Durst, Gedächtnisverlust und sich und andere schön zu
trinken.

Wer Hunger hatte, ist nach dem Essen satt. Für das Gegenteil von Durst existiert kein Wort – aus gutem Grund. Denn
unser Durst kann nie gesättigt sein, nur vorübergehend
«mundtot». Gerade weil unser Körper zu einem so hohen Anteil aus Wasser besteht, wird der Wasserhaushalt minutiös
geregelt. Bereits bei einer Abweichung von nur 0,5 Prozent
vom Sollwert melden Botenstoffe aus dem Gehirn den Nieren:
Mehr Wasser zurückhalten! Dieses sogenannte *antidiuretische
Hormon* wird durch eine fiese Laune der Natur ausgerechnet
durch Alkohol gehemmt. Statt Wasser zu sparen, scheidet der
Körper nach einem Drink sogar mehr Flüssigkeit aus, als er damit aufgenommen hat. Alkohol signalisiert: «Wasser marsch!»
Deshalb muss man während des Betrinkens so oft auf Toilette.
Gleichermaßen wird der Durst langfristig nicht gelöscht, auch
durch noch so viele alkoholische Getränke nicht. Das, was

Asanas with Props

The ancient yogis used logs of wood, stones, and ropes to help them practice asanas effectively. Extending this principle, Yogacharya Iyengar invented props which allow asanas to be held easily and for a longer duration, without strain.

Viele deutsche Männer denken: «Was brauche ich Yoga, ich krieg das auch so hin.» Doch Vorsicht: Es ist zwar die gleiche Körperhaltung, aber nicht die gleiche Geisteshaltung. Der Unterschied zwischen Komasaufen und Erleuchtung ist der nächste Morgen.

man dem Kaffee fälschlicherweise lange Zeit nachgesagt hat, nämlich dass er austrocknet, trifft auf Cognac und Konsorten zu. Auch der Kater-Kopfschmerz am nächsten Tag hat nur zum Teil mit den giftigen Abbauprodukten des Fusels zu tun. Eine große Komponente ist die «Dehydratation» – das Hirn liegt auf dem Trockenen. Und das ist für ein Organ, das zu achtzig Prozent aus Wasser besteht, entsprechend unangenehm.

Dieser Teufelskreis von Durst, Drinks, noch mehr Durst und noch mehr Kater sollte eigentlich jedem, der viel oder wenig trinkt, irgendwann bekannt geworden sein. Jedoch kommt hier die zweite Falle zum Einsatz: Zusätzlich teuflisch löscht Alkohol, wenn schon nicht den Durst, so doch sehr wirkungsvoll die Erinnerung. Am nächsten Abend ist diese Erkenntnis schon wieder weggespült.

Viele trinken auch nicht zum Erkenntnisgewinn, sondern zum Sorgenverlust. Wer meint, bestimmte quälende Gedanken nicht anders ertragen zu können, versucht sie in Alkohol zu ertränken. Aber Sorgen sind gute Schwimmer. Auch wenn sie kurzfristig ertränkt wurden, tauchen sie spätestens am nächsten Tag wieder auf. Und aus lauter Scham wird weitergetrunken, um es wieder zu vergessen. Dabei kann man doch auch ohne Alkohol keinen Spaß haben.

Robert Gernhardt kannte den Unterschied zwischen Gefühlen und einer Bierflasche. «Die Bierflasche muss man aufmachen. Gefühle muss man zulassen.» Wer sich nur ein wenig um andere sorgt, lässt die zweite Bierflasche zu, wenn er noch fahren möchte. Wenn man Zeuge wird, wie jemand angetrunken ankündigt, mit dem Auto zu fahren, ist man nicht nur ethisch, sondern sogar gesetzlich verpflichtet, ihm den Schlüssel abzunehmen und das Taxi zu rufen beziehungsweise bei mangelnder Einsicht die Polizei. So verhindert man eine Straftat und viel Unfall- und Notfall-Elend. Mindestens jeder neunte Autounfall geschieht unter Alkoholeinfluss. Und wer jetzt denkt, nüchtern betrachtet sind dann doch die acht anderen Fahrer gefährlicher, ist schon bei Falle Nummer drei: das Schönsaufen. Das gilt nicht nur für Gesichter, sondern auch für die verzerrte Wahrnehmung des eigenen Charmes, Witzes und anderer Fähigkeiten.

Ich habe das einmal erlebt, als ich mit Anfang zwanzig eine Interrailtour machte. Eine lange Nacht in der Jugendherberge, und ich war begeistert, wie mein Französisch mit jedem Glas schlechten Rotweins besser wurde. Immer flüssiger kamen mir Wörter über die Lippen, von denen ich gar nicht wusste, dass es sie gibt. Und die anderen auch nicht. Wie ich später rekonstruierte, war nicht etwa meine Sprachfähigkeit gestiegen, sondern lediglich die Kritikfähigkeit von mir und allen anderen gesunken. Aber um ein paar Wortneuschöpfungen ist es dennoch schade, sie waren schon am Morgen danach für die Nachwelt auf immer verloren. Warum hat das keiner aufgenommen?

Der Suchtexperte Johannes Lindenmeyer bietet genau das für Schülergruppen an. Er bringt Jugendlichen den Umgang mit Alkohol bei, indem sie sich in einem behüteten Rahmen betrinken, dabei filmen und am nächsten Tag noch einmal alles anschauen. Am Abend waren die Jungs noch überzeugt, dass die Mädchen sie angehimmelt haben. Und die Mädchen dachten, sie wären unglaublich lustig gewesen und hätten besonders cool gewirkt. So ein Video ist wirkungsvoller als jede Moralpredigt.

Eine Zeile aus dem Udo-Jürgens-Schlager über das verworrene Verhältnis des betrunkenen Mannes mit der Frau von der Heilsarmee verstand ich damals mit elf Jahren nicht, und auch meine Mutter konnte oder wollte mir den Zusammenhang nicht recht erklären: «Sie lud mich in ihr Zimmer ein, und dort erfuhr ich dann, wer zu viel trinkt, ist leider oft nur noch ein halber Mann.» Aber ich habe in den letzten dreißig Jahren dazugelernt und ein wenig recherchiert. Sogar auf einer Streitkarte (siehe Seite 44 ff.) las ich neulich etwas zu diesem Thema: «Die Erektion letzte Nacht, die habe ich nur gespielt!» Und das ist gelogen.

Denn anders als bei der weiblichen Erregung ist die männliche offensichtlich. Der Zusammenhang zwischen Erektionsschwäche und Alkohol war schon Shakespeare bekannt: «It provokes the desire, but it takes away the performance.» Es erhöht die Leidenschaft, aber mehr schafft man dann nicht.

So wie das Gehen im Suff schwerfällt, gehen auch andere Dinge schwer. Die Aufrichtung des Penis ist, auch wenn man das nicht denkt, mit einem hohen Maß an Koordination verbunden. Für den aufrechten Gang muss ein Bein vor das andere gesetzt werden, viele Muskeln müssen synchron an- und entspannt werden. Ähnlich ist es mit der Spannung der genitalen Blutgefäße, die in einer genauen Dramaturgie durch die Nervenbahnen angesteuert Zu- und Abfluss des Blutes regulieren. Je mehr unkoordinierte Anspannung, desto unbefriedigender das Resultat. Ein Teil dieses Effektes scheint manchen Männern durchaus erwünscht. Wer darunter leidet, zu schnell zum Orgasmus zu kommen, kann durch Alkohol die Erregungskurve dämpfen. Aber wie so oft im Bereich der Selbstmedikation wird das Mittel zum Zweck überdosiert, und der Sex ist dann maximal noch so mittel.

Dass Alkohol zur Anbahnung von schlechtem Sex dennoch eine große Rolle spielt, hat viele Gründe. Eigentlich müsste auf jeder Flasche ein Warnhinweis stehen: «Saufen macht impotent» und darunter: «Achtung – durch Alkohol schätzen Sie alkoholische Getränke, sich und andere attraktiver ein, als sie sind.» Aber das würde wohl so wenig nützen wie bei Zigaretten. Erst vor kurzem wurde mit einem Experiment unter amerikanischen Collegestudenten bewiesen, wie genau Schönsaufen funktioniert. Überall auf der Welt gefällt Menschen Symmetrie. Ein Gesicht, in dem beide Seiten sich entsprechen, ist ansprechender als ein verschobenes und verschrobenes. Nüchtern konnten die Studenten sehr gut zwischen einem schiefen und einem ebenmäßigen Gesicht unterscheiden. Aber sobald Alkohol ins Spiel kam, ließ die Treffsicherheit nach. Man wollte sich praktisch mit jedem treffen. Denn wenn die Welt um einen herum wankt und ein schiefes Gesicht vor einem auftaucht, zählt für den Betrunkenen die Unschuldsvermutung: Das muss an mir liegen, das Gesicht wird schon gerade sein, passt schon! Und entsprechend schwer ist es, alles am nächsten Morgen wieder geradezurücken. Aber sollte Ihnen das noch einmal passieren: Sie können es sich jetzt zumindest selbst erklären.

SAUF TAXIS

Klare Regel: Wenn man getrunken hat – Taxi!

6. Die Liebe
zum Detail

Makaken im Fahrstuhl, Unbewusstes, Smartphones, Macht, Zeitumstellung, Wahrscheinlichkeit, Hellsehen, Wasserspiele, Elfmeterschießen, passiv hören, digitale Demenz

Freudsche SMS

Wissen Sie, was Ihr Smartphone heimlich denkt? Achtung, gleich kommen ungeheure Dinge zum Vorschwein ... Ups, eine freudsche Fehlleistung! Genau mit diesem Wort «Vorschwein» als Mischung aus dem beabsichtigten «Vorschein» und den unbewusst beigemengten «Schweinereien» meinte Sigmund Freud belegen zu können, dass sich in unseren Versprechern geheime Absichten offenbaren. Ein aktuelles Beispiel ist bei YouTube zu belächeln, als Angela Merkel ihren damaligen Widersacher Koch mit «Herr Kotz» tituliert. Seitdem schreibt die Kanzlerin lieber SMS. Dafür muss sie bei einem Handy mit Tasten für Koch die Ziffern 5624 drücken und für Kotz 5689. Als ob es da kein Vertun mehr gäbe!

Der Würzburger Psychologe Sascha Topolinski untersuchte, welche Spuren das häufige SMS-Texten in unserem Gedächtnis hinterlässt. Und tatsächlich erfassen wir unbewusst beim Wählen einer Nummer, welches Wort die Ziffernfolge als SMS-Text ergeben würde. So fanden Testpersonen bestimmte Nummern «angenehmer» als andere. Sie tippten lieber eine Ziffernfolge wie 54323 als 534243, ohne sagen zu können, warum. Was steckt dahinter? Die erste Zahlenfolge ergibt als SMS das Wort «Liebe» – angenehmer als «Leiche», die zweite Kombination.

Man staunt ja über Leute, bei denen die Finger blitzschnell über die Tasten huschen und die richtigen Zahlen treffen. Aber noch erstaunlicher ist doch, dass unser Gehirn beim Tippen heimlich mitlernt, Zahlen in Wörter zu übersetzen. Da muss man erst mal draufkommen! Wenn Kurzmitteilungen unbewusste Langzeitwirkungen haben, drängt sich mir die Frage auf, ob auch Handys selbst geheime Gedanken haben.

267

Laut Freud gibt es mehrere seelische Instanzen: das Über-Ich, das Ich und das Es – das Unbewusste, sozusagen die dunklen, aber machtvollen Kellerbewohner, die Untermieter der Zivilisation und Untergräber aller Erziehungsbemühungen. Laut Psychoanalyse beschäftigt sich das Es am liebsten mit Sex, Tod und Aggression. Exakt die Vorlieben meines Telefons! Kennen Sie diesen geisterhaften Vorgang, wenn das Handy dem Besitzer einen Gedanken voraus ist? Wenn es in dem Moment, in dem wir ansetzen, ein Wort einzutippen, bereits ahnt, wie es weitergeht? Oder bei einer Tastenkombi das Wort einsetzt, das Es für wahrscheinlicher hält? Diese Programme heißen «Autokorrektur» beziehungsweise «T9» und führen ein heimliches Eigenleben.

Das erste Mal fiel mir die unterdrückte Libido meines Tastenteufels auf, als ich harmlos schreiben wollte: «Komm heil an!» Was bekam der Empfänger zu lesen? «Komm geil an!» Das Funk-Ferkel verrät seine wahre Identität in seinen Fehlleistungen. «Darf ich dich kurz stören?» Fehlanzeige! Angezeigt wurde: «Darf ich dich kurz stoßen?» «T9» kennt sogar Ausdrücke, auf die noch nicht mal mein analoges Unbewusstes kommt: «Ich rudi auf dich!» Gemeint war: «Ich steh auf dich!»

Die Psychoanalyse versucht ja, herauszufinden, auf welcher Entwicklungsstufe jemand hängengeblieben ist. Mein Handy ist ganz klar analfixiert: «Kannst du meine Kacke später mitbringen, die liegt noch auf deinem Rücksitz!» Jacke wie Hose? Das kann doch kein Zufall sein. Auch der freudsche Todestrieb findet sich in den Untiefen des Handydisplays: Wer «Hallo Papi» schreibt, erhält als Vorschlag «Hallo Sarg». «T9» ist ödipal hoch acht! Wünscht sich das Smartphone den Tod des Vaters herbei, um ungestört mit dem *Motherboard* Daten auszutauschen?

Wenn ich «All right» eintippe, wird mir «Alleinherrschaft»

vorgeschlagen. Und statt «Gute Nacht!» kommt «Gute Macht!».
Wer hat «T9» programmiert? R2-D2? Sind wir bei *Krieg der
Sterne*, oder wo sonst wünscht man sich «Gute Macht»? Wieso
glaubt dieser Chip, dass Menschen «Macht» wichtiger finden
als «Nacht»? Planen die Maschinen längst die Weltherrschaft
durch jene, die nie schlafen müssen? Letztes Silvester: Ich
wünschte «Guten Rutsch!», und was ist «T9» rausgerutscht?
«GUTEN PUTSCH!» Vielleicht stehen wir kurz vor der digitalen Revolution! Probieren Sie es aus: Wer jemandem «Frohe
Weihnachten!» wünschen will, wird korrigiert: «Droge Weihnachten!» Hätte Marx das noch erlebt: Automatisiert gibt es
Opium fürs Volk.

Das System ist lernfähig – so heißt es. Und manchmal hat
es gar pädagogische Anflüge: Wer «Prost» schreiben will, wird
berichtigt, und plötzlich steht da «Sport»! Schwitzen statt saufen! Haben Handys vielleicht sogar Humor? Zumindest macht
meins aus «Gute Besserung» spontan «Gute Bewässerung». Ich
weiß nicht genau, was es damit sagen will, aber das wünsche
ich meinem Smartphone auch!

Als ich gesehen habe, wie ein noch junger Alten-
pfleger, der sich in jeder Situation und
in jedem Gespräch daneben benimmt, eine
alten, alzheimerkranken Frau ganz
sanft die Wange streichelt.

Nur für Liebesbeweise!

«Bei Dir ist sogar die Art,
wie Du Kaffee kochst,
erotisch.»

Liebesbeweis!

Liebesbeweise
Dr. ECKART von HIRSCHHAUSEN

Was ist das Schönste, was ich einmal einem anderen Menschen
gesagt habe oder jemand mir sagte? Welche Taten oder Erlebnisse
haben mich überzeugt, dass es Liebe gibt?

ALS WIR BEIM SEX EINEN LACHANFALL BEKOMMEN
HABEN UND ES TROTZDEM NOCH ZUM HAPPY END
KAM...

Nur für Liebesbeweise!

Was ist das Schönste, was ich einmal einem anderen Menschen
gesagt habe oder jemand mir sagte? Welche Taten oder Erlebnisse
haben mich überzeugt, dass es Liebe gibt?

Schau mal, da ist ein grüner
Strich (Schwangerschaftstest)

Nur für Liebesbeweise!

„
DEIN GESICHT ERINNERT
MICH AN DRESDEN 1945.

Das Schlimmste, was ich schon einmal in einem
Streit gesagt oder gehört habe, war …

„ Dir würde eine
kleine Essstörung
auch gut stehen.

Gesehen in der Chefetage eines großen Energiekonzerns:
Höher geht's nicht, von hier an geht's bergab.

Fahren und fahren lassen

Mit wem würden Sie gerne im Fahrstuhl stecken bleiben? Falsche Frage – wahrscheinlich mit niemandem. Man will dort nicht mit jemandem hängenbleiben, den man nicht kennt. Auch nicht mit jemandem, den man meint gut zu kennen. Und nicht mit jemandem, den man mal gerne kennenlernen möchte. Denn die Wahrscheinlichkeit, dass sich George Clooney oder Claudia Schiffer in der erzwungenen Nähe nicht wie Supertypen, sondern wie Stereotypen verhalten, ist sehr hoch. Es wird oft in Politikerreden verbreitet, die Familie sei die kleinste soziale Einheit. Das stimmt nicht – es ist der Fahrstuhl.

Wie nah mag man Menschen an sich heranlassen? Hierzu ein kleiner Versuch, den Sie selbst einmal zur Erheiterung aller Umstehenden bei der nächsten Party ausprobieren können. Lassen Sie zwei sich nicht näher bekannte Männer aus einer größeren Entfernung aufeinander zulaufen. (Das Experiment funktioniert auch mit Frauen.) Beide sollen Gesicht zu Gesicht stehen bleiben, sobald sie ihre «Wohlfühlzone» erreicht haben. Also wann ist es noch angenehm, wann ist der andere noch nicht zu nah? Das ist bei den meisten bei einem Abstand von ungefähr einem halben Meter der Fall. Nehmen Sie jetzt von einem der beiden Probanden einen der Arme, am besten von dem größeren Mann, und führen Sie den Arm ausgestreckt vor das Gesicht des anderen. Mit einer verblüffenden Präzision reicht der Arm bis knapp vor die Nase des Gegenübers. Wir fühlen uns also in einer Distanz wohl, bei der wir im Falle eines überraschenden Faustschlags nicht in «Reichweite» sind.

Jeder Mensch hat eine unsichtbare Wohlfühlzone um sich herum. Und damit sind wir wieder im Fahrstuhl. Diese technische Innovation hat die Reichweite der Menschen erhöht und die Dichte in den Städten, denn diese konnten in die Höhe wachsen, höher, als wir jemals mit Treppen gelaufen wären. Der Preis des Fortschritts ist, sich täglich mit wildfremden Menschen auf Zeit einsperren zu lassen und blind der Technik zu vertrauen. Das macht vielen Angst. Und diese Ängste werden auch in jedem Gruselfilm bedient, wenn ein Psychopath zu einem wehrlosen Opfer in den Aufzug steigt und seiner Aggression freien Lauf lässt, weil sein Opfer nicht abhauen kann. In der Realität kommen Morde in Fahrstühlen so gut wie nicht vor. Offenbar sind die Dinger selbst Mördern zu unheimlich. Ein schwacher Trost.

Es ist verblüffend, wer alles an Fahrstuhlphobie leidet. Sogar Männer mit Nerven aus Drahtseilen können die Flatter bekommen und meinen, ihr Leben hinge nur noch an einem seidenen Faden. Das Gegenteil ist der Fall. Der freie Fall im Fahrstuhl ist, seit Herr Otis die Fangbremse erfunden hat, unmöglich geworden. Und sie ist auch in Fahrstühlen anderer Fabrikate vorgeschrieben – bevor Sie sich jetzt noch mehr Sorgen machen.

Ich fahre selbst nicht gerne Fahrstuhl, Treppe ist eh gesünder. Und wenn, lese ich immer und immer wieder die Instruktionen zum Verhalten im Notfall und suche das Datum der TÜV-Plakette. Wie oft werden eigentlich diese Angaben über das zulässige Gesamtgewicht überarbeitet? Meist steht da so etwas wie «300 kg oder 4 Personen». Ich habe im Medizinstudium auch noch etwas vom «Durchschnittsmenschen à siebzig Kilogramm» gelernt. Das ist aber einige Jahrzehnte und Jahresringe her! Ab drei Mitfahrern – jeder könnte geschätzt bereits über hundert Kilo haben – komme ich ins Grübeln. Weil ich von mir selbst ja weiß, dass ich schwerer bin, als ich wiege. Die Knochen, Sie verstehen? Es ist noch immer gutgegangen.

Hatten Sie irgendwann «Fahrstuhltraining»? Oder anders gefragt: Warum verhalten sich fast alle Menschen nach einer sehr subtilen Choreographie, ohne dass es einem jemand explizit beigebracht hätte: «Schau auf den Boden und halte die Hände vor das Geschlechtsteil, wie damals an Opas Grab.» Ab dem dritten Lebensjahr bemühen wir uns unbewusst um Konformität, wir lernen durch Imitation, und machen nach, was andere vormachen. Erwachsene möchten auf keinen Fall anecken, sobald sie auf einem Quadratmeter zusammengesperrt sind. Dieser Gruppenzwang wurde mit versteckter Kamera getestet. Vier Eingeweihte stellten sich mit dem Gesicht zur Wand in einen Fahrstuhl. Was taten nichtsahnende «Neueinsteiger»? Nach kurzer Irritation nahmen fast alle die gleiche Haltung an und verhielten sich mit der absurden Situation konform. Aber so weit müssen Sie nicht gehen, der Alltag ist schon erstaunlich genug:

Steigt man in einen leeren Fahrstuhl ein, werden sich die meisten intuitiv so weit ins Innere begeben wie irgend möglich und die Tür aus maximaler Distanz im Auge behalten. Mit jedem neuen Fahrgast wird es komplizierter: Alle stehen so, dass keiner sich berührt und keiner das Gesicht eines anderen direkt vor der Nase hat. Bis hin zur Vergabe der letzten freien Position, direkt an der Tür. Dann folgt die richtig große Kunst: sich auf dem Absatz so umzudrehen, dass man gerade noch reinpasst, ohne die Lichtschranke zu berühren. Denn sonst spürt man den kalten Hauch des Volkszorns im Nacken. Dieser letzte menschliche Baustein mustert die Tür aus minimaler Distanz, mal schauen, was es da so Interessantes zu entdecken gibt.

Wie sich die Menschen im Fahrstuhl-Gruppentanz mit jeder neuen Situation zu einem neuen Optimum von Distanz auf Nähe arrangieren, hat Ähnlichkeit mit dem Computerspiel

Tetris, bei dem geometrische Formen möglichst eng gestapelt werden müssen. Aber im Spiel bleibt die einmal erreichte Form erhalten, während der Tanz im Fahrstuhl immer weitergeht.

Wenn in einem Stockwerk von zehn Fahrenden acht gemeinsam aussteigen, wäre es sehr befremdlich, wenn die beiden Übriggebliebenen weiter so eng nebeneinander stehen blieben wie bisher. Ebenso verblüffend wäre es, wenn man auf einen Aufzug wartete, die Tür sich öffnete und jemand direkt hinter der Tür stünde, obwohl er allein fährt. In diesem Fall bitte nicht dazusteigen.

Männer sind territorial veranlagt und markieren gerne ihr Revier. Ist ein Mann allein im Fahrstuhl und muss aussteigen, überlegt er nicht lange und lässt schon mal eine Duftmarke von sich zurück. Nach dem Motto: Fahren und fahren lassen. Damit wird dem nächsten dominanten Männchen signalisiert: «Ich war vor dir hier.» Eine Frau würde, wenn sie in einen leeren Fahrstuhl einsteigt und merkt, da hat jemand sprichwörtlich einen Koffer stehengelassen, sofort wieder aussteigen. Ihr ist der Gedanke unerträglich, dass eine Frau, die eine Etage später dazusteigt, sie für die Verursacherin des Gestanks halten könnte. Da wartet sie lieber auf den nächsten Aufzug oder nimmt die Treppe.

Angenommen, der Mann bleibt dicht und drin, und eine Frau betritt den Fahrstuhl. Wahrscheinlich würden beide einen kleinen Dis-Tanz aufführen und sich jeder an eine gegenüberliegende Wand stellen. Der Mann ist ein bisschen angefressen, denn bis eben war er noch Alleinherrscher über die Rückwand, jetzt wurde er an die Seitenwand verdrängt. Gefühlt ist die Neue «bei ihm eingezogen». Sie erkennen sofort die Analogie zum Beziehungsleben, mit einem feinen Unterschied: In den Fahrstuhl bringen Frauen keine Möbel mit!

Was tun beide als Nächstes? Sie interessieren sich nur für das eine: den Fußboden. Oder die Decke. Augenbewegungen sind im Fahrstuhl fast immer vertikal, so gesetzmäßig, wie auch der Fahrstuhl selbst sich nur nach oben oder unten bewegt und selten zur Seite. Das hat beim Fahrstuhl mechanische Gründe, beim Menschen rein psychologische. Man will auf jeden Fall Augenkontakt vermeiden. Denn sobald man jemanden ansieht, müsste man ja reagieren.

Warum drücken so viele, wenn sie in einen bereits besetzten Aufzug steigen, einen Knopf, immer und immer wieder? Die ganz Nervösen wollen, dass sich die Türen schneller schließen. Ich glaube nicht, dass dieses Gedrücke irgendetwas beschleunigt, aber zumindest hat man die Illusion, etwas zum Erfolg der Mission beigetragen zu haben. Die Übersprunghandlung baut Angst und Hilflosigkeit ab.

Noch absurder finde ich folgendes Verhalten: Jemand möchte nach ganz unten fahren, steigt ein und sieht, dass das «E» für Erdgeschoss bereits hell leuchtet. Was tut er? Er drückt nach kurzem Zögern den Knopf noch einmal! Sind diese Menschen blind? Nein, hinter dieser scheinbaren Ignoranz steckt wieder ein soziales Signal an alle anderen. Denn auf «E» zu drücken, würde nur Sinn machen, wenn vor einem dies noch niemand getan hat. Wenn ich mich also so verhalte, als wäre ich allein, zeige ich den anderen: Lass uns so tun, als ob wir alle Luft füreinander sind. Ich bin für dich nicht da und du nicht für mich. Und wenn wir beide eigentlich nicht als eigene Wesen mit eigenen Interessen und Zielen existieren, gibt es auch keinen Streit.

Wenn man im Fahrstuhl mit Bekannten oder Kollegen fährt, ist alles noch komplizierter. Denn wenn zwei sich unterhalten, macht es die Atmosphäre nicht etwa entspannter für alle anderen, sondern verklemmter. Die Umstehenden werden durch die Umstände gezwungen, Teil der Konversation zu sein, zu «Lauschern» zu werden. Deshalb geht, auch wenn beim Warten vor dem Aufzug noch angeregt geplaudert wurde, selbst unter Freunden in dem Moment der Mund zu, in dem sich die Fahrstuhltür schließt. Ein letzter solidarischer Blick, dann schaut jeder auf sein Handy, obwohl Fahrstühle die Orte sind, an denen mit Sicherheit keiner Empfang hat.

Manchmal kommt es aber doch zu Blicken unter Fremden. Da sieht man sich an, für Millisekunden. *Civil inattention* nennt das die Fachwelt, das höfliche Missachten in Situationen, in denen ein Augenzwinkern alles schlimmer macht. Zu einem einvernehmlichen Blickwechsel kommt es höchstens, wenn man mit einer bis dato fremden Person eine Etage lang gefahren ist, und schon wieder abgebremst wird, um jemand Drittes hereinzulassen. Dann schauen sich Nummer eins und zwei oft kurz an, um sich zu solidarisieren und klarzumachen: Nummer drei gehört nicht zu uns. Der ist der neue Fremde, wir sind schon fast eine Gruppe, zumindest eine Fahrgemeinschaft. Nichts schweißt schneller zusammen als gemeinsame Feinde. Klar, der Neue ist nur ein «Trittbrettfahrer». Und so stellt der sich auch an die Rückwand, zwischen die beiden, und merkt, dass er stört. So wie ein Dritter in einem Doppelbett mit zwei Matratzenteilen auf der Besucherritze liegen muss.

Es gibt nur wenige Psychologen, die sich mit dem Auf und Ab der Gefühle beim Fahrstuhlfahren ernsthaft beschäftigt haben. Eine der aufschlussreichsten Untersuchungen, die ich kenne, stammt von Dario Maestripieri, Professor für Verhaltensbiologie in Chicago. Um Menschen besser zu verstehen, untersucht er Affen.

Die Makaken sind uns ziemlich ähnlich: Sie leben in großen Gruppen in komplexen Beziehungen und erkennen sich, ihre Verwandten und ihre Kinder auf Fotos. Wahrscheinlich würden sie als Zeichen ihrer sozialen Intelligenz auch anderen ungebeten Fotos von ihrer Yacht zeigen, wenn sie nicht in Bergwäldern leben würden. Und was passiert, wenn man sie in einen Fahrstuhl steckt? Wenn die Wesen der Freiheit plötzlich mit einem unbekannten Affen in einem engen Raum auskommen müssen? Sie verhalten sich ganz «natürlich» – exakt wie Menschen. Sie tun alles, um einen Kampf zu vermeiden. Sie bewegen sich ganz langsam, um ja den anderen nicht zu erschrecken. Sie setzen sich in eine Ecke und vermeiden Augenkontakt. Sie schauen an die Decke, und wenn dennoch die Spannung steigt, dann lächeln sie! Sie zeigen ihre Zähne als Friedenszeichen: «Ich beiße nicht, ich will nur spielen.» Und was sie uns Menschen voraushaben: Wenn zurückgelächelt wird, fangen sie an, sich gegenseitig zu kraulen, das Fell zu pflegen, das ganze Wellnessprogramm. Erst bekommt der eine Affe eine kleine Rückenmassage, dann der andere. Und dabei wird, so wie man unter Menschen Kaugummis anbietet, der andere Affe aus dem eigenen Fell auch noch mit leckeren Parasiten versorgt. Kein Stress, keine Verletzung, kein verkrampftes Zeit-Totschlagen. Allen geht es gut. Mich laust der Affe, so einfach kann es sein!

Deshalb möchte ich Sie, liebe Leser, bitten, es bei Ihrem nächsten Besuch in einem Fahrstuhl den Affen gleichzutun. Lockern Sie die Atmosphäre auf, bringen Sie Stimmung in die Bude, es ist ganz einfach. Je nach Situation und persönlicher Veranlagung wählen Sie eine der folgenden Übungen für sich aus.

Fahrstuhl fahren für Fortgeschrittene

1. Begrüßen Sie alle Anwesenden mit einem freundlichen Handschlag.
2. Wenn außer Ihnen nur noch eine andere Person im Aufzug ist, tippen Sie ihr auf die Schulter und schauen Sie so, als wären Sie es nicht gewesen.
3. Fragen Sie alle: «Haben Sie abgenommen?»
4. Stellen Sie sich direkt vor jemanden und zuppeln Sie liebevoll etwas an seiner Kleidung oder seinen Haaren – oder bieten Sie eine Umarmung oder Rückenmassage an.
5. Vernetzen Sie sich alle bei Facebook, einfach um lose in Kontakt zu bleiben.
6. Für alle Fans von *Dirty Dancing* – drehen Sie eine Pirouette und zeigen Sie auf den Boden: «Das ist mein Tanzbereich, das ist dein Tanzbereich!»
7. Stellen Sie sich in eine Ecke und rufen Sie laut: «Jetzt auf DREI alle mal verstecken!»

Viel Spaß dabei! Und wenn Sie sich tatsächlich trauen sollten, hiervon etwas auszuprobieren, oder andere Ideen für «Fun im Fahrstuhl» haben, fotografieren Sie es und stellen Sie das Foto auf meine Facebookseite. Ich verspreche Ihnen, Sie werden nie wieder Fahrstuhl fahren können, ohne zu lächeln.

Fernbeziehungen

Warum haben Männer eine so intensive Beziehung zu ihren Werkzeugen? Stellen Sie sich einmal einen Samstag lang in einen Baumarkt und beobachten Sie Männer beim Kauf einer Bohrmaschine. Von wegen, sie könnten keine Gefühle zeigen. Jedes Modell wird vorsichtig in die Hand genommen, auf dem Arm gewiegt und zärtlich der Griff gestreichelt. Dabei spürt der Mann ganz tief in sich hinein, um dann intuitiv zu entscheiden: Das ist mein Baby! Als wäre sie ein Teil von ihm. Und genau das werden Werkzeuge auch nach jüngster Hirnforschung. Sie verändern unser Körperbewusstsein, wir wachsen über uns hinaus durch Hammer, Stein und Eisen.

Obwohl Sprache und Werkzeuggebrauch die großen Fortschritte der Menschheitsentwicklung waren, gibt es erst seit wenigen Jahren ernsthafte Werkzeugforschung in der Psychologie. In der Philosophie beschäftigt man sich seit Hunderten von Jahren mit der Sprache als Mittel der Erkenntnis, aber im Gegensatz zur Sprachphilosophie gibt es keinen einzigen Lehrstuhl für Werkzeugphilosophie. Obwohl ein Lehrstuhl auch nicht durch das Wort allein entsteht und auch das Reden über das «Ding an sich» noch kein Ding an sich groß verändert hat.

Lange dachte man, wenn eins sicher sei, dann, wo unser Körper anfängt und aufhört. Irrtum. Wie man seit kurzem weiß, verändern sich das Bild und unser Gefühl von unserem eigenen Körper in der Sekunde, in der wir ein Werkzeug zur Hand nehmen. Im Gehirn wird jeder Körperteil «repräsentiert». Aber diese Zuordnung von der realen Hand und dem Areal im Gehirn für die Hand ist nicht starr, sondern flexibel. Wenn wir einen Hammer in die Hand nehmen, wird er im Gehirn der Einfachheit halber als Verlängerung des Arms zum Teil unseres Körpers erklärt! Das ist praktisch, denn so können die Bewegungen koordiniert und vorausberechnet werden, um beispielsweise einen Nagel zu treffen. Und wenn man stattdessen den Daumennagel trifft, kommen wieder große Momente der Sprachproduktion.

In Schweden existiert beim Junggesellenabschied ein Ritual: Der zukünftige Bräutigam muss nach reichlich geflossenem Alkohol ein Möbelstück eines weit über Schweden hinaus bekannten Herstellers zusammenschrauben. Das Mindeste, was ein Mann dort in die Ehe einzubringen hat, sind Erfahrungen im Umgang mit Inbusschlüsseln unter erschwerten Bedingungen. Was meine handwerklichen Fähigkeiten und Bedürfnisse angeht, genügen mir persönlich zwei Dinge aus dem Baumarkt: Caramba und Gaffa – ein Rostlöseschmieröl zum Sprühen und ein schwarzes Textilband, welches richtig klebt. Wenn sich etwas nicht bewegt, aber soll: Sprühen. Wenn etwas beweglich ist und nicht soll: Kleben. Fertig.

Aber die psychologische Forschung unterscheidet zwischen so tollen Sachen wie «transparenter» und «intransparenter» Werkzeugtransformation. Auf gut Deutsch: Entweder ich verstehe, wie ein Werkzeug funktioniert, oder die Mechanik bleibt mir verborgen. Um eine Schere zu bewegen, muss ich, dank des Scharniers zwischen den Klingen, die Finger zusammenführen, damit etwas passiert. Das ist halbwegs transparent. Wobei es auch in diesem Fall zu Missverständnissen kommen kann. Meine Schwester experimentierte einmal im Vorschulalter mit einer Zange und einem meiner Finger. Als ich mittels Sprache versuchte, ihr meinen Schmerz mitzuteilen, und sie bat, doch eine Handlungsalternative zu suchen (ich hab es damals etwas anders formuliert), drückte sie immer fester zu in der Annahme, dass sich so die Backen der Zange doch irgendwann öffnen müssten. Nun gut, ich schreibe heute im Neun-Finger-System. Nein, alles gutgegangen.

Aber Werkzeugtransformation muss eben gelernt werden, vor allem die völlig intransparente unserer elektronischen Körperverlängerungen. Aufgrund der berührungssensiblen Smartphones sind neue Bewegungsabläufe entstanden, die wir Menschen in der Evolution noch nie zuvor gebraucht haben: beispielsweise das Spreizen von Daumen und Zeigefinger, um eine Abbildung zu vergrößern. Da hat der Affe Hunderttausende von Jahren gebraucht, um zum Menschen zu werden und einen beweglichen Daumen zu entwickeln, der alle anderen Finger berühren kann. Haben Sie schon einmal einen Affen gesehen, der einen Faden durch ein Nadelöhr zieht? Das gibt es nicht, weil er den Faden gar nicht richtig zu greifen bekommt. Wir schon, zwischen Daumen und Zeigefinger im «Pinzettengriff». Was nicht heißt, dass ich das Nadelöhr treffe, aber theoretisch müsste es gehen. Womit wir uns aber alle zum Affen machen, sind Geräte, die wir nicht mehr ansatzweise verstehen, die wir aber dennoch als «Ansatz» unseres Körpers im Gehirn verbuchen. Wir begreifen sie nicht, und umso verzweifelter versuchen wir, sie mechanisch im wahrsten Sinne in den Griff zu bekommen.

Ein albernes Beispiel sind leere Batterien in einer Fernbedienung. Haben Sie sich nicht auch schon dabei ertappt, wie Sie immer stärker auf die Knöpfe drückten, je weniger Saft die Dinger noch hatten? So als könnte man durch den hektischen Druck zusätzlich Strom erzeugen. Ist aber bei einer Fernbedienung selten vorgesehen, der Druck ist den Elektronen dadrin so etwas von egal. Das macht ja einen Teil unseres Frustes aus.

Ein anderes Beispiel: Man wirft mit einem Beamer ein Bild

an die Wand und versucht, mit der Fernbedienung etwas am Bild zu verändern. Jedes Mal richte ich sie zuerst auf das Bild und wundere mich, dass nichts passiert. Was tue ich also als Nächstes? Ich drücke stärker auf die Knöpfe. Und kurz vor dem Batteriewechsel fällt mir ein, dass zwar das Bild an der Wand ist, aber nicht dank der Wand, sondern dank des Beamers. Erst dann drehe ich mich um und zeige mit der Fernbedienung auf den Beamer, neben dem ich die ganze Zeit gestanden habe. Ich bin nicht stolz darauf. Ich will nur anderen Mut machen, denen es vielleicht auch so geht: Ihr seid nicht allein!

Männer gehen mit Fernbedienungen offenbar besonders innige Bindungen ein, in welcher Form, darüber kann man nur spekulieren, aber es ist keine Fernbeziehung. Das zeigt eine Studie, in der Frauen diverse technische Geräte des Alltags auf einer farbigen Skala als eher männlich (blau) oder weiblich (rosa) einschätzen sollten. Das satteste Blau bekam die TV-Fernbedienung. Zu Recht, denn in vertraulichen Interviews gestanden Männer, dass sie ihnen Machtgefühle vermittelt und dass sie sich manchmal wie kleine Kinder um ihren Besitz streiten. Sie gaben sogar zu, sie öfter nur deshalb zu betätigen, um andere zu ärgern. Manche hatten auch das Gefühl, rechtmäßiger Dauerinhaber der «Macht» zu sein, weil sie mehr aus der Fernbedienung «herausholen» können. Männer schalten öfter zwischen den Kanälen hin und her, schauen unkonzentrierter zu und haben seltener einen Lieblingssender, dem sie die Treue halten. Dafür kennen sie eine größere Anzahl von Sendern als die Frauen, sogar solche, die erst ganz weit hinten eingespeichert sind, und sind überraschenderweise offen für Fremdsprachen und Trendsportarten, sofern sie von nackten Frauen durchgeführt werden. Männer wollen Abwechslung, Aufregung und «etwas anderes».

Frauen dagegen lesen häufiger die Fernsehzeitschrift und verfolgen gezielt bestimmte Sendungen auf regelmäßiger Basis. Männer verzichten auf zu viel Vorabinformationen. Sie kommen direkt zur Sache und entscheiden blitzschnell, bei welcher Sendung sie dranbleiben. Sie schauen einfach, was ihnen vor die elektronische Flinte läuft, und das wird mit einem Knopfdruck zur Strecke gebracht. Achten Sie einmal auf den Gesichtsausdruck: Für viele Männer ist die Fernbedienung die einzige Waffe, mit der sie noch auf die Jagd gehen!

Neil Postman hat in seinem prophetischen Buch *Wir amüsieren uns zu Tode* schon davor gewarnt, dass durch das ständige Umschalten zwischen den Kanälen auch die Unterscheidung zwischen Realität und Fiktion verschwimmt. Man bildet sich ein, alles Elend dieser Welt könnte man durch einen Wechsel des Kanals aus der Welt schaffen oder zumindest ausblenden. Aber die Welt reagiert nicht auf unsere Fernbedienungen, egal, wie viele wir davon anhäufen.

Ein schönes Geschenk für junge Eltern ist übrigens die Fernbedienung *Control-a-Kid*. Sie spielt mit der Traumvorstellung, Kindern auf Knopfdruck etwas beibringen oder abringen zu können. Auf einer Taste steht «Danke sagen», daneben «Iss Gemüse» oder «Mach Schularbeiten». Auf dem großen Knopf in der Mitte: «Werde erwachsen». Und ganz oben befinden sich die «Ton weg»- und «Trotzhaltung abstell»-Funktionen und für pubertierende Kinder die Stopptasten für Tattoos, Piercings und Rauchen. Wie so oft findet man die entscheidenden Hinweise in der Bedienungsanleitung, die keine Sau liest: Zeigen Sie mit der Fernbedienung auf das Kind. Drücken Sie irgendeinen Knopf. Hoffen Sie aufs Beste. Keine Batterien vonnöten. Es funktioniert nur in Gedanken.

Wer kleine Kinder hat, weiß, dass sie auf Fernbedienungen

reagieren. Und wie! Es gibt kein Holzspielzeug, keine Modell-
eisenbahn, keine Puppe, die es mit der magischen Anziehung
einer Fernbedienung aufnehmen könnte. Zuerst halten sie sich
die Dinger noch ans Ohr – und man fragt sich automatisch, von
wem sie das wohl haben. Aber dann entdecken sie, was man
damit noch alles machen kann: Apfelschorle darüberkippen,
Batterien herausnehmen und runterschlucken und das Beste: Damit lassen sich die Eltern tatsächlich fernsteuern. Eben
waren Mama und Papa noch auf Stand-by, und *zack* – sind sie
eingeschaltet und geben dem Kind alles, was es möchte und
braucht: ihre volle Aufmerksamkeit!

Die mit Abstand, also mit dem kürzesten Abstand, absur-
deste Fernbedienung in meinem Haushalt ist die für meine
Toilette. Ja – ich bekenne: Ich habe in die jüngste Generation
von Hochleistungskeramik investiert. Andere haben tolle
Schüsseln auf dem Dach, ich habe sie im Bad. Und wenn man
einmal zusammenrechnet, was man heutzutage in Bädern für
trendige Installationen und extra angefertigte Möbel ausgibt,
wundert man sich, warum man dort nicht die Gäste empfängt.
Das Bad ist das neue Wohnzimmer!

Ein Freund hatte mich mit seiner Begeisterung für ein Bidet
angesteckt. Dieser Satz überzeugte mich: «Würdest du jeman-

dem gerne die Hand schütteln, der diese, statt sie zu waschen, nur mit Papier abgerieben hat?» Natürlich nicht. Ich bestellte das Ding. Erst später ging mir auf, dass ich einem kleinen logischen Fehler in der Argumentationskette aufgesessen war. Wer sich nicht den Popo duscht, kann sich trotzdem die Hände waschen. Egal. Fakt ist, Bidets sind auf dem Vormarsch. In vielen wärmeren Ländern gibt es eine Spül- und Spritzkultur, die sich gewaschen hat. Und wenn die globale Erwärmung dazu führt, dass Deutschland auch bald Mittelmeerklima bekommt, dann bin ich mental und gluteal darauf vorbereitet. Der deutsche Sonderweg besteht darin, keine zwei separaten Becken nebeneinander zu bauen, sondern das *All in one*-Modell mit Dunstabzug ohne Haube, aber mit Föhn. «Es saugt und bläst der Heinzelmann …» Keine Details. Alles individuell einstellbar, mit Memory-Funktion, denn jeder Mensch hat seine eigene Anatomie und Körperstellen, wo er kitzlig ist und wo gerade nicht. Theoretisch könnte man natürlich direkt mit der eigenen Hand die Dusche auslösen. Aber man hat ja keine Hand frei – denn da befindet sich die Fernbedienung! Gedacht waren Fernbedienungen ursprünglich für die große Distanz, jetzt eben fürs große Geschäft. Luxus und Fluxus, reinlicher Überfluss, man gönnt sich ja sonst nichts.

Aber der größte Spaß – und ich vermute, das ist der eigentliche Zweck der Fernbedienung: Wenn nichtsahnende Gäste sich diskret hinter die geschlossene Tür zurückziehen, muss man den richtigen Moment erahnen, um dann von außen den Sturm im Wasserglas auszulösen … Kindisch, ich gebe es zu, aber es ist einfach besser als ein Klingelstreich. Endlich einmal Technik, die Sinn macht – weil man damit auch als Erwachsener Unsinn machen kann.

Eine Anleitung für Männer
im Umgang mit Frauen

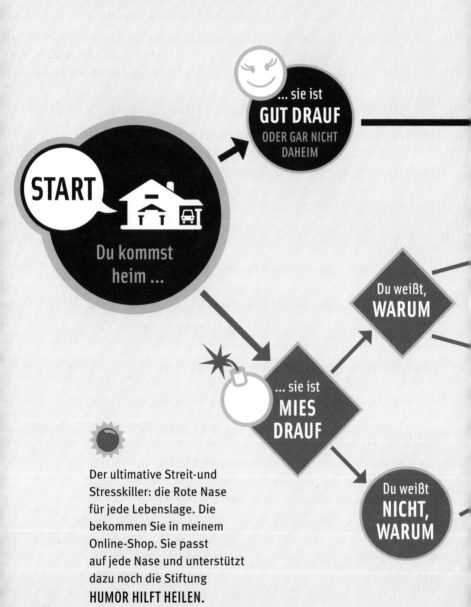

... sie ist **GUT DRAUF** ODER GAR NICHT DAHEIM

START Du kommst heim ...

Du weißt, **WARUM**

... sie ist **MIES DRAUF**

Du weißt **NICHT, WARUM**

Der ultimative Streit-und Stresskiller: die Rote Nase für jede Lebenslage. Die bekommen Sie in meinem Online-Shop. Sie passt auf jede Nase und unterstützt dazu noch die Stiftung **HUMOR HILFT HEILEN**.

Alles paletti!

ZIEL

Feierabendbier

Du hast
RECHT

Du hast
**NICHT
RECHT**

Nicht streiten,
Klappe halten,
in den Arm nehmen,
Füße massieren &
ZUHÖREN!

TIPP: Diese Anleitung an der Eingangstür außen gut sichtbar aufhängen.
VOR dem Betreten der Wohnung lesen, danach ist es zu spät.

{ GLOBAL WARMING }

1800   1900   1950   1970   1980   1990   2006   2012

Die String-Theorie des Klimawandels sieht stringenter aus, als sie ist.

Das Geheimnis von Krake Paul

Paul schweigt. Dabei hätten wir noch so viele Fragen an ihn. Der allwissende Krake wusste 2010 mehr über die WM als alle Experten zusammen. Und obwohl bei der EM 2012 ein ganzer Zoo prophetischer Kühe, Weichtiere und Papageien angetreten ist, wurde keiner so berühmt, lag keiner so oft richtig wie Krake Paul. Wir haben damals von Vorhersage zu Vorhersage ein Wesen liebgewonnen, das einen in acht Arme gleichzeitig nehmen konnte. Oder auf den Arm?

Das Geheimnis aller Orakel lässt sich auf zwei Aussagen eindampfen: Vorhersagen sind schwierig, gerade was die Zukunft betrifft. Und: Hinterher ist man immer schlauer. Pauls Wahrscheinlichkeit, zum Wahrsager zu mutieren, lag nicht bei eins zu 256. Das stimmt nur rechnerisch, aber nicht psychologisch! Angenommen, es gäbe 256 Radiostationen, die alle ihr Maskottchen zum Beginn der WM an den Start gebracht hätten, was wäre passiert? Die Hälfte von ihnen hätte bereits beim ersten Spiel danebengelegen. Dann blieben nur noch 128. In der zweiten Runde wären per Zufall wieder fünfzig Prozent ausgeschieden. Das ist reine Wahrscheinlichkeitsrechnung. Aber jetzt kommt die Psychologie ins Spiel.

Über wen wird geredet, über wen wird berichtet? Nur über die Tiere, die überhaupt in den ersten Runden per Zufall richtiglagen. Krake Paul hatte keine übersinnlichen Kräfte, sondern ist Teil eines menschlichen Spiels geworden – sich vorher nicht festlegen und im Nachhinein behaupten: «Siehste, hab ich gleich gewusst.» Wenn 256 Kraken an den Start gehen, wird einer bei allen Spielen richtigliegen. Aber man weiß eben vorher nicht, welcher von ihnen. Und wenn es nicht nur Kraken sind, sondern lauter verschiedene Tiere, übersehen wir diese fundamentale Tatsache. Leichter als Kraken ist eine Münze zur Hand zu nehmen, die nicht aus dem einen oder andern Topf mampft, sondern Kopf oder Zahl zeigt. Bei acht Spielen, die es vorherzusagen galt, lag die Chance, das Ergebnis per Zufall richtig zu tippen, bei «so oder so», eins zu eins, also fünfzig Prozent. Und für jedes weitere Spiel auch. Es ist selten, dass man achtmal hintereinander per Zufall richtigliegt, aber es ist kein Wunder. Klar, im Alltag würde ich mir eine Münze, die achtmal hintereinander nach einem Wurf Kopf zeigt, genauer anschauen, ob auf der anderen Seite nicht vielleicht auch ein Kopf zu sehen ist. Aber auch bei einer regulären Münze kommt das mal vor, erwartbar in einem von 256 Fällen. Was wusste Paul wirklich? Konnte er ahnen, dass wir so wenig Gefühl haben im Umgang mit Wahrscheinlichkeiten und Risiken?

Nichts ist erfolgreicher als der Erfolg. Das gilt nicht nur für Kraken, sondern auch für hohe Tiere und Haie der Versicherungsbranche. Die schreiben gerne Biographien, in denen sie der Welt erklären, wie man erfolgreich wird. Sparen Sie sich diesen Selbstbetrug. Das muss man weder anderen noch sich selbst glauben. Der Zufall spielt in jeder Biographie eine große Rolle. Aber wir neigen alle dazu, die schlechten Auswirkungen dem Schicksal zuzuschreiben und alles, was gut in unserem Leben gelaufen ist, unserer Persönlichkeit. Unerfolgreiche Leute schreiben so selten Biographien, und noch seltener werden diese Bestseller. Der Paul steckt in uns allen!

Hätte er beim ersten Spiel danebengegriffen, wäre kein Oktopus aus Oberhausen, sondern vielleicht ein Maulwurf aus Wanne-Eickel zum Genie avanciert. Oder ein Gockel aus Hannover, doch nachdem Paul in den Medien war, krähte keiner mehr nach den anderen Tieren. Der Vergleich hinkt, sofern man das über einen Kraken sagen darf. Pauls eigentliche Leistung bestand also nur darin, sich in den letzten vier Spielen nicht zu vertun, nachdem er nach den ersten vier Zufallstreffern ins Rampenlicht gerückt war. Und das ist dann gar nicht mehr sooo erstaunlich. Kraken haben acht Arme, aber kein zweites Gesicht! Es gibt keine hellsichtigen Calamares-Vorstufen. Es gibt aber eine Kurzsichtigkeit von Menschen im Umgang mit Zahlen und Risiken. Das ist bei Kraken harmloser als bei Atomkraftwerken. Über Jahrzehnte wurden alle Skeptiker bei der Atomenergie damit beschwichtigt, dass es einen ernsthaften Störfall nur alle zehntausend Jahre einmal gäbe. Nur kann das nach Harrisburg, Tschernobyl und Fukushima niemand mehr glauben. Ich auch nicht, denn die drei Katastrophen passierten bereits zu meinen Lebzeiten, und ich bin noch keine tausend, geschweige denn zehntausend Jahre alt! Wenn man mit einem Würfel eine Sechs würfelt, ist die Chance, beim nächsten Wurf wieder eine Sechs zu bekommen, weder höher noch niedriger, sondern unverändert eins zu sechs. Und nach der gleichen Logik heißt «alle zehntausend Jahre» auch nicht «in» zehntausend Jahren, sondern es kann schon morgen wieder so weit sein. Weder der Würfel noch der Zufall hat ein Gedächtnis. Aber wir! Und wir werden alle nicht zehntausend Jahre leben, um zu wissen, wer in der Energiediskussion recht behält.

Auch wenn das Risiko für ein einzelnes Atomkraftwerk gering ist, mit jedem neuen und vor allem mit jedem alten, das am Netz bleibt, steigt die Wahrscheinlichkeit, dass wieder eins davon durchknallt. «Da gilt Murphys Gesetz: Alles, was schiefgehen kann, wird auch schiefgehen», sagte der Mathematiker Gerd Antes vom Deutschen Cochrane Zentrum am Institut für Medizinische Biometrie und Medizinische Informatik des Universitätsklinikums Freiburg. Und das bedeutet nichts anderes als: Die Wahrscheinlichkeit für einen GAU liegt bei hundert Prozent, man muss nur lange genug darauf warten. Manchmal geht es auch schneller. Statt Paul mit Fußballergebnissen zu belästigen, hätte man seine prophetische Kraft für wirklich wichtige Entscheidungen gebraucht: Wo gibt es zum Beispiel ein sicheres Endlager? Aber Paul hat sich verkrochen. Für immer. Und die Atomindustrie in Deutschland hat hoffentlich seine Botschaft verstanden: Wenn es eine Weile gutgegangen ist, dann soll man sein Schicksal nicht herausfordern. Wie bleibt man in bester Erinnerung? Rechtzeitig runterfahren und abschalten.

Sind wir schon mit einzelnen Risiken mental überfordert, wird es umso schlimmer, wenn sich Ereignisse unglücklich verketten. In Japan hat sich die Erde nicht an die Vorhersagen gehalten. Die Atomkraftwerke waren bis zur Erdbebenstärke acht eingerichtet, mit neun hatte niemand gerechnet.

Blöder Zufall, Fluch der Technik, oder waren womöglich noch höhere Mächte im Spiel? Glauben und Aberglauben blühen, wenn man Zusammenhänge sieht, weil wir den Zufall so schwer greifen können. Was löst überhaupt Erdbeben aus? Dazu hatte ein iranischer Prediger eine sehr interessante Erklärung parat: Frauen, die sich freizügig kleiden, würden nicht nur junge Männer von ihrem Weg abbringen, sondern auch die Gefahr von Erdbeben erhöhen. Eine kühne These, die man aber doch experimentell überprüfen kann. Und genau dies tat die zweiundzwanzigjährige Studentin Jennifer McCreight von der Purdue University. Sie forderte via Internet Frauen auf, die übernatürliche Kraft ihrer Brüste zu testen, um herauszufinden, wie eng Erotik und Tektonik zusammenhängen.

Flugs kamen einhundertfünfzigtausend Freiwillige zusammen, die kollektiv aus ihren Kollektionen das Offenherzigste heraussuchten. Am *Boobquake Day* wollten sie aus dem

US-Bundesstaat Indiana heraus die Erde erschüttern. Und tatsächlich bebte just an diesem Tag der Boden! Allerdings auf der anderen Seite der Erdkugel, in Taiwan, aber immerhin mit Stärke 6,9. Ein Punkt für den Fundamentalismus oder für die Seismologie, Büstenhalter oder Bedenkenträger, Brust oder Keule? Sollte es Zufall gewesen sein, so wie an den anderen einhundertzwanzig Tagen des Jahres, an denen Beben in solcher Stärke registriert werden?

Unstrittig war bislang, dass es eine Anziehungskraft der Erde auf Brüste gibt, aber womöglich ist dies wie die meisten Dinge im Leben eine Wechselwirkung, vor deren Komplexität wir uns verneigen können. Weitere Untersuchungen sind notwendig. Ich fürchte nur: Beide Seiten sehen sich schon als Gewinner. Kausalität und Korrelation, Konfektion und Konfession sind schwer auseinanderzuhalten, vergleichbar mit dem Mann, der durch die Straßen lief und dabei immer wieder in die Hände klatschte. Gefragt, warum er das tue, antwortete er: «Ich vertreibe die Elefanten.» – «Aber hier gibt es doch gar keine Elefanten.» – «Da sehen Sie – es wirkt!»

Aus Beobachtungen das Richtige zu folgern, ist eine hohe Kunst, wie auch folgende Geschichte zeigt: Sherlock Holmes und Dr. Watson gehen zusammen zelten. Holmes wird mitten in der Nacht wach und weckt seinen Gehilfen:

«Watson, schauen Sie nach oben. Was sehen Sie?»

Watson: «Millionenfache Sterne.»

Holmes: «Was bedeutet das?»

Watson: «Astronomisch, dass es Millionen Milchstraßen gibt und möglicherweise Leben. Psychologisch, dass wir klein und bedeutungslos sind. Meteorologisch, dass morgen ein schöner Tag wird. Was bedeutet es für Sie?»

Holmes: «Jemand hat unser Zelt geklaut.»

„Mutti, du hast die schönste Unterschrift!",
sagte mein Sohn als ich seine
<u>4</u> unterschreiben sollte...

hirschhausen.com

Nur für *Liebesbeweise*!

ALS ICH EINEN ASTHMAANFALL HATTE UND
MIR MEIN MANN DURCH HERZMASSAGE
DAS LEBEN GERETTET HAT.

Nur für *Liebesbeweise*!

hirschhausen.com

NAME		ALTER	PLZ	EMAILADRESSE
ANMELDUNG ZUM NEWSLETTER			Willst Du mit mir mailen? ☐ JA ☐ NEIN ☐ VIELLEICHT	

Als sie der Trennung zustimmte!

Nur für *Liebesbeweise*!

hirsch

NAM

ANMI

Liebesbeweis!

Was ist das Schönste, was ich einmal einem anderen Menschen
gesagt habe oder jemand mir sagte? Welche Taten oder Erlebnisse
haben mich überzeugt, dass es Liebe gibt?

Liebesbeweise

Dr. ECKART von HIRSCHHAUSEN

Sie scheute sich nicht,
meine Fußnägel zu
schneiden!

Nur für *Liebesbeweise*!

hirschhausen.com

„Dein Stammbaum ist ein Kreis.„

Das Schlimmste...
Streit gesagt oder gehört ha...

„Du tanzt wie ein Nilpferd!„

Streit!

Was ist das Schlimmste, was ich schon einmal in einem Streit gesagt oder gehört habe?

„Waren Deine Eltern Chemiker?
Du siehst aus wie ein
MISSGLÜCKTER VERSUCH!„

„Du hast mich nur
geheiratet, weil ich so
repräsentativ bin.

Es gibt ein schönes englisches Sprichwort: «If it isn't broken – do not fix it!» Wenn es nicht kaputt ist, reparier es nicht! Dieses Motto gilt nicht nur für Beziehungen. Ich möchte es hier gerne allen Designern auf der Welt ins Handbuch, hinter die Ohren und sonst wohin schreiben, insbesondere all jenen, die meinen, sich mit der «Verbesserung» von Wasserhähnen beschäftigen zu müssen.

Da ich sehr viel unterwegs bin und in Hotels übernachte, kämpfe ich regelmäßig mit verschiedenen Armaturen. Wie oft schon habe ich mich unter einer Dusche über den gestalterischen Ehrgeiz an der falschen Stelle geärgert. Und nicht nur geärgert, sondern regelrecht gekocht – weil ich mich verbrüht habe. Und danach noch mehr geärgert. Design ist Kunst, die sich nützlich macht. Das ist eine brauchbare Definition. Aber brauchbare Dinge unbrauchbar zu machen durch Design, ist leider die Realität. Doch eins nach dem anderen.

In der guten alten Zeit, die ich noch erleben durfte, gab es Wasserhähne, die diesen Namen verdienten, weil sie anatomische Parallelen zu einem Hahn aufwiesen: zwei Flügel an der Seite, einen langen Hals mit einem Schnabel in der Mitte. Eine klare Sache. Der Flügel mit dem roten Punkt war für warmes Wasser, der mit dem blauen für kaltes. Wenn man wärmeres Wasser haben wollte, musste man nur das rote Rad etwas weiter aufdrehen, und wenn man es viel aufdrehte, wurde es richtig viel wärmer. Das reichte den Designern nicht. Sie langweilten sich offenbar nach ihrer Ausbildung und hatten lange genug in Wohngemeinschaften mit einem Boiler gehaust, der für den Spätaufsteher kein warmes Duschwasser mehr übrig ließ, egal wie weit er die Hähne auch aufdrehte. Diesen Frust wollten sie an breitere Bevölkerungsschichten weitergeben. So muss es gewesen sein.

Als große Innovation galt die einarmige Mischbatterie, so praxisuntauglich wie ein Huhn mit einem Flügel. Der Vorteil sollte sein, dass man Temperatur und Wassermenge mit einem einzigen Hebel dosieren konnte. Theoretisch. Aber für die exakte Wohlfühltemperatur brauchte man wieder beide Hände an dem einen Hebel, um ihn millimetergenau zu justieren. Kein Fortschritt.

Aber bei dem einen Hebel blieb es nicht. Der Wahnsinn ging weiter. Kürzlich im Hotel hatte ich das Vergnügen mit drei untereinander angebrachten Hebeln. Und statt sie zu drehen, sollte man offenbar sanft den Winkel variieren. Wie ich durch Testreihen, Versuch und Irrtum und mit dem letzten Rest Menschenverstand, den mir die Armee der Armaturen noch nicht geraubt hatte, folgerte: Der oberste entschied, ob das Wasser einen von oben oder von der Seite bespritzte, der zweite über die Stärke des Strahls und der dritte über die Temperatur. Und warum stand das nirgends? Und warum sahen alle drei exakt gleich aus, wenn sie jeweils eine völlig andere Funktion hatten? *Form follows function* – die Form folgt der Funktion, hieß es einmal. Und nicht: Rate mal, was ich mir dabei gedacht habe. Hat euch Designern das niemand beigebracht?

Dass man in öffentlichen Schwimmbädern entmündigt wird, verstehe ich ja noch halbwegs: Damit die Halbstarken die Hähne nicht halb offen lassen und Wasser verschwenden, gibt es nur einen einzigen Knopf. Und mit sehr viel Druck geht die Dusche auch an. Und dann kommt ein so dünner Strahl, dass man gar nicht weiß, ob es sich jetzt um heißes oder kaltes Wasser handelt. Für diese Unterscheidung reicht die Menge nicht aus. In Gemeinschaftsduschen geht man solidarisch davon aus, dass zu viel Individualität dem Gemeinschaftserlebnis abträglich sei. Und wenn schon alle im gleichen Wasser schwimmen, müsste man sich doch auch beim Duschen auf eine Einheitstemperatur einlassen können. Wobei gerade Kinder ja gerne versuchen, ihren Beitrag im Schwimmbecken zu leisten, um das Wasser insgesamt auf Körpertemperatur zu bringen. Ein Tropfen auf den heißen Stein – o. k., falsche Metapher. Aber Sie wissen, wovon ich rede.

Ein Jahr habe ich in England gelebt und immer wieder staunend vor dem Waschbecken gestanden und mir eine Mischbatterie gewünscht. Denn dort wird die vorviktorianische Tradition der getrennten Wasserhähne weiterhin zelebriert. Damals ließ man heißes und kaltes Wasser ins Becken ein, es durfte sich vermischen, und erst dann wurde die menschliche Haut damit benetzt. Sehr vornehm. So als wenn «Sie baden gerade die Hände darin» alltäglich wäre und man auch fürs Händewaschen schon mal das Badewasser vorher einlässt. Aber für das kurze Händewaschen ist es denkbar unpraktisch und damit wieder sehr ökologisch. Denn automatisch wird nur der Kaltwasserhahn verwendet, um sich nicht die Hände zu verbrühen, denn selbst ein schnelles Hin und Her der Hände unter beidseits laufendem Wasser erhöht den Waschkomfort nicht wesentlich. Als ich eine Engländerin einmal leicht spöttisch auf den Mangel an Mischbatterien im Lande hinwies, antwortete sie, dass sich der Schöpfer schon beim Manne auf nur eine gemeinsame Endstrecke der verschiedenen Flüssigkeiten eingelassen habe und man ja sehe, wozu das geführt habe. Was will man darauf antworten?

Wenn es einen Gott gibt, dann muss es eine Frau sein. Ein Mann hätte sich mit dem Design definitiv mehr Mühe gegeben.

Die Kreationisten sagen, alles sei ein «intelligentes Design» des Schöpfers und genau so habe er es gewollt. Gleichzeitig bekämpfen sie die Evolutionstheorie und oft auch sich selbst, weil sie so sinnen- und körperfeindlich sind. Nicht diskutieren, sondern nur ein schlagendes Gegenargument liefern: «Hätte Gott gewollt, dass wir nicht masturbieren – er hätte uns doch einfach kürzere Arme gemacht!»

Egal ob es einen himmlischen Designer gibt, liebe Designer auf der Erde: Woran ihr euch einmal wirklich austoben könntet, ist die Befestigung der Klobrillen an der Schüssel. Da gibt es eine Schraube, die immer irgendwie lose ist. Überall auf der Welt wackeln Klobrillen, brechen aus der Halterung und verschieben sich gegen den Deckel und gegen die Schüssel. Es kann doch nicht so schwer sein, etwas zu entwerfen, was fest sitzt und einem selbst das wackelfreie Sitzen ermöglicht. Oder ist euch dafür eure Kreativität zu schade, ihr Schöpfer?

Puste mal und wünsch dir was.

Wir hören nicht auf zu spielen, weil wir älter werden.
Wir werden alt, weil wir aufhören zu spielen.

Alles E?

Die traurigsten Geschäfte in Bahnhofsnähe sind die für Briefmarken- und Münzsammler. Oft vergitterte Fenster, meist geschlossen, und wenn mal geöffnet ist, habe ich noch nie einen Kunden sich darin verirren sehen. Philatelisten und Numismatiker gehören auf die Rote Liste der vom Aussterben bedrohten Arten. Es fehlt der Nachwuchs. Früher hatte es einen Reiz, seiner Angebeteten anzubieten: «Komm doch noch schnell mit hoch, ich zeig dir meine Briefmarkensammlung.» Aber das verfängt schon lange nicht mehr. Eine Zwanzigjährige würde antworten: «Share die doch auf flickr!» Kein Wunder, dass Briefmarkensammler sich nicht vermehren. Das Internet hat alle Modalitäten von Brief-, Zahlungs- und Geschlechtsverkehr revolutioniert. Ich habe immer noch Liebesbriefe von früher, aber ich kann mir nicht vorstellen, dass die nächste Generation in einem alten Koffer einen USB-Stick mit den schönsten SMS aufbewahrt. Ein elektronischer Liebesbrief ist in etwa so überzeugend, wie jemandem ein Foto von einer Pizza zu mailen und zu sagen: Wenn du Hunger hast, kannst du sie dir ja ausdrucken.

Es muss nicht unbedingt handgeschöpftes Papier sein, aber handgeschrieben ist einfach etwas anderes. Mit Füller, mit Schweiß, ohne Option, alles löschen zu können, was da schon steht, es sei denn, man fängt noch einmal ganz von vorne an. Es gab eine Zeit, in der man vor dem Schreiben dachte. Also, ich schreibe alle meine Bücher erst mit Tinte in Briefform an eine unbekannte Leserin. Quatsch, ich bin froh, wenn der Laser im Drucker auf mich reagiert.

Aber was ich tatsächlich mache: Ich lese die Buchtexte einem

Menschen vor. Und lieber unter einem Lampenschirm als von einem Bildschirm. Bin ich hoffnungslos romantisch oder einfach nur veraltet? Fehlt mir ein Update? Ist meine Software nicht aktuell genug?

Nennen Sie mich altmodisch, aber ich glaube auch nicht so richtig an das E-Book! Ich finde es weder für mich schön noch für Leute, bei denen ich zu Besuch bin. Das E-Book hat nicht diesen typischen Geruch, diese Mischung aus Papier und Farbe. Und dann gibt es da noch etwas: Ich weiß, es ist indiskret, aber wenn ich das erste Mal bei jemandem zu Hause bin, schaue ich nicht bei der ersten Gelegenheit im Bad nach den Geheimnissen der Kosmetik oder am Tisch, von welchem Hersteller das Porzellan ist. Ich inspiziere das Bücherregal. Dann weiß ich sehr viel verlässlicher, ob jemand alle Tassen im Schrank hat. Man darf sich natürlich nicht von den extra zur Begutachtung drapierten *Coffee-Table-Books* ablenken lassen, bei denen es wichtiger ist, dass sie vom Format her zum Tisch passen als zur Persönlichkeit. Geistige Größe verraten die Regalecken, in denen schon länger nicht mehr Staub gewischt wurde, die aber vergangene Epochen der Auseinandersetzung dokumentieren. Zu wissen, was jemand gelesen hat oder zumindest mal vorhatte zu lesen, gibt automatisch Anlass zur Konversation oder, im schlimmsten Fall, zur Flucht. Jemanden wie ein offenes Buch lesen zu können, erfordert offene Bücher!

Ich beneide Menschen, die dicke Bücher wälzen. Berufsbedingt lese ich seit der Ausbildung viele Fachartikel und Sachbücher, viel lese ich quer und noch mehr gar nicht. Lesezeit ist immer ein zu knappes Gut für zu viele gute Bücher. Oft schäme ich mich fremd, wenn ich sehe, was für Lebenszeit Menschen mit schlechten Zeitschriften vergeuden. Es gehört heute zum guten Ton, kein Junkfood in sich hineinzustopfen und darauf zu achten, wie sorgsam die Nahrung zubereitet wurde. Seltsamerweise legen die wenigsten Menschen die gleiche Sorgfalt bei geistiger Nahrung zugrunde. Rolf Dobelli hat einen interessanten Essay geschrieben, warum er nur noch Bücher liest und keine Zeitungen und erst recht keine Internet-Newsportale. Denn die sind das mentale Fastfood, das wenig nährt, nur übersättigt.

Komme ich auch selbst selten zum Schmökern, freue ich mich umso mehr fremd, wenn mir in der U-Bahn jemand gegenübersitzt, der gerade die letzten fünfzehn Seiten von geschätzten fünfhundert vor sich hat. Ich fiebere förmlich mit, ob Buchende oder Endbahnhof zuerst erreicht werden, ein Kopf-an-Kopf-Rennen. Aus Erfahrung kann ich sagen: Das Schönste für einen Autor ist es, jemanden zu beobachten, der das eigene Buch liest und über etwas, das im stillen Kämmerlein erdacht wurde, plötzlich laut lacht. Wenn ein Musenkuss oder ein Musenlächeln sich über das Medium des bedruckten Papiers auf ein fremdes Gesicht zaubern lässt – das ist die Magie des Buches.

Der Buchleser sucht Tiefe, nicht Benutzeroberfläche. Er will etwas begreifen, nicht durchscrollen. Autor und Leser verbindet mehr als ein drahtloses Netzwerk zum Downloaden. Als Autor will ich ein Netzwerk von Assoziation und Gedanken teilen, jemanden verstricken in das Ersonnene und Ersponnene, und als Leser möchte ich verstrickt werden, gefesselt – ohne Peitschenhiebe. Wobei, wer es mag – da gibt es auf dem Buchmarkt große Grauzonen. Und bei bestimmten Büchern verstehe ich auch, dass es besser ist, wenn keiner weiß, dass man sie liest.

Viele Journalistenkollegen prophezeien, man würde in naher Zukunft nur noch PDFs auf einer Festplatte türmen statt Gedrucktes auf dem Tisch. Klar kann man dadurch noch mehr

Bücher in den Urlaub mitnehmen, aber ehrlich gesagt, löst das nicht das Problem, es macht es schlimmer. Ich hatte noch nie zu wenig zu lesen dabei. Ich will ein Buch über mein Gesicht legen, wenn ich in der Sonne döse, keinen Prozessor. Und es gibt kaum etwas Befriedigenderes, als im Urlaub ein gelesenes Buch von einem auf den anderen Stapel zu legen. Vielleicht bin ich eine aussterbende Spezies. Und garantiert wird schon an einer App gearbeitet, die das Haptische virtuell integriert: Elektronische Eselsohren gibt es schon, demnächst dann auch Vergilben mit Photoshop und virtuelle Kaffeeflecken? Und wenn Gäste kommen, kann man mit einer Besucher-App das komplette elektronische Bücherregal auf dem Fernsehmonitor anzeigen lassen oder in der Vollversion alle Buchrücken auf Tapete ausdrucken und an die Wand hängen.

Als das Fernsehen erfunden wurde und die Zeitungsverleger wegen ihrer Zukunftsperspektiven erstmals kalte Füße bekamen, kursierte der Spruch: «TV wird die Zeitung nie ersetzen. Kein Mensch möchte mit dem Fernsehgerät nach einer Fliege schlagen.» Auch zum Einwickeln von Fisch sind selbst die neuesten Flachbildschirme gänzlich ungeeignet. Die alte Kulturtechnik des bedruckten Papiers hat unschlagbare Vorteile, auch und gerade für die Verarbeitung im Kopf.

Eine Arbeitsgruppe in den USA testete Journalismus-Studenten, die mit Anfang zwanzig sicher schon zur Generation der *digital natives* gehören. Die eine Hälfte sollte zwanzig Minuten lang die Printausgabe der *New York Times* lesen. Die andere dieselben Inhalte im Netz. Das Resultat: Die Zeitungsleser memorierten doppelt so viel wie die Onlineleser. Anders gesagt: Die Möglichkeit, alles digital aufzunehmen, ist Gift für unser Gedächtnis und unser selbständiges Denken.

Nach einer vielbeachteten Studie besteht der sogenannte

Google-Effekt darin, sich nichts mehr richtig einzuprägen, weil man es ja jederzeit wieder neu suchen und finden kann. Betsy Sparrow, Psychologin der Columbia University, ließ Testpersonen zunächst vierzig verschiedene Aussagen von einem Computer ablesen. Der einen Hälfte der Teilnehmer wurde suggeriert, dass der Rechner alles automatisch speichern würde. Die andere Hälfte ging davon aus, dass alles gelöscht würde. Und wer erinnerte am Ende mehr? Die Offliner, also diejenigen Probanden, die dachten, dass der Computer alles löschen würde. Wer überzeugt war, dass der Rechner ohnehin alles abspeichert und verfügbar hält, merkte sich am wenigsten.

Georg Christoph Lichtenberg sagte: «Wenn ein Buch und ein Kopf zusammenstoßen, und es klingt hohl, ist das allemal im Buch?» Ja – ich gebe es zu, ich habe den genauen Wortlaut gerade nicht in einem Buch nachgeschlagen, sondern aus dem Internet kopiert, aber ich hatte ihn zumindest ansatzweise im Kopf. Und ich weiß auch immer noch, wo das Lichtenberg-Zitate-Buch in meinem Keller zu finden ist! Wie würde wohl die Variante des 21. Jahrhunderts lauten? «Wenn ein Notebook und ein Kopf zusammenstoßen, und der Akku ist alle, ist es dann immer das Notebook?»

Unser Gehirn kann Informationen sinnvoll verknüpfen. Das kann ein Computer nicht. Wer etwas anderes behauptet, darf gerne einmal in meinem elektronischen Adressbuch alle doppelten und dreifachen Datensätze manuell herauslöschen. Das würde Tage dauern. Es ist dem doofen Ding nicht beizubringen, dass es sich bei «Erika Mustermann» und «Mustermann Erika mobil» um ein und dieselbe Person handelt. Und Festplatten stellen auch keine Fragen! Sie behalten einfach nur. Sie können noch nicht einmal etwas verdrängen oder mit Absicht übersehen.

Ich habe einmal Eric Kandel treffen dürfen, Medizin-Nobelpreisträger und einer der größten Gedächtnisforscher. Er wurde in Wien geboren und musste wegen seiner jüdischen Herkunft emigrieren. In einem Interview verriet er sein Erfolgsgeheimnis: «Während die anderen Kinder beim Mittagessen gefragt wurden, was sie denn heute in der Schule gelernt haben, wurde ich gefragt: Was hast du heute in der Schule für eine Frage gestellt?» Das Geheimnis von weisen Menschen ist, dass sie sich diese Art, alles immer wieder in Frage zu stellen, bewahrt haben. Und dass sie mit derselben Inbrunst seltene Einsichten sammeln, wie früher seltene Briefmarken oder Münzen gesammelt wurden. Gerade weil man sich nichts dafür kaufen kann, sind sie so kostbar.

Ich habe nichts gegen moderne Technik, ich halte sie nur nicht per se für einen Fortschritt. Ich bewundere Menschen wie den New Yorker Intellektuellen Douglas Rushkoff oder den Computerkritiker der ersten Generation Joseph Weizenbaum, die einen daran erinnern, dass digitale Programme uns oft ihre Sicht der Dinge aufzwingen, ohne dass wir es überhaupt bemerken. Aber was fängt man mit diesen Warnungen an? Brauchen wir schnellere Technik oder langsamere oder gar keine?

Es gibt mittlerweile eine Software, die heißt *antisocial*. Sie schaltet alle sozialen Netzwerke für bestimmte Zeit aus, weil viele sich sonst darin verlieren. Sind wir kurz vor der digitalen Demenz oder schon mittendrin? Wenn Menschen unter Stress geraten, reduziert sich unsere Reaktion auf drei primitive Möglichkeiten: Kampf, Flucht oder Totstellreflex. Wo will man das Internet packen, um es zu würgen? Man kann sich nur mit ihm herumschlagen, aber es tut ihm nie weh, nur uns! Fliehen geht nur für kurze Zeit. Und an die Stelle des Totstellreflexes tritt die «Abwesenheitsfunktion und automatische Weiterleitung». Auch keine Lösung. Sollen wir Buchmenschen der fortschreitenden Digitalisierung und Fragmentierung zusehen, uns widersetzen oder hinterherlaufen? Ich bin so ratlos wie beim Autofahren in den Bergen. Gerade, wenn man sich an das Serpentinenfahren gewöhnt hat, taucht eine Warnung auf, das rote, dreieckige Hinweisschild: «Achtung Steinschlag». Fahre ich jetzt langsamer, um nicht in einen Felsbrocken auf der Straße zu rollen? Oder sollte ich gerade schneller fahren, damit ein just in diesem Moment losrollender Stein mich nicht trifft? Was tue ich? Ich fahre weiter wie gehabt. Nur mit hochgezogenen Schultern.

Das gibt Punkte!

Balken am Kopf

Wen hätten Sie im Zugabteil lieber gegenübersitzen: zwei Leute, die sich unterhalten, oder einen, der telefoniert? Sartre schrieb den großen Satz «Die Hölle, das sind die anderen» vor der Erfindung des Mobilfunks. Was hätte er erst geschrieben über die «Geschlossene Gesellschaft», hätte er einmal in einem ICE-Großraumwagen mit schlechtem Empfang gesessen?

Als Unbeteiligter hört man zwangsläufig von allen Seiten «Nein, Schatz, ich versteh dich grundsätzlich schon, nur gerade eben warst du weg», «Hab nur noch einen Balken» bis zur gebrüllten kompletten Ignoranz gegenüber Mitreisenden und der Übertragungstechnik: «Du musst lauter reden, ich verstehe dich sonst nicht!» Die wenigen Sekunden ungebrochener Funkverbindung werden vor allem dafür genutzt zu erklären, dass genau diese Verbindung wahrscheinlich gleich wieder weg sein wird. Und dass man sich ja in einem Zug befindet, falls das bei den letzten drei vergeblichen Gesprächsansätzen noch nicht deutlich genug rübergekommen sein sollte.

Sobald ich selber telefoniere, sorge ich mich natürlich auch um den Empfang. Aber sobald ich nicht telefoniere, bin ich schlecht aufgelegt, wenn es andere tun. Dann wünsche ich mir nur noch ein großes Funkloch, einen endlosen Tunnel, einen Korridor der Stille. Man sieht den Splitter im Auge des Gegenübers, aber nicht die Balken auf dem eigenen Handy, zumindest nicht, wenn man es am Ohr hat.

Wieso werden laute Telefonate in der Öffentlichkeit als so lästig empfunden? Forscher der Cornell University haben es getestet: Studenten machten Konzentrationsübungen, während sie einem echten oder einem halben Dialog zuhörten. Fehlte ein Teil des Dialogs, machten sie mehr Fehler. Kurioserweise fesseln unvollständige Dialoge unsere Aufmerksamkeit doppelt. Denn werden wir Zeuge einer konventionellen Unterhaltung, können wir «abschalten», wenn sie uns nicht interessiert. Aber wir bleiben dran, wenn wir nur die Hälfte mitbekommen, weil wir automatisch versuchen, die andere und vermeintlich bessere Hälfte zu erraten und in unserem Kopf zu ergänzen. Ein halber Dialog nervt daher so viel mehr als ein ganzer, weil wir automatisch «ganz Ohr» sind, statt nur mit «halbem Ohr» zuzuhören. Und gerade im Zug ist es schwer, auf Durchzug zu schalten! Aber auch beim Autofahren sind Handys aus diesem Grund selbst dann gefährlich, wenn sie nur vom Beifahrer benutzt werden. Die Ablenkung trifft den Wagenlenker doppelt, denn er spielt notgedrungen die andere Seite mit. Dieses Phänomen erinnert mich an den alten Lehrertrick, bei unruhiger Klasse nicht lauter, sondern leiser zu reden. In dem Moment, in dem die Schüler das Gefühl haben, etwas unerhört Wichtiges nicht zu hören, ist ihre Aufmerksamkeit wieder da.

In Graz wurde in öffentlichen Verkehrsmitteln die Benutzung von Mobiltelefonen verboten. Der Nachteil: Die wenigsten richtig wichtigen Wichtigtuer fahren Straßenbahn! Aber es ist doch schon mal ein Schritt in die richtige Richtung.

Nennen Sie mich nostalgisch, aber was ist denn aus den ganzen alten Telefonzellen geworden? Lagern die noch irgendwo? Warum stellt man die nicht einfach wieder auf? Ohne Technik, nur die Häuschen. Jeder Mobiltelefonierer könnte sich dezent da hineinstellen, die Tür zumachen und bräuchte auch keine Angst zu haben, dass alle mithören. Dafür wird sogar derjenige belohnt, dem das Telefonat wirklich gilt, denn automatisch werden die Gespräche wieder konzentrierter und besser und enden nicht an den interessanten Stellen sowieso unbefriedigend mit «Ich kann hier gerade nicht so frei reden; erkläre ich dir später». Und in den Zügen gäbe es neben der Nasszelle auch eine Telefonzelle für die kommunikative Notdurft. Vielleicht findet sich auch noch einer dieser alten Aufkleber: Fasse dich kurz!

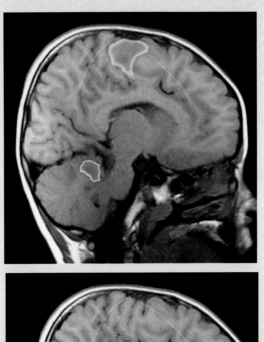

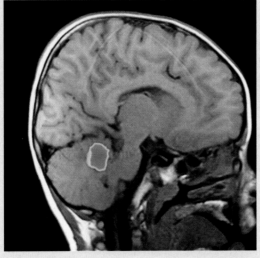

Oben: ein vorgetäuschter Orgasmus. Bei einem echten Orgasmus ist das Großhirn ausgeschaltet. Männer, wenn ihr euch unsicher seid, einfach unauffällig ein MRT-Bild machen.

Unten: ein echter Orgasmus. Der rote Fleck zeigt ein aktives Atemzentrum. Immer ein gutes Zeichen. Weiteratmen hilft.

Unhaltbar

Sagt der Richter zum Angeklagten: «Ich habe eine gute und eine schlechte Nachricht für Sie. Die schlechte: Sie sind zum Tode verurteilt, Sie werden erschossen.» Der Angeklagte: «Und was ist dann die gute?» Der Richter: «Robben schießt!»

Ungenutzte Torchancen, ein verschossener Elfmeter, und die ganze Welt schüttet Spott über einen aus. Aus Helden können in Sekunden Volldeppen werden. Und umgekehrt. An die Dramaturgie des Fußballtheaters kommt keine Spielshow heran, das ist *Wetten, dass …?, Das Supertalent* und *Wer wird Millionär?* in einem. Nun könnte man denken, wenn so viel auf dem Spiel steht und es ein Heer an Analysten, Beratern und Psychologen um jeden einzelnen Spieler herum gibt, dass in den entscheidenden Situationen auch rational entschieden würde. Weit gefehlt!

Beispiel Elfmeter: Einer versucht den Ball ins Tor zu dreschen, einer versucht genau das zu verhindern. Eine sehr klare Motivationslage für beide Seiten. Der Psychologe Michael Bar-Eli fragte sich, warum die Beteiligten so wenig dazulernen und sich in jedem Spiel aufs Neue irrational verhalten. Sein Forscherteam analysierte zweihundertsechsundachtzig Elfmetertore. Die Spieler, die das obere Drittel des Tores trafen, landeten zu hundert Prozent einen Treffer. Aber nur dreizehn Prozent der Schüsse gingen dorthin. Warum? Ein flacher Ball wird eher gehalten, ein hoher Ball fliegt leicht über das Tor. Es ist für den Schützen weniger peinlich, wenn der Torwart hält, als wenn ein Schuss über die Latte geht. Den Spielern ist es wichtiger, gut auszusehen, als ein höheres Risiko einzugehen. Gesichtsverlust gegen gute Chancen.

Ein Perspektivwechsel: Was wäre die beste Strategie für den Torwart? Wir Zuschauer lieben es tierisch, wenn er katzenartig in eine Ecke hechtet. Das ist dramatisch – und leider völlig unsinnig. Statistisch gesehen, würde er mehr Bälle halten, wenn er einfach in der Mitte stehen bliebe. Gut, bei einem Schuss in eine der oberen Ecken hätte er keine Chance mehr. Aber die hätte er so oder so nicht. Aber laut Statistik käme er aus der Mitte heraus an mehr Bälle als aus einer der Ecken. Warum macht es dann keiner? Weil es uncool aussieht! Ähnlich wie die Bauchentscheidung des Schützen, den Ball flach zu halten, ist die Bauchlandung des Keepers nicht sportlich, sondern nur menschlich zu verstehen: Ein Torwart, der stehen bleibt, zieht den Spott der Mannschaft und des Publikums auf sich. Er wird selbst unhaltbar. Ist der Torwart aber in der einen Ecke und der Ball in der anderen, macht ihm niemand einen Vorwurf. 1974 schockierte Johan Neeskens die Fußballwelt, indem er mittig schoss im Vertrauen, dass Sepp Maier in die eine oder die andere Ecke hechten, aber auf keinen Fall in der Mitte stehen bleiben würde. Ein historischer Treffer. Durchgesetzt hat sich aber das Aussitzen beziehungsweise Durchstehen von Elfmetern nicht.

Das Gleiche gilt auch für die Medizin. Forschungspreise werden erzielt mit «Innovationen», Medikamentenpreise auch. Benutzt man weiter das günstige, aber alte Präparat, erntet man leicht Unverständnis, weil doch bereits etwas viel Besseres auf dem Markt erhältlich ist. Oft genug stellt sich aber das Brandneue als brandgefährlich heraus und wird, wenn sich die Meldungen über gefährliche Wechselwirkungen häufen, wieder zurückgezogen.

Die Medizingeschichte ist voller Beispiele, wie neue Behandlungen als Fortschritt gefeiert wurden und Jahre später bei kritischer Betrachtung offenbar wurde: Operation gelungen, Patient tot. Die Behandlung mit Mitteln gegen Herzrhythmusstörungen beispielsweise hat sich im EKG sehr viel besser ausgewirkt als auf den Patienten. Man behandelt aber keine Diagnosen und Röntgenbilder, sondern Menschen. Ein weiteres Beispiel: Die Behandlung des Schlaganfalls bestand jahrzehntelang darin, dem Patienten Infusionen zur Blutverdünnung zu geben, mit der Idee, dass damit auch das lädierte Gehirn besser durchblutet würde. Ein Neurologe, der wagte, dieses Dogma anzuzweifeln, war Rüdiger von Kummer. Sein Verdacht: Diese Rettungsmaßnahme erreicht genau das Gegenteil, die Sauerstoffträger im Blut werden zwar verdünnt, das flüssigere Blut fließt dennoch nicht in das verstockte Krisengebiet. Nach dem ehernen Gesetz des geringsten Widerstandes müsste es überallhin fließen, nur nicht dorthin, wo es gerade eng und der Fluss unterbrochen ist. Die Technik des MRT war damals aber noch nicht weit genug, um diesen Verdacht zu bestätigen.

Als von Kummer seine Zweifel an der etablierten Methode äußerte, wurde er plötzlich von Kollegen und Firmen gemobbt. Er wurde nicht mehr zu den wichtigen Kongressen eingeladen, weil diese maßgeblich von den Herstellern der Infusionen gesponsert wurden. Jahre später konnte er durch eine genauere, höher aufgelöste Bildgebung des MRT endlich den Gegenbeweis erbringen. Stillschweigend wurden die schädlichen Infusionen abgeschafft, was Tausenden von Patienten Leben und Gehirn gerettet und den Krankenkassen Millionen an unsinnigen Ausgaben erspart hat. Gedankt hat es ihm niemand. Deshalb erwähne ich ihn hier so ausführlich, stellvertretend für alle Weltverbesserer durch Weglassen.

In der Medizin, beim Fußball und auch in der Politik ist es

unglaublich schwierig, eingefahrene Muster zu durchbrechen, selbst wenn allen Beteiligten bewusst ist, dass sie unsinnig sind. Was jeder kennt: die «Sommerzeit», noch treffender im Englischen als *daylight saving time* bezeichnet. Wenn man Tageslicht spart, wie will man es über Nacht lagern? Licht lässt sich noch schlechter zwischenlagern als Atommüll. Zweimal im Jahr das gleiche Schauspiel: Die Uhren werden umgestellt, aber nicht die Menschen. Tagelang traut man seinen halbgeschlossenen Augen nicht, wenn man das Ziffernblatt einer Uhr sieht. Und bis alle öffentlichen Uhren um die eine Stunde umgestellt worden sind, vergeht eh ein halbes Jahr, also lässt man die Hälfte von ihnen gleich falsch laufen. Besser wäre es, die Uhr komplett anzuhalten, dann zeigt sie wenigstens zweimal am Tag die richtige Zeit.

Alle Erkenntnisse über Stromverbrauch, wirtschaftlichen Schaden durch verkomplizierte Abstimmungsprozesse und verrückte innere Uhren sprechen eindeutig dafür, die Zeitumstellerei sein zu lassen. Warum macht man es nicht? Weil es immer schon so war? Nein, die Sommerzeit wurde 1977 in der EU eingeführt und keine siebzehn Jahre später bereits vereinheitlicht. Sie wieder abzuschaffen, geht psychologisch vor allem deshalb nicht, weil man es seinerzeit für Fortschritt gehalten hat. Obwohl die Politiker und Sachverständigen von damals kaum mehr in der Verantwortung sein dürften, steckt dahinter ein sehr mächtiges Prinzip: Etwas Unsinniges abzuschaffen, bringt wenig Anerkennung.

Ich fordere einen Nobelpreis für die besten Ideen, etwas Gefährliches und Überflüssiges abzuschaffen. Seien es Medikamente, Gesetze, Atomkraftwerke oder Torwartposen. Rückbau ist Fortschritt! Das ist nicht zukunftsfeindlich – im Gegenteil. Eine der wichtigsten Fragen in jedem Gespräch mit einem Arzt sollte lauten: «Was passiert eigentlich, wenn ich nichts tue?» Wenn ich das Knie nicht operieren lasse, sondern einfach weiterturne? Wenn ich kein Medikament nehme, sondern schaue, ob der Husten nicht von allein besser wird? Wenn ich nicht gleich einen Kaiserschnitt machen lasse, sondern noch ein bisschen abwarte, ob das Kind doch von allein auf die Welt kommt?

Die Ärzte werden für das Nichts-Tun nicht bezahlt. Auch wenn es in sehr vielen Fällen die beste und professionellste Entscheidung wäre. Sie sind geblendet von Pharmareferenten, die ihnen erklären, dass mit dem tollen neuen Medikament fünfzig Prozent weniger Leute sterben! Was Sie in solch einem Fall fragen sollten: Wie viele Menschen müssten denn für die Bestätigung dieser Behauptung behandelt werden? Viel relevanter als eine Prozentangabe sind die Heilungserfolge in absoluten Zahlen. Wenn von zehntausend Menschen, die das neue Präparat schlucken, nun nicht mehr zwei sterben, sondern nur noch einer, sind das fünfzig Prozent. Die Wahrscheinlichkeit, dass ich aber dieser eine bin, der gerettet wird, ist sehr gering. Ich gehöre mit hoher Sicherheit zu den 9998 anderen, die das Zeug völlig umsonst schlucken. Umsonst stimmt auch wieder nicht, denn die «Therapie» kostet ja etwas und hat Nebenwirkungen. Und wenn Sie dieses Beispiel auf Anhieb nicht verstehen, dann sind Sie in guter Gesellschaft. Viele Ärzte tun es leider auch nicht, weil es ihnen im Studium nicht beigebracht worden ist.

Neun von zehn Ärzten sind davon überzeugt, dass sich mindestens einer von zehn irrt. Aber zehn von zehn Ärzten glauben, dass sie es nicht sind. Auch wenn Sie zu einem guten Arzt gehen, ist eine zweite Meinung bei großen Entscheidungen hilfreich. Diese einzuholen, bedeutet auch keinen Vertrauensbruch, sondern ist eine Form der Qualitätskontrolle, für die Sie selbst Sorge tragen können. Und danach in Ruhe abwägen, und hoffentlich kommt dabei heraus: Mandeln drin lassen. Antibiotika weglassen. Knie in Ruhe lassen. Stehen bleiben wie der Torwart. Genau beobachten und abwarten, was passiert. Das macht Sinn, ist aber uncool. Chirurgen wollen in die Ecke hechten, in jede möglichst schwer zu erreichende Ecke der Bauchhöhle. Sie wollen selbst Hechte sein und sind damit oft nicht Teil der Lösung, sondern des Problems. Und mit jeder weiteren unnötigen Bauch-OP entstehen zwischen den aufgestörten Organen Verklebungen, deren Lösung wieder ein neues Problem darstellt.

Ein Lehrmeister der Chirurgie bekannte einmal: «Man braucht zehn Jahre, um zu wissen, wann und wie man eine Operation genau durchführt. Und man braucht mindestens weitere zehn Jahre, um zu wissen, wann man sie besser nicht durchführt.» In dem sehr guten, bösen Medizinroman *House of God* heißt es: «The art of medicine is to do as much nothing as possible.» Die Kunst der Medizin besteht darin, so viel *nicht* zu machen wie möglich. Ich könnte noch weitere Beispiele anführen. Ich lasse es sein. Auch wenn es schwerfällt.

«Inklusion», die Gleichstellung von Behinderten, ist erst dann erreicht, wenn sie auch mal protzig und unsympathisch sein dürfen.

Nur ein
Kuss ...

All mein Zeug gepackt, ich könnt' jetzt los,
Steh vor der Tür, eins fehlt mir bloß:
Dein Abschiedskuss, ob ich dich dafür weck?
Du schläfst noch süß, nicht deine Zeit,
Das Taxi hupt, abfahrbereit.
Ich könnte heulen, muss ich schon wieder weg.

Nur ein Kuss, ein Lächeln bloß,
Halt mich, lass nie wieder los,
Wann ich wiederkomm, steht in den Stern',
Mein Zug fährt, zu spät schon fast,
Immer wird doch was verpasst.
Mein Schatz, ich fahr nicht gern.

Drei Tag' auf Tour, dann frag ich mich,
Wofür der Stress, das lohnt doch nicht.
Doch bin ich dann zu Haus, zieht es mich fort,
Wo ich auch bin, sing ich für dich.
Nur manchmal weiß ich selber nicht,
Wo's noch hingeht, was mein Bestimmungsort.

Nur ein Kuss, ein Lächeln bloß,
Halt mich, lass nie wieder los,
Wann ich wiederkomm, steht in den Stern',
Mein Zug fährt, zu spät schon fast,
Immer wird doch was verpasst.
Mein Schatz, ich fahr nicht gern.

Zum Glück wirst du nicht richtig wach,
Ein Kuss macht Gott sei Dank kein' Krach.
Schlaf weiter, ganz leis' schließ ich die Tür.
Wir träumen von dem Zukunftsplan.
Ich fahr nicht mehr, ich komme an,
Ich leb nicht mehr davon, ich leb dafür!

Nach
«Leaving On A
Jet Plane»
von
John Denver

Nur ein Kuss,
ein Lächeln bloß ...

7. Die Liebe
zum Nicht-enden-Wollen

Singen, Präsente, Lametta, Todeszeitpunkt,
Wunderheiler, Trinkgeld, Pinguine, Liebesbeweis

Wenn alle Jahre wieder der Gottessohn Owi lacht, der Verkehrsfunk meldet, dass ein Ros entsprungen ist, und Tannenbäume plötzlich Blätter haben, ist es gerade nicht stille Nacht, sondern die Nacht der Sänger bricht an wie das schöne Morgenlicht. Das ganze Jahr über darf man erst öffentlich singen, wenn man betrunken ist. Aber zur Weihnachtszeit ist es erlaubt, auch ohne mit Glühwein vorzuglühen, mit Liedern Gefühle zu zeigen, die sich seit Hunderten von Jahren nicht geändert haben. Weihnachten ist die Zeit, in der man mit Menschen das Fest der Liebe feiert, die man aus guten Gründen den Rest des Jahres gemieden hat. Aber genau dafür können gemeinsame Rituale Gold wert sein, weil sie die soziale Interaktion synchronisieren. Psychologen der Stanford University testeten, wie sich Menschen verhielten, nachdem sie zusammen gesungen hatten. Bei einem Kooperationsspiel konnte man Gelder für sich behalten und direkt profitieren oder für gemeinschaftliche Aufgaben einsetzen und davon langfristig profitieren. Wer vorher miteinander singt, handelt anschließend gemeinschaftlicher. Der Spruch «Da, wo man singt, da lass dich ruhig nieder, böse Menschen haben keine Lieder» stimmt, aber er verwechselt Ursache und Wirkung. Das Böse hat gegen die Soprane und Bässe keine Chance. Gemeinschaftliches Singen war in den Experimenten der mächtigste Faktor, um dem menschlichen Hang zum Egoismus etwas entgegenzusetzen. Das wissen offenbar auch die im katholischen Rheinland verbreiteten Sternsinger, die von Tür zu Tür laufen, um Spenden zu sammeln. Wobei ihre Gesangskunst einen bisweilen nicht nur gefangen nimmt, sondern sogar in Geiselhaft. Ein bisschen wie der Geiger, der auf der Straße einen Hut und ein Schild aufgestellt hat: «10 Minuten Pause – 5 Euro!» Musik lässt einen eben nie kalt.

Alles, was wirkt, hat Nebenwirkungen. Einer der Pioniere der Forschung über Gruppendynamik ist Scott Wiltermuth. Und er wollte wissen, ob nicht nur gemeinsames Singen, sondern noch stärker gemeinsame synchrone Bewegungen Menschen miteinander verbinden. Dazu ließ er seine Versuchspersonen mit Plastikbechern einen Rhythmus auf dem Tisch trommeln, entweder passend zur Musik oder zur Kontrolle in der anderen Gruppe völlig gegen den Takt. Wer miteinander getrommelt hatte, fühlte sich seiner Gruppe so stark verpflichtet, dass er auch Entscheidungen zustimmte, die für andere unangenehm waren. Wie weit gehen wir für unsere «Rhythmusgruppe»? Wiltermuth steigerte den Gruppenzwang: Er ließ weitere Kandidaten im Gleichschritt mit einem Anführer laufen, bevor sie im zweiten Teil des Experiments kleine Insekten in einen Trichter füllen mussten, angeblich um sie zu töten. (Anmerkung des Autors: Es kamen in Wirklichkeit weder für dieses Experiment noch für dieses Buch Tiere zu Schaden.) Wer sich mit dem Anführer synchronisiert hatte, selektierte über fünfzig Prozent mehr Krabbeltiere in den Trichter als die freien Geister, die in ihrem eigenen Takt gegangen waren.

Die Macht der Gleichschaltung von Beinen und Befehlen ist immer wieder erschreckend. Ich erinnerte mich, als ich diese Studie las, an meine Kindheit in den Siedlungen von Berlin-Zehlendorf, nahe den Kasernen der amerikanischen Streitkräfte. Manchmal, wenn ich zur Schule fuhr, mussten die armen Soldaten gerade ihren Morgenlauf mit Gepäck durch unsere Straßen machen. Sie sangen dazu immer laut und synchron: Einer gab eine Phrase vor, alle anderen stöhnten zurück. Nur als sie die S-Bahn-Brücke überquerten, lief jeder stumm in

seinem eigenen Tempo, damit die Brücke nicht vor lauter Syn-
chronizität in ihre Eigenfrequenz und damit außer Kontrolle
geraten konnte. Und aus einer dynamischen Gruppe wurde in
einem Moment ein Haufen erschöpfter und einsamer Männer
mit viel zu viel Last auf ihren Schultern.

Gemeinsame Rhythmen haben eine ungeheure Macht über
uns, im Guten wie im Bösen. Wenn wir uns bei einem Live-
konzert zum Mitsingen hinreißen lassen, die Feuerzeuge an
den ausgestreckten Armen sanft mitschwingen wie die Ähren
eines Gerstenfeldes und wir uns mit der ganzen Welt verbunden fühlen. Wenn sich bei einer Anti-Gewalt-Demonstration
die Friedfertigen in Rage skandieren, bis sie gewaltbereiter
sind, als sie es je von sich geahnt hätten. Oder wenn heute im
Fußballstadion gemeinsam gegrölt wird, ahnt man die Kräfte,
mit denen wir uns damals zur Jagd verabredeten. Ich wüsste
gerne, wie viele Männer zum Fußball nicht wegen des Spiels,
sondern wegen der Gesänge gehen.

Synchrone Gesänge und Bewegungen können ganz zarte
Saiten in uns zum Schwingen bringen. Beispielsweise die
hypnotische Kraft der Taizé-Gesänge. Oder wenn wir nur dem
Meeresrauschen lauschen und davon «berauscht» werden.
Oder wenn der Tai-Chi-Lehrer mit einer Gruppe von Jungen
und Alten so sanft und synchron mit den Schatten boxt, dass
jeder Schmetterling Zeit hat auszuweichen. Verdanken wir
unsere eigene Existenz nicht auch einem Mindestmaß an koor-
dinierter Bewegung?

Vielleicht ist ein guter Weg zwischen den Kräften der Verführung und des Frohlockens das Singen im Kanon. Vielklang
ohne Gleichschritt, Taktgefühl ohne Anführer, denn der wird
selbst nach vier Takten zum Verfolgten. Nach meiner Erfahrung gibt es kaum einen direkteren Weg zum Glück, als ge-

meinsam zu singen. Und das passiert inzwischen auch in vielen Gesundheitseinrichtungen dank der Initiative «Singende Krankenhäuser». Und das Schöne: Wenn alle mitmachen, wird gar nicht mehr unterschieden zwischen Ärzten, Pflegekräften und Patienten, für einen Moment ist Harmonie wichtiger als Hierarchie. Man kann ja auch schlecht bei einem Kanon sagen, welche Stimme wichtiger ist. Genug der Worte – probieren Sie es doch selbst aus: «Froh zu sein, bedarf es wenig, und wer froh ist, ist ein König.» Wer fängt an?

So eine Unendlichkeit kann ganz schön lang werden.

«Unsterblichkeit ist nicht jedermanns Sache»

Johann Wolfgang von Goethe

Wollen Sie wissen, an welchem Tag Sie sterben werden? Wohl kaum. Dann lesen Sie bitte nicht weiter. Denn ich weiß, an welchem Tag es wahrscheinlich ist. Genauer gesagt: wahrscheinlicher als an jedem anderen Tag. Und Sie kennen diesen Tag bereits. Es ist Ihr Geburtstag! In den *Annalen der Epidemiologie* – so heißt diese Zeitschrift tatsächlich – erschien jüngst der Artikel «Death has a preference for birthdays!» (Der Tod hat eine Vorliebe für Geburtstage). Analysiert wurden Tausende von Datensätzen aus der Schweiz von 1969 bis 2008. Am eigenen Geburtstag zu versterben, ist um 13,8 Prozent wahrscheinlicher als an jedem andern der dreihundertvierundsechzig Tage, die zur Auswahl stehen. Wie ist das zu erklären?

Ein Teil der Erklärung ist, dass wir noch auf etwas hinleben, bevor wir ableben. Dass wir auch geschwächt und dem Tode nahe einen gewissen Einfluss auf unseren Körper haben und erst dann den letzten Atemzug tun, wenn wir noch einmal mit unseren Liebsten auf das Leben angestoßen haben. Es gibt viele persönliche Geschichten und anekdotische Berichte, die das belegen, von Menschen, die «gewartet» haben bis zu einer bestimmten Begegnung oder einem Ereignis.

Den Todeszeitpunkt in gewissem Rahmen aufzuschieben, ist aber nur bei bestimmten Krankheiten möglich, logischerweise bei denen, die nicht direkt zum Tod führen. Und das Hinauszögern scheint Frauen eher gegeben zu sein als Männern. Denn die Schweizer Statistiker stießen anhand der Todesursachen auf eine weitaus nüchternere Ursache-Wirkungs-Beziehung. Die Erklärung für die erhöhte Sterblichkeit am Geburtstag sind bei den Männern vor allem Stürze und Unfälle aufgrund des erhöhten Alkoholkonsums am Ehrentag! Erschwerend kommt der Stress hinzu. Vor allem Tode durch Herzinfarkte oder Schlaganfälle werden oft durch körperliche und seelische Überbelastung ausgelöst. So weiß man außerdem beispielsweise schon lange, dass montagmorgens mehr Herzinfarkte passieren als an einem Sonntag zur Kaffeezeit.

Der Erwartungsdruck, am eigenen Geburtstag allen Besuchern gerecht zu werden, lässt auch den Blutdruck steigen. Und das haut bei entsprechender Vorerkrankung den Jubilar um. Der Sensenmann muss also gar nicht selbst kommen, es reicht, wenn er eine Horde Freunde und Verwandte vorbeischickt. Und auch wenn kein Besuch kommt und man allein trinkt, erhöht dies die Möglichkeit, böse zu stürzen. Oder noch schlimmer: sich aus Verzweiflung darüber, dass keiner mittrinkt, das Leben zu nehmen; der gefürchtete *birthday blues*.

Gibt es ein bestimmtes Lebensjahr, an dem es wahrscheinlicher ist zu sterben? Amy Winehouse erlag ihrer Suchterkrankung zwar nicht an ihrem Geburtstag, wohl aber im achtundzwanzigsten Lebensjahr. Und sofort tauchte in den Medien die Rede auf vom «Club 27», dem illustren Kreis von Musikern, die alle ihren achtundzwanzigsten Geburtstag nicht mehr erlebten: Brian Jones, Jimi Hendrix, Janis Joplin, Jim Morrison und Kurt Cobain. Das konnte doch nun wirklich kein Zufall sein, oder? Ein Wissenschaftlerteam aus Freiburg nahm das Phänomen genau unter die Lupe. Sie schauten sich die britischen Charts genau an, verfolgten die Lebensläufe von allen, die jemals einen Hit auf Platz eins hatten, und siehe da: Der «Club 27» ist ein Mythos, er ist statistisch nicht nachweisbar. (So wenig übrigens wie das «verflixte siebte Jahr». Viel mehr Leute trennen sich nach vier Jahren.)

Was stimmt, ist, dass Musiker riskanter leben und früher sterben als der Rest der Bevölkerung. Dieser Effekt war in den exzessiven siebziger Jahren noch sehr viel stärker als heute. Zum einen wurde die Drogenherstellung seitdem offenbar professionalisiert, es gibt weniger gefährliche Beimischungen und missratene Rezepturen. Zum anderen ist die medizinische Versorgung von Überdosierungen und Vergiftungen verbessert worden, weil die Ärzte zum Teil Gegengifte haben und aus den Erfahrungen der letzten fünfzig Jahre gelernt haben. Und die Ärzte, die in den Siebzigern selbst kifften, stehen inzwischen kurz vor der Rente und spielen für die Erstversorgung und die Nachtdienste keine Rolle mehr.

Gestorben wird durch Sucht immer noch sehr viel, aber unter Musikern eben nicht um das achtundzwanzigste sondern eher um das zweiunddreißigste Lebensjahr herum. Man wird älter. Ob es für Beamte einen «Club 65» gibt? Ich weiß nicht, ob das schon mal jemand untersucht hat.

«Unsterblich» wird man am leichtesten, wenn man in der Blüte seines Schaffens oder seiner Jugend stirbt. Nur hat man selbst so wenig davon. Friedhöfe sind voll von Menschen, die sich für unsterblich und unentbehrlich hielten. Einer der schönsten Friedhöfe, die ich kenne, ist der Kölner Melatenfriedhof. Dort hatte ich ein Interview mit Jürgen Domian, der ein sehr schönes Buch geschrieben hat: *Interview mit dem Tod*. Um zu sehen, wo wir uns treffen, schaute ich auf die Homepage des Friedhofes. Und musste das erste Mal lachen. Denn auf der Seite gab es Werbung, um den Internetauftritt zu finanzieren. Und wofür? «Umzugstipps» und Klingeltöne! Beides Dinge, die man als frisch Verstorbener nicht wirklich braucht.

Wobei früher die Angst groß war, lebendig begraben zu werden. Aus diesem Grund gab es spezielle Särge, in die eine

Klingel eingebaut war, die man von innen bedienen sollte. Damit ein irrtümlich für tot Erklärter sich noch bemerkbar machen konnte. Ich weiß nicht, wie oft diese Apparatur sich als nützlich erwiesen hat. Ich weiß nur, dass ich oft von Journalisten, die ein besonders persönliches Interview führen wollen, gefragt werde: «Was wünschen Sie sich, dass man an Ihrem Grab über Sie sagt?» – «Oh – er bewegt sich noch!» Das wünsche ich mir. Ganz im Sinne von Woody Allen möchte ich nicht im Gedenken der Menschheit weiterleben, sondern viel lieber in meiner Wohnung.

Auf dem Melatenfriedhof gibt es die «Millionenallee». Dort liegen die Gebeine der Reichen, genauer gesagt, sie residieren. Denn so wichtig diese Personen für das gesellschaftliche Leben waren, so prachtvoll wurde nach dem Tod auch ihr präsentables Weiterleben organisiert. Es gibt Grüfte, kleine Tempel und richtige Paläste. Besonders praktisch gedacht hat eine Familie, die sich eine eiserne Klapptür über der Gruft anbringen ließ. Da ist man am Tage des Jüngsten Gerichts gleich vorne mit dabei und muss nicht warten, bis irgendjemand die Steine aus dem Weg bewegt. Ein anderer sehr reicher, noch lebender Unternehmer hat sich seine Gruft schon zu Lebzeiten gestalten lassen. Es ist ein Souterrain, ein kleiner Tempel, im Erdreich versenkt, mit einer großen Glasplatte als Decke. Eine seltsame Mischung aus Schneewittchen und Mantafahrer. Aufgemotzt ableben? Der Prunk wirkt so eigentümlich deplatziert, wenn man nach dem Tode allen zeigen will: Ich bin tiefergelegt!

Die Lüftung funktioniert auch schon, wie man an den sich leicht schüttelnden Pflanzen neben den Abzugsschächten sehen kann. Ich nehme an, so eine Gruft ist wie eine gute Flasche Wein – sie muss vor der Inanspruchnahme atmen.

Ich habe mich oft gewundert, wie viele schlechte und makabre Witze es über den Tod gibt. Etwa den von dem Arzt, der Fango verschreibt, und der Patient fragt, ob er davon wieder gesund würde. «Nein – aber Sie gewöhnen sich schon mal an die feuchte Erde.» Es gibt auch schöne Nahtod-Witze: Ein Fallschirmspringer ist aus dem Flugzeug gesprungen, zieht die erste Leine – nichts passiert. Zum Glück gibt es ja noch den Rettungsschirm, und so zieht er leicht panisch die zweite Reißleine. Nichts passiert. Ungebremst rast er der Erde entgegen. Da plötzlich – er traut seinen Augen kaum – sieht er einen Mann, der ihm von der Erde aus entgegenfliegt. Seine Rettung? Er ruft ihm zu: »Reparieren Sie Fallschirme?» Der andere ruft zurück: «Nein, nur Gasleitungen!»

Ist Humor nur ein Mittel, seine Angst nicht zu spüren und den Schmerz zu verdrängen? Oder ist er vielleicht mehr: die Krücke, die uns manchmal auch das Unausweichliche erst erträglich macht? In allen Religionen wird Humor eingesetzt, um das Widersprüchliche im Leben zu erklären, ohne es auflösen zu müssen. So meditiert man im Zen-Buddhismus über unlösbare Rätsel, die sogenannten Koans: «Wie klingt das Klatschen einer Hand?», «Wenn ein Baum im Wald umfällt, und es ist kein Mensch in der Nähe, gibt es ein Geräusch?», «Und wenn ein Mann im Wald spaziert, und es ist keine Frau in der Nähe – ist er dann trotzdem im Unrecht?» Unlösbare Rätsel.

Im Judentum gibt es eine große Humortradition im Umgang mit Leid. «Gehst du zur Beerdigung vom Moshe?» – «Wieso sollte ich, kommt er etwa zu meiner?» Und im Christentum gab es lange Zeit den Brauch des Osterlachens. Der Pfarrer musste zum Fest der Auferstehung mit der Gemeinde über den Friedhof laufen und alle zum Lachen bringen. Die Botschaft sollte sein: Der Tod hat nicht das letzte Wort, wir fürchten ihn nicht, denn wir glauben an etwas, was größer ist als er.

Schade, dass es diese Tradition nicht mehr gibt. Wenn ich einen Witz über den Tod erzählen müsste, dann den folgenden: Ein erzkatholischer irischer Patriarch liegt auf dem Sterbebett und verkündet seiner verdutzten Familie, er hätte noch einen letzten Wunsch: Er möchte konvertieren. Kopfschüttelnd wird der evangelische Pfarrer gerufen. Als dieser freudestrahlend das Haus verlassen hat, bedrängen die Angehörigen den Sterbenden, wieso er in den letzten Stunden seinen traditionellen Glauben verraten hätte. Daraufhin erklärt das Familienoberhaupt: «Ich dachte, es ist besser, es stirbt einer von denen!»

Epikur sagte: «Mit dem Tod habe ich nichts zu schaffen. Bin ich, ist er nicht. Ist er da, bin ich nicht.»

Andere sagen, das ganze Leben sei nur eine Vorbereitung auf den Tod. Noch andere meinen, das letzte Hemd habe keine Taschen. Wenn man Besitztümer also nicht mitnehmen, aber Schulden dalassen kann, ist, was die Griechen tun, eigentlich nur konsequent: «Mit den Schulden habe ich nichts zu schaffen …» Da spürt man die lange philosophische Tradition. Philosophie stellt Fragen, die man nicht beantworten kann. Und Religion gibt Antworten, die man nicht hinterfragen kann. Was stimmt nun? Der systematische Fehler bei allen Gesprächen über den Tod besteht darin, dass man sie immer nur mit Lebenden führt. Oder wie der Bergmann zu sagen pflegt: «Vor der Hacke ist es dunkel!»

Ich wünsche mir für meinen Grabstein den Satz: «Ich hätte gerne eine zweite Meinung!» Oder: «Nur über meine Leiche.» Eins habe ich gelernt: Es gibt in der Medizin viele Fehldiagnosen. Der Pathologe weiß alles, aber zu spät. Alle Wissenschaft lebt aus dem Zweifel. Und deshalb zweifele ich auch an allen, die mit Gewissheit wissen, wie es nach dem Tod weitergeht.

Bei Hochzeiten fragt man sich doch immer, wer wohl der

Nächste wird. Aus diesem Grund wird der Brautstrauß geworfen. Warum macht man so etwas nicht auch bei Beerdigungen? Gut, keiner würde versuchen zu fangen. Aber heimlich fragen sich doch alle: Wer ist der Nächste? Nur keiner spricht es aus, weil jeder Angst hat, am meisten Stimmen auf sich zu vereinen. Ohne Chance auf einen *Recall*.

Apropos Befangenheit: Ich habe eine Lebensversicherung. Und das Geld bekomme ich nur im «Erlebensfall» zu sehen, einer dieser absurden Versicherungs-Euphemismen, um das Wort «Tod» zu vermeiden. Zwei Freunde von mir haben seit Jahren das Lebensmotto: «Das Beste kommt noch!» Und jetzt, seit beide über fünfzig sind, wird ihnen klar: Das Motto gilt bis zum Schluss! Und womöglich noch darüber hinaus. Die meisten Menschen haben keine Angst vor dem Tod, sondern vor einem langen und qualvollen Sterben.

Zum Glück gibt es inzwischen in Deutschland eine wachsende Bewegung für Hospize und Palliativmedizin. Ärzte und Pfleger, die den Tod nicht mehr als Beleidigung ihres Könnens ansehen, sondern als einen Teil des Lebens, den man gestalten und begleiten kann. Mit modernen Schmerzmedikamenten, viel menschlicher Nähe und spiritueller Begleitung. Im Kölner Mildred-Scheel-Haus ist jedes Zimmer so gebaut, dass der Sterbende aus seinem Bett in den Himmel schauen kann. Das ist weitsichtig und naheliegend gleichzeitig! Warum gibt es das nicht längst auf jeder Station? Es gibt schon Intensivstationen, bei denen an der Decke Bilder aufgehängt werden können. Immerhin.

Manchmal sind es so einfache Ideen, die einen großen Unterschied machen. Und einfache Sätze. Eine Zeile von Wiglaf Droste geht mir nicht mehr aus dem Sinn, seit ich sie bei einem Konzert in der Berliner Bar jeder Vernunft gehört habe.

«Seltsam, wie leicht man vergisst, dass alles, was du tust, für immer ist.» Ein Geburtstagslied, das mich schon als Kind irritiert hat, beinhaltet die Zeile: «Wie schön, dass du geboren bist, wir hätten dich sonst sehr vermisst.» Ich habe noch nie verstanden, wie man etwas vermissen kann, was nie war. Da fehlt doch sowohl die Phantasie als auch die Erinnerung. Und das ist auch der theoretische Trost im Tod. Wenn man sich nicht daran erinnern kann, wie es war, lebendig zu sein, wird man es hoffentlich auch nicht allzu sehr vermissen. Als wir von der Stiftung HUMOR HILFT HEILEN einmal eine Studie über Kinderhumor unterstützt haben, blieb mir der Satz eines Sechsjährigen im Gedächtnis, den kein Zen-Mönch schöner hätte formulieren können: «Man kann nie wieder etwas verlieren, wenn man weiß, wo irgendwo ist.»

Geschenkt!

«Mit Liebe schenken.» Wenn wir Kinder unseren Eltern etwas mit Kastanien, Uhu und viel Herzblut selber gebastelt hatten und die wackelige Konstruktion auch noch das Verpacken, Auf-den-Gabentisch-Legen und Auspacken gerade so überstanden hatte, dann war das größte Lob zu hören: «Sieht aus wie gekauft!» Nicht um die Mühen des Schenkenden zu mindern, sondern um ihn in den Rang der professionellen Produzenten zu heben, als Qualitätsurteil. Ob Muttertag, Geburtstag, Konfirmation oder Weihnachten als Hochfest der Liebe, stets heißt es, das eigentliche Fest dürfe nicht durch den Konsum seine Bedeutung verlieren. Stimmt ja, aber die Psychologie des Schenkens und des Einpackens hält viele schöne Überraschungen parat, für das ganze Jahr.

Erinnert sich noch jemand daran, wie Christo den Reichstag eingepackt hat? Dreiundzwanzig Jahre lang mussten der Verpacker und seine Frau Jeanne-Claude beharrlich arbeiten, bis es zur Verhüllung in Berlin kam. Mit Unterstützung der damaligen Bundestagspräsidentin Rita Süssmuth leisteten die weltweit geschätzten Künstler Überzeugungsarbeit bei jedem einzelnen Mitglied des Deutschen Bundestages. Denn Helmut Kohl und Wolfgang Schäuble waren seinerzeit strikt dagegen, weil sie überzeugt waren, dass der deutsche Reichstag keiner Aufwertung durch eine Verpackung bedürfe. Schließlich begann die Verhüllung am 17. Juni 1995 und wurde ein gigantischer Erfolg. In den folgenden Wochen wohnten fünf Millionen Besucher dem Spektakel bei. Die Menschen standen so lange vor dem Reichstag wie nie zuvor oder danach. Es wurde ein Volksfest, man pilgerte aus den alten und den neuen Bundesländern nach Berlin und stand andächtig vor dem silbernen Geschenk. Weihnachten, mitten im Sommer. Ein magischer Moment, den auch ich nie vergessen werde.

In einer Studie erhielt die Hälfte der Probanden ihr Geschenk in der Originalverpackung, die andere in Geschenkpapier gewickelt, mit passender Schleife. Dann wurden sie gebeten, den Wert des Geschenkes zu beurteilen. Das Ergebnis überrascht wenig: Eingepackt wird das identische Produkt als wertvoller empfunden als nackt. Selbst Zeitungspapier schnitt noch besser ab, als ein Geschenk unverpackt zu überreichen. Danach wurde getestet, ob man den Wert unterschiedlich beurteilt, je nachdem ob das Geschenk für einen selbst oder für jemand andern bestimmt ist. Und siehe da: Wird ein Präsent nur durchgereicht, spielt die Verpackung für den Wert keine Rolle mehr. Das heißt, auf die Illusion der Wertsteigerung durch Verhüllung fallen wir nur herein, wenn wir auch auspacken dürfen.

Von wegen, Verbraucher wollen Transparenz. Gerade bei Geschenken wünschen wir uns Intransparenz! Und wehe, man ahnt trotz Packung, was es ist. Deshalb ist es ja so langweilig, wenn man eine CD oder eine Flasche Wein, schon ohne das Geschenk zu schütteln, identifizieren kann. Geschenke sollen Freude machen, aber noch viel wichtiger ist die Vorfreude auf beiden Seiten. Das erklärt auch, warum einer der ewigen Klassiker unter den Geschenken schöne Unterwäsche ist. Mehr Vorfreude ist nicht zu generieren: Etwas Besonderes kaufen, es dann einpacken, damit es jemand Besonderes auspackt, um sich darin wieder einzupacken – um letztendlich wieder ausgepackt zu werden. Welch ein Kreislauf der vorfreudigen Momente.

Ein Ökonom schrieb kürzlich, es gebe keine größere Geldvernichtungsaktion, als Geschenke zu kaufen. Der bezahlte

Man kann sich nichts dafür kaufen, aber schön ist es trotzdem.

Preis sei immer höher als der Wert für den Beschenkten. Sonst hätte der es sich ja gleich selbst gekauft. Solche erbsenzählenden Effizienzbolzen verschenken wahrscheinlich nur Bargeld, damit der Beschenkte sich das für ihn optimal werthaltige Geschenk selbst besorgt. Der Ökonom irrt gewaltig, und zwar gleich dreifach: Erstens gibt es jede Menge unsinnigerer Geldvernichtungsaktionen als den 24. 12., wie wir die letzten Jahre beobachten mussten. Zweitens weiß man zwar nie genau, was sich jemand wünscht, aber das weiß der Beschenkte manchmal auch nicht. Und drittens ist die Tatsache, dass man sich etwas nicht vom eigenen Geld gekauft hat, kein Hinweis darauf, dass man es nicht wirklich will, sondern im Gegenteil: Man will es so sehr, dass man, auch wenn man es sich leisten könnte, es sich nicht leistet.

Menschen handeln selten rational. Und das Irrationale hat einen ganz eigenen Charme und eine innere Logik. Einer der brillantesten Psychologen der Gegenwart ist Dan Ariely von der Duke University. Seine These: Das perfekte Geschenk hat wenig mit Nettigkeit, Nutzen oder Gebrauchswert zu tun – je unsinniger und sinnlicher ein Geschenk, desto besser. «Ein Geschenk soll die Schuldgefühle reduzieren, die jemand hätte, sobald er sich diesen Luxusgegenstand selber kaufen würde.» Beispiel: Sie haben beim Schaufensterbummel etwas gesehen – es war aber sündhaft teuer. Sie trauen sich nicht, es vom gemeinsamen Geld zu erstehen. Aber wenn Ihr Partner aufgepasst hat und Ihr nonverbaler Hinweis deutlich genug war, um bis zum nächsten Anlass in Erinnerung zu bleiben, dann freuen Sie sich doch, wenn es der andere vom gemeinsamen Konto gekauft hat, dann sind Sie moralisch entschuldet. Sie wären es sich selbst nicht wert gewesen, aber Ihr Partner sah in Ihnen mehr als Sie – das ist das Geschenk! Jemandem einen höheren

Selbstwert beizumessen, ist das Gegenteil davon, jemandem etwas zuzubilligen.

Deswegen macht auch Geldschenken so wenig Freude. Erstens steht dann genau fest, was ich jemandem wert bin, und zweitens buchen wir es schnell mental auf unser Alltagskonto und nicht auf das «Jetzt gönne ich mir mal was Überflüssiges»-Konto. Und es steckt so wenig Mühe und Phantasie darin. Also wenn Sie einen Geldschein verschenken wollen, falten Sie vor dem Überreichen daraus wenigstens eine kleine Origami-Figur.

Liebe lässt sich mit noch so großen Dingen nicht zu einem Ding machen. Wer sich geliebt fühlt, dem werden materielle Dinge weniger wichtig. Was man auch daran sieht, dass mindestens ein Viertel aller Gutscheine, die im Kerzenschein aus dem Umschlag gezogen wurden, nie eingelöst werden. Ich habe noch einen von vor über fünfundzwanzig Jahren von meinen Eltern: für ein Lexikon. Das war damals vor Internet und Wikipedia etwas Besonderes. Irgendwie habe ich den Moment verpasst, den Gutschein einzulösen. Aber meine Eltern liebe ich immer noch, und ich fühle mich auch von ihnen geliebt – und das ist sowieso das größte Geschenk.

Ist es eigentlich schlimm, ein Geschenk weiterzuverschenken? Es gilt als Unsitte, aber eine englische Studie besagt das Gegenteil. Es wurde von dem ursprünglichen Schenker viel weniger kränkend wahrgenommen, als die Beschenkten, die nichts mit dem Gegenstand anfangen konnten, angenommen hatten. Wenn einem jemand einfällt, der mit einem Geschenk noch mehr Freude hat, weiter damit. Und ein zweites psychologisches Aha-Erlebnis: Es muss nicht immer eine Überraschung sein. Kein Zwang zur Originalität. Die meisten freuen sich am meisten, wenn sie das bekommen, was sie sich gewünscht haben. Auch belegt: Teure Geschenke lösen nicht per se mehr Freude aus als kleine.

Warum gilt eigentlich ganz dicht zusammengepresste Kohle traditionell als Liebesbeweis? Das Wichtigste an Diamanten ist wahrscheinlich, dass Männer damit nichts anfangen können. Sie sind deshalb so ein perfektes Geschenk, weil man ihnen ansieht, dass kein Eigennutz dahintersteckt. Also nicht direkt. Ganz anders als bei meinem Bekannten aus dem Schwäbischen, der seiner Freundin, kurz nachdem sie zusammengezogen waren, unter den Weihnachtsbaum einen Staubsauger legte. Als sie ihn nach dem Auspacken nur fassungslos anstarrte, stammelte er in männlicher Naivität: «Aber er ist doch in deiner Lieblingsfarbe!» Die Beziehung war dann auch schon vor der Garantiezeit abgelaufen. Und die Freundin hat bei der Trennung darauf bestanden, dass der Staubsauger bei ihm bleibt.

Das absolute Meisterwerk über die Psychologie des Schenkens ist und bleibt *Weihnachten bei Hoppenstedts* von Loriot. Die Drei-Generationen-Familie ringt um die korrekte Reihenfolge, wann es das Essen, die Geschenke und die Gemütlichkeit geben soll. Aber dann fällt der vernichtende Satz: «Früher war mehr Lametta!» Ein Vergleich, und das Glück des Augenblickes ist zerstört. Aber warum ist das so typisch? Dass früher alles besser war, ist eine systematische Verzerrung unserer Erinnerung und hat nicht wirklich etwas mit der Vergangenheit zu tun, sondern mit unserer Art, Dinge im Gedächtnis zu behalten. Von früheren Festen speichern wir längst nicht alles, sondern nur die schönsten Momente. Mit diesem Best-of-Erinnerungen-Clip muss dann aber jeder gegenwärtige Moment mithalten. Dabei gab es auch in den letzten Jahren viele doofe und langweilige Momente, nur erinnern wir uns an die nicht mehr. Wer es nicht glaubt, kann ja einmal eine sehr, sehr große Festplatte besorgen und ein komplettes Weihnachtsfest mit der Digitalkamera im Videomodus mitschneiden. Das will ein Jahr später keine Sau jemals wieder ungeschnitten anschauen. Und selbst bei einem *Director's Cut* von einhundertachtzig Minuten würde jeder nach der ersten halben Stunde zugeben: O. k. – es war letztes Jahr nicht alles besser!

Es ist schwer, keine Vergleiche anzustellen. Aber es hilft, zu wissen, dass wir meist einer Illusion aufsitzen. Denn der einzige Moment, in dem man halbwegs unverzerrt wissen kann, wie glücklich man ist, ist jetzt. Auch wenn es beim nächsten Fest zwischendurch langweilig wird, immer dran denken: Die Qual von heute ist das goldene Gestern von morgen!

Im Englischen gibt es nur ein Wort für Gegenwart und Geschenk: *Present.* Ein gegenwärtiger Moment in Liebe ist das eigentliche Geschenk. Es ist ein so großes, dass viele sich gar nicht trauen, das Geschenk auszupacken und das Leben anzupacken. Wir leben so, als würden wir ewig leben. Und wir sterben so, als hätten wir niemals richtig gelebt. Wenn wir versuchen, den Moment einzufrieren für später oder den Tag zu vertagen, gewinnen wir nichts. Denn jeder geistesgegenwärtige Augenblick entzieht sich tatsächlich unserer Konsumlogik. Dieses Präsent ist gratis, nicht übertragbar und vor allem: vom Umtausch ausgeschlossen.

Versuch eines Heiratsantrages in unge-
wohnter Umgebung (Friedhof):
"Könntest du dir vorstellen, mit mir
in einem ~~Familiengrab~~ zu liegen?"
Die Antwort war "Ja!"

Liebesbeweis!

Was ist das Schönste, was ich einmal einem anderen Menschen
gesagt habe oder jemand mir sagte? Welche Taten oder Erlebnisse
haben mich überzeugt, dass es Liebe gibt?

Mein erster Freund hat ein großes
Herz vor das Haus meiner Eltern
gesprayt und durfte e langer
Diskussion mit meinem Vater wieder wegputze

ICH MÖCHTE JETZT 5KG ABNEHMEN
DAMIT ICH DIR NOCH NÄHER BIN

Was
gesa
hab

NAME	ALTER	PLZ	EMAILADRESSE

ANMELDUNG ZUM NEWSLETTER

Willst Du mit mir mailen? ■ JA ■ NEIN ■ VIELLEICHT

Was die Raupe das Ende der
Welt nennt, nennt der
Rest der Welt Schmetterling

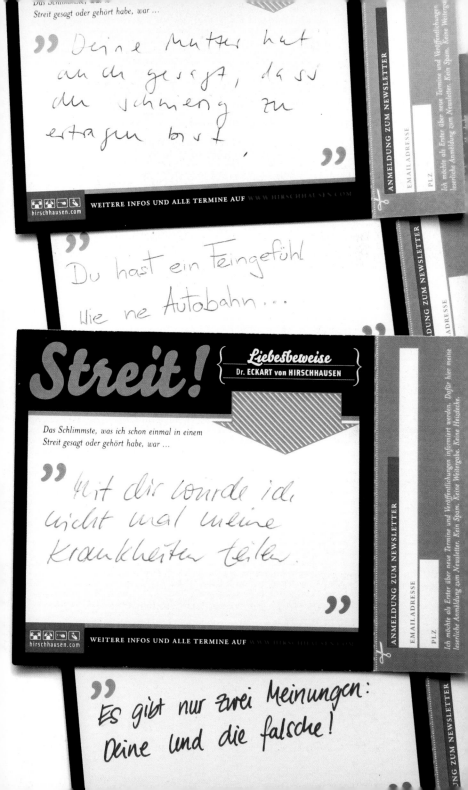

Wie werde ich Gesundheitsguru?

Ärzte sind beliebt! Beliebter als Journalisten, Politiker und Politessen zusammen. Das Einzige, was unserem Berufsstand wirklich an die Nieren geht, ist, dass ein noch größeres Vertrauen einem anderen Schaffensgebiet entgegengebracht wird: der Para-Medizin. Und das Unfaire daran: Da hat man all die Jahre in sein Studium, seine Weiterbildung und Nachtdienste investiert und bleibt doch immer irgendwie nur «Schulmediziner». Andere Heilberuf-Karrieren halten sich nicht so lange mit Fakten auf und sind damit unglaublich erfolgreich.

Woher kommt diese seltsame Liebesbeziehung der Deutschen zu allen nichtdeutschen Heilsversprechungen? Warum fahren wir massenweise zu obskuren Ayurveda-Einläufen ins Ausland, während jeder, der es sich in außereuropäischen Ländern leisten kann, zur Behandlung in Universitätskliniken nach Heidelberg, London oder Boston fliegt? Spricht hier nur der Neid des enttäuschten Akademikers? Nein, im Gegenteil. Ich biete Ihnen hier echtes Geheimwissen an. Sie wollen sich beruflich verändern? In Zeiten des Ärztemangels wird der Bedarf an schnell zu erlernenden Heilmethoden enorm wachsen. Die Gesundheitsbranche boomt, aber die klassischen Akteure verlieren alle an Kraft und Glaubwürdigkeit: Die Pflegekräfte werden ausgenutzt und ausgebrannt, die Ärzte denken nur noch in Fallpauschalen und Punkten, und sogar so heilige Institutionen wie die privaten Krankenkassen gehen demnächst pleite.

Richtiger Erfolg ist nur außerhalb des Systems zu erwarten. Aber auch das hat System! Nach jahrelangen Diskussionen über alle Übel der Schulmedizin verrate ich Ihnen heute hier und exklusiv, wie Sie es besser machen können: Werden

Sie Scharlatan, Guru, Weisheitslehrer und heilen Sie auf der geistigen Ebene. Wie? Ganz einfach. Beherzigen Sie eines oder mehrere der folgenden Prinzipien[1]:

Prinzip 1: «Der Prophet gilt nichts im eigenen Lande!»

Das steht schon in der Bibel. Und gilt für Jesus bis heute. Seine treuesten Anhänger sind nicht an seiner Wirkstätte zu finden, dort gilt noch immer Auge um Auge, so als hätte es ihn nie gegeben. Wer also viele Menschen begeistern will, sollte den Kulturkreis wechseln. Das gilt für Personen und Ideen.

Eckhart Tolle zum Beispiel. Er hat den Ruf, einer der größten spirituellen Lehrer der Gegenwart zu sein, weil er verkündet, wie wichtig die Gegenwart sei. Er wurde als Ulrich Tolle in Deutschland geboren, zog dann über Spanien und England in die USA und nach Kanada. Dort wurde er zum Weltstar der «Spirit-Szene». Er predigt, was Weisheitslehrer schon seit Jahrtausenden sagen: Lebe jetzt. Heute heißt es *The Power of Now*, früher hieß es *carpe diem*. Er tut während seiner Auftritte alles, um nicht zum Guru zu werden, und genau dadurch ist er einer geworden. Er spricht die großen Wahrheiten gelassen aus, aber auf Englisch, mit einem so starken deutschen Akzent, dass die Amerikaner ihn umso mehr lieben, weil sie denken: Das ist Buddhismus plus deutsche technische Überlegenheit. Allein die Tatsache, dass er seinen Namen von Ulrich in Eckhart änderte, macht ihn mir extrem sympathisch. Ich kenne niemanden, der das jemals erwogen hätte. Ich kenne nur

---

[1] Sollte ich mit diesen Ausführungen jemandem auf die Füße treten: Dies ist mein Job als Hofnarr. Was sich liebt, das neckt sich. Oder um es in «Eso-Speak» auszudrücken: Wenn du dich verletzt fühlst, hat das mehr mit meiner inneren Verletztheit zu tun als mit deiner. Oder umgekehrt. Wir sind ja nur füreinander Spiegel im Außen für das Innen. Außer bei der Darmspiegelung.

Eckarts, die oft überlegt haben, ihren Namen zu ändern. Aber selten in Ulrich.

Wenn Sie selbst nicht auswandern wollen, adoptieren Sie doch eine Idee aus dem Ausland, beispielsweise Feng-Shui: Wenn man in gebildeten Kreisen hierzulande einen Neubau plant, muss eine Feng-Shui-Beraterin zurate gezogen werden, um uralte chinesische Weisheiten zu berücksichtigen wie: «Stelle dich nie fließendem Wasser entgegen, es sei denn, du bist in der Dusche.» Kurioserweise spielt Feng-Shui in China praktisch keine Rolle, es gibt keine «Schule» dafür, keine einheitlichen Grundlagen, die dortigen Architekten haben davon entweder noch nie etwas gehört oder nehmen es nicht ernst.

Prinzip 2: «Neueste Erkenntnisse»

Ganz wichtig: die Quantentheorie. Weil sie eh keiner versteht, lässt sich damit auch alles andere erklären, was sich nicht erklären lässt. Und es klingt so herrlich wissenschaftlich. Bücher wie *Quantenheilung, Quantenintelligenz* und *Der Quantencode* verkaufen sich allesamt besser als *Quantenphysik*. Auch wenn vieles auf dem Eso-Markt nach der relativ alten Gesetzmäßigkeit von Angebot und Nachfrage läuft, erhöht sich Ihr Marktwert, wenn Sie Albert Einstein als Kronzeugen anführen können. Er kann sich nicht mehr wehren. Kleiner Tipp, falls Sie einmal mit Physikern diskutieren: Die Quantentheorie ist von Heisenberg, und ein «Quantensprung» ist nichts Großartiges, sondern im Gegenteil die kleinste Bewegung, die so ein Elektron überhaupt machen kann. Ich verstehe davon nichts. Aber ich gebe es auch zu.

Ja, es stimmt, dass Materie hauptsächlich aus Leerräumen besteht. Aber das tut die Argumentation mit Quanten, Higgs-Boson-Gottesteilchen und anderen Unterformen der Energie auch. Mir hat ein Physiker neulich erklärt, dass es nur eine Frage der Statistik sei, ob man tatsächlich direkt durch eine Wand gehen könne. Mag sein, aber im Alltag ist die Wahrscheinlichkeit, durch eine Wand zu kommen, dort am höchsten, wo die Tür ist. Und es spart auch sehr viel Zeit und Energie.

Prinzip 3: «Uralte Erkenntnisse»

Das scheint Prinzip 2 zu widersprechen, aber nein: Die neueste Forschung bestätigt, was schon im Himalaya seit Jahrtausenden gewusst und praktiziert wurde. Entscheidend für die mediale Verbreitung ist, dass es eine spektakuläre Rettungsaktion gibt, in der das alte Wissen vor dem Aussterben bewahrt wurde.

Schriftrollen in Höhlen sind out. Es sollte schon der letzte Überlebende in einer Berghöhle sein, der Ihnen kurz vor seinem zweihundertsten Geburtstag das Geheimnis des ewigen Lebens ins Ohr gehaucht hat. Falls Sie aber weniger Lust auf Auslandsreisen haben, können Sie sich auch Ihrer geistigen Fähigkeiten erinnern und den Text einfach medial empfangen, sprich: intuitiv «channeln». Sie sollten aber nur den Geist von jemandem durch sich sprechen lassen, der schon über fünfundsiebzig Jahre tot ist, sonst gibt es rasch Ärger mit Urheberrecht, GEMA oder Erbengemeinschaft. Und was die Inhalte angeht: Das Geheimnis des Lebens sollte etwas wundersamer formuliert sein als «Nicht rauchen, viel bewegen, Gemüse essen und jeden Tag eine gute Tat». Wobei, was wirksame Lebenstipps angeht, ist in den letzten zweitausend Jahren nichts Wesentliches dazugekommen.

Das bekannteste Beispiel für Prinzip 3 dürfte der Millionenseller *Die fünf Tibeter* sein. Warum verkaufte sich dieses Buch so viel besser als die kostenlose Broschüre von der Krankenkasse zur Rückengymnastik, in der ähnliche Übungen stehen? Die Story! Eine wunderbare Geschichte von einem gealterten Colonel, der aufbricht, die Quelle der ewigen Jugend zu finden. Er kommt stark verjüngt aus einem Kloster im Himalaya zurück und reist durch die Welt, um seine Offenbarung zu verbreiten. Und wie er durch das Morgenturnen jeden Tag einen Tag jünger wird, das turnt einfach an.

Das Buch von Peter Kelder soll erstmals 1939 erschienen sein. Nachweisbar ist aber nur eine Neuauflage von 1985. Und ich muss sagen: Ich turne auch lieber, wenn ich dafür ewige Jugend versprochen bekomme. Motivationspsychologisch finde ich alles okay, was Menschen dazu bringt, sich morgens zu bewegen und bewusster zu leben. Das Marketing hat international gepasst. Mit einer kleinen Ausnahme: *Die fünf Tibeter* sind in Tibet bis heute völlig unbekannt.

Prinzip 4: «Die Schulmedizin lehnt es ab.»

Allein der Begriff «Schulmedizin» hat so viel Verächtliches in sich, dass man sofort an sinnloses Pauken denkt. Die Schulen haben sich in den letzten fünfzig Jahren extrem verändert. Die Klischees über die Schulmedizin nicht. Darauf können Sie als Gesundheitsguru in spe zurückgreifen. Behaupten Sie einfach, Ihr Verfahren sei von der Schulmedizin und den Krankenkassen nicht anerkannt. Das allein reicht für sehr viel Anerkennung in der alternativen Szene. Was stimmt: Die Kriterien, um die Wirksamkeit eines Verfahrens mit ausreichender Sicherheit zu belegen, sind kompliziert. Es ist schon schwer genug, den Nutzen einer Tablette zu beweisen. Und tatsächlich ist er für einen Großteil der Medikamente nicht so klar, wie man es sich wünschen würde. Nutzen Sie das aus! Vertun Sie keine Zeit mit aufwendigen Studien, Placebo- und Wartegruppen.

Legen Sie los! Selbst von etwas überzeugt sein ist viel überzeugender.

Die Akupunktur ist ein spannendes Beispiel für die Karriere eines alternativen Heilverfahrens. Lange Zeit galt sie den einen als die Geheimwaffe der Chinesen, obwohl sie in der traditionellen chinesischen Medizin nur eine kleine Rolle spielt. Die anderen sagten, gute Studien zur Wirksamkeit der Nadeln suche man wie eine Nadel im Heuhaufen. Das Volk stimmte mit den Füßen ab, lief als lebende Voodoopuppe zu jedem, der Akupunktur anbot, und die Ärzte besuchten plötzlich massenweise Kurse. Es gab im wahrsten Sinne ein Hauen und Stechen darum, wer alles wohin stechen darf. Überall, wo die Schulmedizin versagte oder erst gar nicht gefragt wurde, wurde sanft genadelt.

Was hat die blöde Schulmedizin daraufhin gemacht? Sie hat zwischen 2002 und 2007 in der weltweit größten Studie an dreitausendfünfhundert Patienten in Deutschland drei Methoden verglichen: das Stechen von den klassischen chinesischen Punkten, das Stechen von nichtchinesischen Punkten und die herkömmliche Behandlung ohne Nadeln. Seitdem wird Akupunktur von den gesetzlichen Kassen bezahlt, aber nur bei chronischen Rücken- und Knieschmerzen. Denn bei diesen Einsatzgebieten ist sie nachweislich der Schulmedizin überlegen. Was aber auch belegt werden konnte: Es ist ziemlich egal, ob man sich an die klassischen Punkte einer komplizierten Meridian-Energie-Bahn-Lehre hält oder ob man einfach woandershin sticht.

Bei vielen Einsatzgebieten macht die Akupunktur langfristig keinen positiven Unterschied. Seit die Studie veröffentlicht wurde, ist die Luft aus dem chinesischen Wunderverfahren raus. Aber keine Sorge: Fangen Sie einfach mit einem anderen heilversprechenden Verfahren an! Klopfen ist das neue Stechen! Und bis es dazu große Studien gibt, vergehen sicher wieder fünfzig Jahre.

Prinzip 5: «Die Reichen und Schönen wenden es heimlich schon seit Jahren an.»

Fast jeder will reich und schön und unsterblich sein. Nur nicht die Leute, die es bereits sind, die wollen wieder ganz einfach leben. Weil die besten Tipps genauso wie Immobilien immer heimlich weitergegeben werden, können Sie auch von Ihrem Verfahren einfach behaupten, dass Madonna, Britney Spears und Andie MacDowell es schon seit Jahren praktizieren. Das Gegenteil wird Ihnen niemand beweisen können. Vorsicht nur bei Amy Winehouse: Die ist schon tot.

Prinzip 6: «Verschiedene Modelle»

Jeder Gebrauchtwarenhändler weiß: Wenn Sie ein Auto verkaufen wollen, bieten Sie drei an. Ein Schrottmodell, ein überteuertes und das in der Mitte, das Sie loswerden möchten. Das Gleiche gilt auf dem Heilermarkt. Bieten Sie sich mit einem einstündigen Vortrag, einem Drei-Wochen-Intensivseminar auf einer Vulkaninsel ohne Handyempfang oder eben einem Wochenendseminar in der nächstgrößeren Stadthalle an. Das wird immer wieder gerne genommen.

Prinzip 7: «Wenn das Verfahren nichts bewirkt, ist der Anwender schuld.»

Was für den Pauschaltouristen die Reiserücktrittsversicherung ist, sind dem angehenden Scharlatan all die übergeordneten Übel der Welt, die der Klient (nie von Patienten sprechen!) in seinem Vorleben an sich herangelassen hat: Zellgifte aus der

Nahrung, Schlacken, Elektrosmog, Amalgam. Wenn Ihr Verfahren also keine sichtbare Veränderung zum Besseren bewirkt, geben Sie einfach das als Erfolg aus: «Bei Ihrer Vorgeschichte können Sie froh sein, dass es Ihnen nicht viel schlechter geht!» Weil jeder Mensch ein schlechtes Gewissen hat und weiß, dass er mit Sahne, Zucker und Quantenphysik bislang viel zu sorglos war, ist der Markt für Ausleitungen, Detoxifizierung und Strahlenabwehr grenzenlos. Nutzen Sie das! Und halten Sie sich nicht mit den profanen Problemen auf, die tatsächlich schwer zu lösen sind, wie Haarausfall, Fußpilz und Erkältung.

PS: Dieser Beitrag war satirisch gemeint. Was ich eigentlich sagen wollte: Es gibt auf meiner Homepage ein exklusives Angebot nur für Leser dieses Textes. Ein ganz spezielles Himalayasalz als Ganzkörperspray. Wirkt gegen alles, auch auf vielen verschiedenen Ebenen. Es ist homöopathisch verdünnt und wurde mir von Werner Heisenberg noch persönlich aus Tibet mitgebracht. Aber bitte nicht weitersagen. Sonst wollen es wieder alle.

Luft für

Nichtkunden

20 Cent

Nicht an der falschen Stelle sparen.

Stimmt so!

Warum geben Menschen Trinkgeld, selbst wenn sie im Urlaub in einem Restaurant essen, zu dem sie garantiert nicht mehr gehen? Es macht ökonomisch keinen Sinn, sie könnten sich ja die freiwillige Ausgabe sparen. Was haben sie denn davon, wenn sie nicht beim nächsten Mal besser behandelt werden können, weil es kein nächstes Mal gibt? Theoretisch könnte ihnen doch auch egal sein, ob die Kellner gut über sie denken oder sie für einen deutschen Knauserer halten. Es ist uns aber nicht egal, was andere denken. Und es ist uns vor allem nicht egal, was wir selbst von uns denken!

Manchen kleinen Seelen wurde eingebläut: Gott sieht alles. Das ist sehr unwahrscheinlich, dass Gott nichts Besseres zu tun hat, als alle unsere kleinen und großen Verfehlungen zu notieren. Denn dann würde er auch merken, dass in einer Studie Menschen, die sich selbst als besonders religiös einstuften, besonders wenig Trinkgeld gaben. Und dass andersherum Menschen, die selbst einmal in der Gastronomie gearbeitet hatten, spendabler ihren Kellnerkollegen gegenüber waren, obwohl sie wahrscheinlich nicht mehr Geld zur Verfügung hatten als Priester. Ob Gott auch sozialpsychologische Studien liest? Die Geschichte mit den beiden Maßstäben, dem Balken im eigenen Auge und dem Splitter beim anderen, der uns stärker ins Auge fällt als der eigene Schatten, die steht zumindest geschrieben. Aber in der Bibel steht etwas vom Geist der Liebe und nicht, dass wir uns Gott vorstellen sollen als eine Mischung aus Stasi-Chef und Bundesverfassungsrichter.

Egal ob es Gott gibt oder nicht, eine moralische Instanz gibt es in jedem von uns, unabhängig von Religion oder Herkunft.

Menschen verhalten sich überraschend oft selbstlos und setzen sogar ihr eigenes Leben aufs Spiel, um andere zu retten. Gleichzeitig nehmen sie aber auch Zettel und Stift und notieren die Nummern von Falschparkern auf der anderen Straßenseite. Menschen haben zwei Seiten. Und die wenigsten sind nur gut oder nur böse. Viel stärker als ein gefestigter Charakter entscheiden die Situation, die Umstände und die Umstehenden darüber, wie wir uns verhalten. Mal kleingeistig, mal großherzig – wie passt das zusammen?

Wenn die Gelegenheit günstig ist, lässt der eine oder andere schon einmal etwas mitgehen und geht, ohne zu zahlen. Vor allem wenn er meint, es bekommt keiner mit. Außer ihm. Getestet wurde die Ehrlichkeit an einer Zeitungsbox ohne Verkäufer, eine dieser Boxen, die man selbst öffnen kann und wo man für die Zeitung Geld einwirft – oder nicht. Sobald hinter der Box ein Spiegel stand, sodass sich die Menschen beobachten mussten, wenn sie hineingriffen, veränderte sich ihr Verhalten: Es wurde viel weniger geklaut! Allein die Tatsache, dass wir uns ins Gesicht schauen und beim Blick in den Spiegel erinnert werden, dass wir doch auch weiterhin noch gerne in den Spiegel schauen wollen, aktiviert unser moralisches Verhalten. In einem zweiten Versuch reichte sogar das Symbol eines Auges ohne Spiegel, um die Menschen an das Gute in sich zu erinnern. Da ist es wieder – das Auge Gottes oder Big Brother oder das Über-Ich, das alles sieht. Wahrscheinlich der beste Tipp für alle, die bewusster essen möchten: Einen Spiegel in den Kühlschrank hängen! Für Spiegel in der Küche konnte bereits eine disziplinierende Wirkung gezeigt werden.

Eine drakonische Erziehungsmaßnahme war früher, Kindern den Mund mit Seife auszuwaschen, wenn sie ein «dreckiges» Wort in den Mund genommen hatten. Das tut hoffentlich schon lange keiner mehr, aber bei uns selbst tun wir etwas Ähnliches oft, ohne es zu merken. Und ich rede nicht vom Zähneputzen, sondern vom «Lady-Macbeth-Effekt». Die Lady schickte ihren Mann zum Morden, damit sie sich die Hände nicht schmutzig machen musste, entwickelte aber trotzdem den Zwang, ihre eigenen Hände zu waschen. Und das gibt es nicht nur bei Shakespeare, sondern bei uns allen, wie Versuche bestätigen. Menschen, die gerade in einem Spiel dazu verführt wurden zu betrügen, hatten unbewusst danach viel stärker und länger das Bedürfnis, sich die Hände zu waschen und zu desinfizieren. Wir wollen uns spirituell reinigen und manuell. Wir versuchen, unsere Hände in Unschuld zu waschen oder zu duschen oder in der Sauna die bösen Schlacken aus uns heraus- zuschwitzen.

Menschen sind großzügig. Auch, wenn es darum geht, klei- ne und große Verfehlungen gegeneinander aufzurechnen. Das nennt die moderne Psychologie *licensing effect* – sich selbst für etwas die Erlaubnis geben. Eine Art hauseigener Ablasshandel. Wie verhalten wir uns beispielsweise, wenn wir uns gerade für ein ökologisch korrektes Produkt entschieden haben – macht es uns auch sozial zu besseren Menschen? Ganz im Gegenteil. Der Vorwurf gegenüber Firmen, sich mit grünen Produkten eine weiße Weste waschen zu wollen, gilt auch für jeden von uns. Just wenn wir etwas gekauft haben, das uns ein gutes Gewissen macht, verrechnen wir das in unserer Umweltbilanz – und verhalten uns danach nicht etwas sozialer, sondern in ei- nem Kooperationsspiel egoistischer. Wir lizenzieren uns nach dem Motto: «Ich bin doch eh einer von den Guten, dann darf ich auch mal kurz fies sein.» Und wir sind zu Bilanzen bereit wie: «Ich hab ja heute meine drei Pfandflaschen zurückgebracht, da kann ich ohne schlechtes Gewissen diese Woche dreimal innerdeutsch fliegen.» Vielleicht sollte es eine Kennzeichnungs-pflicht auch für umweltfreundliche Produkte geben: «gefühlter Wert für die Umwelt» und «reale Nachhaltigkeit». Das gibt es doch bei der Temperatur auch schon. Und das gilt ebenso für andere Bereiche: Politiker, die in der Öffentlichkeit vehement gegen den Verfall der Sitten eintreten, erholen sich anschließend beim außerehelichen Fesselspiel. Wahrscheinlich um am Thema dranzubleiben. Vielleicht ist der *licensing effect* auch ein Grund, warum religiöse Menschen weniger Trinkgeld geben. Sie wissen schon, dass sie in den Himmel kommen.

Und was ist jetzt mit den «Normalos» – warum wollen wir, wenn wir schon nicht an das Jüngste Gericht glauben, auch nicht von einer Kellnerin schief angeschaut werden? Rolf Degen, der Bonner Psychologe, brillante Wissenschaftsjournalist und Rechercheur für dieses Buch, hat eine eigene Erklärung: Wir wissen um unsere Abgründe und wie leicht wir etwas tun, für das wir uns später schämen. Unsere Willenskraft ist bekanntlich schnell erschöpft. Und so trainieren wir im Kleinen, uns großherzig zu verhalten, für den Fall, dass wir das noch einmal brauchen. Ein Mensch ohne jedes Mitgefühl mit sich und anderen würde in jeder Situation kleinlich danach schielen, ob er gerade ungestraft prellen kann. Wenn sich Menschen bei einem anonymen Restaurantbesuch bewusst werden, dass sie jetzt gefahrlos das Trinkgeld unterschlagen könnten, leuchtet ihnen in der Regel aber ein, dass sie damit eine grundsätzliche antisoziale Strategie einschlagen würden: den Sozialvertrag immer nur einzuhalten, wenn der Verstoß geahndet werden könnte, und sofort zu betrügen, wenn man glaubt, damit davonzukommen. Die meisten Menschen ahnen, dass sie nicht genügend Schauspielkunst besitzen, um das konsequent durchzuziehen.

Außerdem hat auch die Gegenseite ein Druckmittel in der Hand. Ein stolzer Kellner hat mir einmal das Trinkgeld, das ihm zu wenig vorkam, direkt wieder zurückgegeben. Und diese Peinlichkeit zu vermeiden, ist den meisten ein paar Euro wert. Selten handelt man allerdings so kalkuliert wie der Mann, der im Restaurant lausig bedient wird und zwanzig Euro Trinkgeld gibt. Beim nächsten Besuch springt der Kellner um ihn herum, bietet dies und das als Service an, gibt sich alle erdenkliche Mühe – aber als es ans Zahlen geht, gibt es kein Trinkgeld. «Waren Sie denn heute nicht mit mir zufrieden?», fragt die Servicekraft fassungslos. Und der Mann antwortet: «Doch, ich war heute sehr zufrieden. Das Trinkgeld vom letzten Mal, das war für heute. Und das von heute für das letzte Mal.»

PS: Es gibt sehr viele großzügige Menschen, die auch ohne große Hintergedanken spenden, ehrenamtlich tätig sind und ihr Vermögen einsetzen, um etwas in der Welt zu bewegen. Viele haben das echte Bedürfnis, der Nachwelt etwas zu hinterlassen und zu stiften. Menschen fühlen sich nachweislich glücklicher, wenn sie zu etwas beitragen, das über sie hinausweist. Und eine Tatsache, die bisher noch keiner so richtig gut erklären kann, ist: Wer sich für andere einsetzt, wird großzügig belohnt – er lebt länger! Es gibt kein Medikament auf der Welt, das eine so durchschlagende Wirkung auf Gesundheit und Lebenserwartung hat wie ein Ehrenamt. Warum gibt es das nicht auf Rezept?

Wenn Sie Lust haben: Um «Gutes tun» auch gut zu machen, empfehle ich den Rat von Qualitätstestern im sozialen Bereich wie PHINEO, ASHOKA und die herzliche und kompetente Beratung von ACTIVE PHILANTHROPY. Und wenn Sie ganz ohne Geld etwas tun wollen, das über Sie hinausweist, füllen

Sie doch jetzt gleich den Organspendeausweis aus, der hier im Buch abgebildet ist. Haben Sie schon einen, dann erzählen Sie es weiter. Gegen alle Vernunft und Politik sinkt die Bereitschaft in Deutschland, seine Organe herzugeben, wenn man sie definitiv nicht mehr braucht. Andersherum nimmt fast jeder gerne eins, wenn er krank ist und es sein Leben retten könnte. Und an dieser Tatsache ändern auch einzelne schwarze Schafe in der Medizin nichts. Bei allem Ernst des Themas – vielleicht sehen Sie Organspende ab jetzt als eine Art posthumes Trinkgeld. Eine Botschaft an das Fachpersonal im Krankenhaus: «Behalten Sie den Rest!» Auch wenn man nicht mehr wiederkommt, man bleibt in guter Erinnerung. Ich persönlich glaube an ein Leben nach dem Tod – zumindest in Teilen.

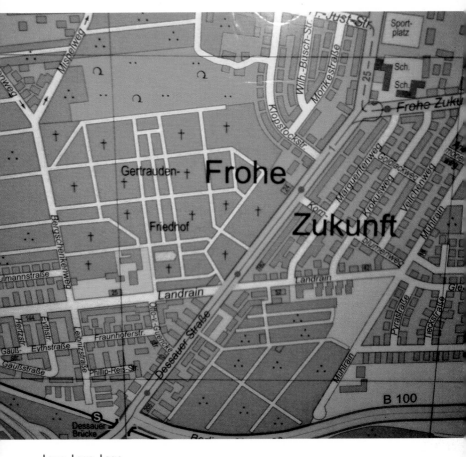

Lage, Lage, Lage.

Anleitung
zur fachgerechten Entnahme eines Organspendeausweises

Ist dies Ihre erste Operation?
Keine Angst – ich helfe Ihnen. Gleich werden
Sie um eine Erfahrung und einen sinnvollen
Organspendeausweis reicher sein.

1 Lassen Sie sich von einer Assistentin eine sterile Schere bringen.

2 Sehen Sie die Markierung? Schneiden Sie den Ausweis vorsichtig, aber mit zügigen Schnitten aus. Falzen Sie ihn und kleben Sie ihn zusammen.

3 Untersuchen Sie den Ausweis genau, beschriften Sie ihn beidseitig und implantieren Sie ihn anschließend in Ihre Geldbörse. Noch offene Fragen können geschlossen werden unter: www.fuers-leben.de

4 Herzlichen Glückwunsch! Sie haben erfolgreich operiert und können ab sofort ausweisen, dass Sie nicht nur an sich, sondern auch an andere denken. Ein Organspender kann bis zu sieben anderen Menschen ein neues Leben schenken. Und es ist dreimal wahrscheinlicher, selber ein Organ zu benötigen, als Spender zu werden. Erzählen Sie es weiter!

Organspendeausweis

nach §2 des Transplantationsgesetzes

hirschhausen.com

Organspende

Name, Vorname   Geburtsdatum

Straße / Hausnummer   PLZ / Wohnort

**Bundeszentrale
für gesundheitliche
Aufklärung**

Organspende

schenkt Leben.

Antwort auf Ihre persönlichen Fragen erhalten Sie beim Infotelefon Organspende unter
der gebührenfreien Rufnummer **0800/9040400.**

Hier falzen und zusammenkleben

Erklärung zur Organspende

UNTERSCHRIFT   DATUM

Platz für Anmerkungen/besondere Hinweise

Straße/ Hausnummer   PLZ/ Wohnort

Name, Vorname   Telefon

○ oder   **Über JA oder NEIN soll dann folgende Person entscheiden:**

○ oder   **NEIN,** ich widerspreche einer Entnahme von Organen oder Geweben.

○ oder   **JA,** ich gestatte dies, jedoch **nur** für folgende Organe/Gewebe:

○ oder   **JA,** ich gestatte dies mit **Ausnahme** folgender Organe/Gewebe:

○   **JA,** ich gestatte, dass nach der ärztlichen Feststellung meines Todes meinem
         Körper Organe und Gewebe entnommen werden.

Für den Fall, dass **nach meinem Tod** eine **Spende von Organen/Geweben zur
Transplantation** in Frage kommt, erkläre ich:

Wohin geht die Liebe?

Keine Ahnung. Ich weiß noch nicht einmal, ob es DIE Liebe überhaupt gibt. Zu vielfältig erscheinen mir am Ende dieser Puzzlesteine die Formen. Manche erleben eine große Liebe im Leben. Andere täglich viele kleine. Kann man sie gegeneinander «abwiegen»? Im Stück oder in Scheiben? Und darf es ein bisschen mehr sein? Nur eines ist klar: Die Liebe geht häufig nicht auf. Dass man diesen einen Menschen trifft, dem man einmal in die Augen schaut, und … Es kann passieren, aber es ist selten. Viel häufiger sind gemischte Gefühle: Man sagt das eine und tut etwas anderes. Menschen sind ambivalent. Wir sind doch oft nicht einmal mit uns selbst einer Meinung, und es wird nicht unbedingt besser, wenn jemand dazukommt. Vor allem nicht, wenn wir den anderen für unsere Unausgegorenheit auch noch verantwortlich machen. Es ist vertrackt. Kennen Sie das? Man hat sich gestritten und wieder vertragen, grollt aber innerlich weiter, umarmt sich halbherzig und drückt dabei etwas fester zu als sonst, weil man den Partner eigentlich auch ein bisschen erwürgen möchte.

Die eindeutigste Liebe ist die zu unseren Kindern. Und dennoch gehen uns diese oft auf den Geist, gerade in den ersten Jahren. Und erst die Pubertät! Wenn man mit einem renitenten Vierzehnjährigen an der Babyklappe der Diakonie vorbeigeht und kurz denkt: «Jetzt ist er zu groß» – das ist normal. Das geht allen so, dafür muss sich niemand schämen.

Tiere sind in Liebesdingen nicht so schwierig, soweit wir wissen. Wenn ein Hund eine läufige Hündin auf der Straße sieht, hat er kein Problem, sondern freut sich. Die Menschen haben damit ein Problem und schämen sich für den Hund. Dabei ist es gar nicht ihr Hund! Der Besitzer stammelt mit hochrotem Kopf: «Der will nur spielen!» Und einer der Umstehenden murmelt: «Na, schauen Sie mal genau hin.»

Und ich habe noch nie von einem Zuchtbullen gehört, der nach der zwölften Kuh absteigt und zum Tierarzt sagt: «Tut mir leid, mir ist das hier einfach zu unpersönlich. Ich bin über die fünfte noch nicht hinweg.» Es ist ja gut, dass wir nicht wie die Tiere sind, aber es macht es nicht einfacher.

Wir sind so kompliziert, dass man uns dafür wieder lieben muss. Die Chance zu scheitern lauert ständig – dabei ist es eigentlich das Schlimmste, noch nicht einmal gescheitert zu sein! Enttäuschungen sind ein Phänomen: Man kann sie miteinander teilen, und jeder hat anschließend das Gefühl, das größere Stück erwischt zu haben. Und wenn so viele Menschen behaupten, in der Liebe schon sehr enttäuscht worden zu sein, wo sind denn dann die ganzen Täuscher? Haben wir uns selbst getäuscht, weil wir etwas Falsches erwartet haben? Und sollten wir für das Ent-Täuschen nicht dankbar sein?

Manchmal stelle ich mir vor, wie es wäre, wenn wir erst als Erwachsene das Laufen lernen würden. Ich wette, die meisten würden weiter krabbeln, aber mit guten Entschuldigungen: «Also, ich habe das mit dem aufrechten Gang ernsthaft probiert. Aber es ist einfach nicht mein Ding.»

Wenn ich sehe, mit welchem Eifer ein Kind immer wieder auf die Schnauze fällt, wieder aufsteht und irgendwann laufen kann, frage ich mich, warum es mit dem Lieben nicht auch so funktionieren sollte. Denn das Tolle ist: Man kann darin ein Leben lang besser werden. Laufen lernen kann man nie wieder, wenn man es einmal kann. Lieben lernen kann man immer wieder neu.

Die Pinguingeschichte

Vom eigenen Element zur Kolonie

Die Geschichte vom Pinguin ist mir genau so passiert und hat die Sicht auf mein Leben sehr verändert. Und es hat mich außerordentlich gefreut, mitzuerleben, wie sie Wellen schlägt, Kreise zieht, bei YouTube geschaut, geteilt und weitererzählt wird. Und was mich am meisten freut: Dieses einfache, aber klare Bild von «in seinem Element sein» hat vielen Menschen schon geholfen, endlich Bewegung in ihr Leben zu bringen, sich aus einer unguten Umgebung zu lösen und neue Wege zu gehen, ins kalte Wasser zu springen und zu schwimmen. Begonnen hat die Pinguingeschichte in meinem Programm «Glücksbringer». Aber ich habe sie weitergesponnen zum Thema der Liebe. Wer weiß, wer sie als Nächstes weiterspinnt ... Danke!

Vor Jahren hatte ich ein Engagement als Moderator auf einer Kreuzfahrt. Tolle Sache, dachte ich, bis ich auf dem Schiff war. Ich merkte zwei Dinge: Ich war, was das Publikum anging, im wahrsten Sinne auf dem falschen Dampfer. Und: Seekrankheit hat keinen Respekt vor der Approbation. Es war übel.

Endlich kamen wir an die Küste, ein Tag in der norwegischen Stadt Bergen. Ich ging in den Zoo und sah dort einen Pinguin auf dem Felsen stehen. Mein erster Gedanke: Armes Würstchen. Kann nicht fliegen, «tappelt» da so ungelenk durch die Gegend. Kein Hals, keine Knie und ein dicker Bauch. Fehlkonstruktion.

Da sprang der Pinguin vor meinen Augen ins Wasser und schwamm. Er tauchte an den Beckenrand, warf mir einen Blick zu, und ich vermute: Jetzt hatte er Mitleid mit mir. Wer jemals einen Pinguin hat schwimmen sehen, weiß: Er kann das hervorragend! Im Wasser bewegte er sich leicht, schnell und elegant, mit viel Freude zog er seine Bahnen. Und ich hielt ihn gerade noch für eine Fehlkonstruktion.

In dem Moment wurde mir klar, wie schnell ich andere beurteile. Und wie ich damit vollkommen danebenliegen kann, gerade wenn ich sie in nur einer Situation erlebt habe. Und mir wurde klar, wie wichtig die richtige Umgebung ist, damit zum Vorschein kommen kann, was in einem steckt. Menschen ändern sich nicht grundsätzlich. Wer als Pinguin geboren wurde, wird in diesem Leben keine Giraffe mehr. Es ist gut, wenn man das weiß. Dann braucht man auch keine Energie damit zu verschwenden, lange darüber zu reden, warum man lieber einen langen Hals hätte. Und dass die Eltern schuld sind.

Hilfreicher sind Gespräche, die einen zu seinen Stärken führen. Fragen wie: «Was kannst du, was willst du, wann hast du Freude, wann haben andere mit dir Freude, und wie kannst du jeden Tag ein bisschen mehr dafür tun?»

Wenn ich dann meine Stärken kenne, schaue ich mich um, ob die Umgebung dazu passt. Sollte ich mich als Pinguin in der Wüste aufhalten, liegt es nicht allein an mir, wenn es nicht flutscht. Dann ist es auch nicht entscheidend zu klären, wie ich hierhergekommen bin. Viel wichtiger ist: Wie komme ich hier weg? In vielen kleinen Schritten hin zu meinem Element. Dann ein Sprung ins kalte Wasser – und man weiß wieder, wie es sich anfühlt, in seinem Element zu sein.

Ich habe eingesehen: Ich bin ein kreativer Chaot. Eine meiner Schwächen ist, dass ich schlecht darin bin, Routineaufgaben zu erledigen. Das ist in einem Krankenhaus ungünstig. Eine meiner Stärken ist jedoch, beim freien Reden auf viele neue Ideen zu kommen. Das ist beim Diktieren von Arztbriefen auch ungünstig.

Heute nutze ich viel mehr von meinen Stärken, meine Schwächen fallen weniger ins Gewicht. Und das ist nur meine Geschichte, die jedem Mut machen soll, seinem Wesen zu folgen.

Wenn ich keinen anderen mehr für mein Unglück verantwortlich mache, wenn ich in meinem Element glücklich bin, dann kann ich mich umschauen, ob da jemand auf meiner Wellenlänge unterwegs ist. Der erste Schritt ist immer, zu lieben, was ist. Das ist schon schwer genug. Und die Idee ist uralt. «Liebe deinen Nächsten wie dich selbst» heißt genauer übersetzt: «Liebe deinen Nächsten, denn er ist wie du.» Oder salopp ausgedrückt: «Liebe dich selbst, dann können die anderen dich gernhaben.» Vorher ist es schwer.

In dem Moment, in dem ich mit mir glücklich sein kann, kann ich mit anderen glücklich sein. Nur wenn ich keinen anderen dazu verdamme, mich glücklich zu machen, kann ich mit jemand anderem glücklich sein. Und wenn da jemand ist, der in die gleiche Richtung möchte, kann man ein Stück des Weges gemeinsam schwimmen. Und sich wieder trennen. Oder vielleicht ein Paar werden. Oder sogar eine Kolonie gründen, sich gegenseitig das Leben schön machen und die Freuden und die Arbeit miteinander teilen. Pinguine machen nicht alles zusammen. Bei ihnen gehen die Weibchen jagen, und die Männer hüten das Nest. Die Weibchen legen die Eier, die Männer packen sie auf ihre Füße und schützen sie so vor dem kalten Boden. Und dann nehmen sie ihren Bauch und stülpen ihn über das Ei und halten es warm. Ist das nicht poetisch? Dieser leichte Ansatz zur Wampe, den wir Männer ab vierzig haben, dient eigentlich einem tiefen biologischen Sinn: Schutz für die nächste Generation. Aber, Jungs, die Menge macht's. Wenn der Bauch beginnt, die eigenen Eier warm zu halten, dann geh mal wieder schwimmen.

Die Pinguine stehen in Gruppen und schützen sich gegenseitig vor Kälte. Und das brauchen wir Menschen auch. Vater, Mutter, Kind im Reihenendhaus – das war nie der große Plan. Wir brauchen größere Netze. Wir brauchen Mehrgenerationenhäuser mit Tanten, Omas, Opas und vielen anderen Kindern. In Afrika sagt man: «It takes a whole village to raise a child.» Man braucht ein ganzes Dorf, um ein Kind großzuziehen. Das haben wir ein bisschen vergessen.

Liebe ist die Summe aller unserer Beziehungen. Und ich glaube auch, wenn man die Liebe nicht auf einen Menschen reduziert, dann hat sie eine Chance, zu leben und zu wachsen. Man kann jeden Tag mit sich, dem anderen und vielen Menschen liebevoll umgehen. Wenn der Strom ausfällt und dein Akku leer ist, nutzen dir fünfhundert Freunde bei Facebook einen Dreck. Es lohnt sich immer noch, seinen Nachbarn zu kennen, und das nicht nur aus dem Gerichtssaal.

Ich habe in diesem Buch über viele Formen der Liebe geschrieben. Eine möchte ich noch erwähnen, von der man nur in Bildern sprechen kann. Es gibt Leute, die sagen, wir können überhaupt nur lieben, weil wir geliebt wurden und werden. Und dann behaupten einige, die Liebe sei stärker als der Tod. Warum muss man dann sterben? Das ist doch das Schlimmste, was man jemandem antun kann. Schwierige Frage. Vielleicht ist die höchste Aufgabe der Liebe die Selbstaufgabe. Vielleicht geht es gar nicht darum, dass wir unendlich leben. Sondern, dass das Leben weitergeht. Dass die Liebe weitergeht. Wie wäre es denn besser?

Ein unsterbliches Leben wäre, wenn man es einmal zu Ende denkt, sterbenslangweilig. Es käme auf nix an. Jeder Moment wäre gleichgültig. Wenn man sich mit dem Gedanken der Endlichkeit etwas anfreunden kann, konzentriert man sich automatisch auf die Dinge, die ihren Wert behalten. Alles, was wir in Liebe bekommen und in Liebe weitergeben. Alles, was wir jemandem gezeigt und erklärt, was wir gesät und gepflanzt, was wir gezeugt und bezeugt haben, bleibt.

Wenn du dein bester Pinguin bist, reicht ein Flügelschlag, um irgendwo im großen Ozean des Bewusstseins eine Welle auszulösen, die es ohne dich nie gegeben hätte. Mehr wird von uns gar nicht verlangt. Irgendwann kommen die Jungen nach, und unsere Zeit schwindet. Und dann machst du keine große Welle mehr, du wirst wieder zur Welle. Verbindest dich mit etwas, das größer ist als du. Und irgendwann bist du nur noch Welle und Meer und vielleicht ein bisschen mehr.

Das kann keiner wissen. Aber schön wär's.

Was hast du vor
mit dem Rest deiner Zeit?

Was hast du vor mit dem Rest deiner Zeit?
Sind Kopf und Bauch und auch dein Herz schon so weit?
Ich sag mal so, ich bin in weiten Teilen bereit,
Den nächsten Schritt mit dir zu gehen.

Jeden Morgen dein Gesicht, wär' das schön.
Jeden Mittag ein Gericht, wär' das schön.
Jeden Abend ein Gedicht, wär' das schön.
Und in der Nacht ...

Liedtext zur Melodie von
«What are you doing with the rest of your life?»

Ich will dich sehen in allen Spielarten des Lichts,
Bei Sonne, Dämm'rung, Mondenschein und Nichts,
Im Kerzenschein der Torte an dem Fest,
Wo du mich deine stillsten Wünsche heimlich hören lässt.

Dieses Morgen liegt noch brach in deinem Blick,
Schau mich an, schau mit nach vorn, nicht zurück.
Wenn du Angst hast, lass sie los, Stück für Stück,
Kuss um Kuss, komm auf mich zu.

Der Rest unsrer Zeit, der beginnt genau im Jetzt, Hier und Heut'.
Viel zu lange habe ich mich schon gescheut.
Ich sag's, wie's ist: Ich liebe dich!

Dank

Dies ist ein Werk von und über Kooperation von vielen Männern und Frauen.

Ich danke meinem Rechercheur **Rolf Degen**, der mich in den letzten Jahren fast täglich mit spannenden Hinweisen auf neue Ideen bringt. Und ich hätte gerne noch über so viel geschrieben. Weil Wissenschaft immer im Fluss ist, bleibt alles, was hier steht, Stückwerk und kann widerlegt werden. Auf ein ausführliches Literaturverzeichnis verzichten wir, denn es veraltet zu schnell. Dafür gibt es auf meiner Homepage **www.hirschhausen.com** eine Sammlung von Studien, Links und Buchempfehlungen.

Eine im Juli 2012, also kurz vor Drucklegung, veröffentlichte Studie besagt, dass Frauen seit neuestem in IQ-Tests besser abschneiden als Männer. Aber vielleicht sind die wirklich schlauen Frauen diejenigen, die es die Männer nicht so spüren lassen. Zum Beispiel diese:

Barbara Laugwitz, meine Lektorin, die mich mit viel persönlichem Einsatz in der Endphase motiviert hielt, indem sie für jeden fertigen Text ein Post-it an meinen Kühlschrank klebte.

Susanne Herbert, meine Managerin, die bei allen Projekten seit über zehn Jahren immer den Überblick behält.

Amanda Mock, die mich als Wissenschaftsredakteurin und Atemtherapeutin mit beiden Kompetenzen unterstützt, wenn Flow oder Atem stocken.

Änni Perner, die mit viel Hingabe zum Detail alle Sonderseiten, das Layout und den Umschlag gestaltet hat.

Das Team im Büro: Sabine Frankl, Sarah Kamissek und **Jan Niklas Satzke**, die mich seit Jahren loyal und professionell unterstützen.

Catrin Lutz und **Britta Benzenhöfer,** die mit mir zusammen die Stiftung HUMOR HILFT HEILEN voranbringen, damit es auch in Krankenhäusern mehr zu lachen gibt.

Tania Singer, die mich an einem Treffen teilnehmen ließ, bei dem es um die Erforschung und Verbreitung von Achtsamkeit, Meditation und Mitgefühl ging. Und bei dem ich sehr viele herzliche Menschen kennenlernen durfte, die Theorie und Praxis der *loving kindness* verbinden.

Tobias Esch, ein Arzt, Glücksforscher und vor allen Dingen Freund, der mich immer wieder mit seinem Lachen und seinen Ideen begeistert und mir zeigt, worauf es ankommt.

Vince Ebert und **Chin Meyer,** meine beiden wunderbaren Kabarettkollegen und Freunde, die mir viele Anregungen gaben aus der Welt der Physik, des grundlosen Optimismus und überhaupt.

Bernhard Ludwig, dessen Programm *Anleitung zur sexuellen Unzufriedenheit* ein Meilenstein des Wissenschaftskabaretts war und der mich inspiriert hat, beispielsweise zu der Idee der grafischen Darstellung des Heiratsmarktes.

Danke an **Amanda Mock** für «Kevin ausverkauft» und andere herrliche Schnappschüsse. **Alexander Grau** für die «Qual Tours», **Leona Schupp** für «Sauf Taxis», **Susanne Herbert** für «We will always be best friends» und **Thomas Lupo** von ART HELPS für «Don't stop loving» und das Foto des Vorworts. Drei Motive stammen aus dem Internet, Dank den unbekannten Quellen.

Der größte Dank geht an meine Liebsten, für die ich viel zu wenig Zeit und Aufmerksamkeit hatte – in der Zeit, in der ich darüber schrieb, wie wichtig die Liebe ist. Allen voran danke ich meiner Frau für ihre Geduld, Liebe und ihre humorvollen Kommentare: «Schatz, ich bin immer wieder überrascht, was du alles theoretisch weißt.»

Alles, was nicht in Büchern steht, durfte ich von meinen Großeltern, Eltern, meiner eigenen Familie und denen lernen, die in meinem Herzen sind.

«Das Glück erkennen, wenn es vor einem liegt, den Mut und die Entschlossenheit haben, es aufzuheben und in die Arme zu schließen und es festzuhalten. Das ist die Intelligenz des Herzens. Verstand ohne Gefühl ist reine Logik, und das ist nichts Besonderes.»

So hat Marc Levy es formuliert.

Liebe bleibt das größte Wunder.

Und die größte Wunde.

HUMOR HILFT HEILEN

↗ Für mehr Lachen im Krankenhaus

Wir setzen Deutschland DIE ROTE NASE auf!

Lachen ist ...

die beste Medizin. Gesunde können sich krank lachen – und Kranke gesund!

Die Stiftung HUMOR HILFT HEILEN bringt Clowns in Krankenhäuser und Pflegeeinrichtungen, wo sie kleine und große Patienten aufmuntern.

Zudem unterstützen wir Humorseminare für Studierende, Ärzte und Pflegekräfte und finanzieren Begleitforschung.

Wir freuen uns über Ihre Unterstützung, denn es gibt noch viele Patienten in Kliniken und Ambulanzen, die ein Lächeln mehr brauchen.

↗ Erfahren Sie mehr unter

WWW.HUMOR-HILFT-HEILEN.DE

↗ Sie dachten, nur Ärzte dürfen «überweisen»? Sie dürfen es auch!

↗ SPENDENKONTO DER STIFTUNG:
Postbank Hamburg
BLZ 200 100 20
KTO 999 222 200

Bildnachweis

Kapiteltrennseiten:
Frank Eidel und fotolia (Sonnenschirm, Kites
und Picknickkorb)
Sonderseiten:
Frank Eidel (S. 92–95, 322–323, 374–375)
fotolia (S. 112, 153–154, 186–187, 227)
shutterstock (S. 153)
Fotos mit Bildunterschriften:
Dr. Eckart von Hirschhausen, Amanda Mock (S. 30, 59,
68, 98, 125, 230), Mathias Marx (S. 266, mit freundlicher
Genehmigung von Tobias Lang), Änni Perner (S. 286),
Alexander Grau (S. 55), Leona Schupp (S. 263), Susanne
Herbert (S. 222), Thomas Lupo (S. 8, 379), fotolia (S. 368),
Medimage 3D (S. 84), iStockphoto.com (S. 314, bearbeitet
von Esther Wienand), Änni Perner (S. 290)